問題解決・アイデア発想＆伝達のための［科学的］思考支援ツール

TRIZ

トリーズの9画面法

TRIZアイデアクリエータ
高木芳徳

Discover
ディスカヴァー

はじめに

「発表が迫っているのに、アイデアが浮かばない」

「せっかく斬新な解決策のアイデアを出したのに、上司やチームメンバーに伝わらない」

いままでにそんな思いをしたこと、ありませんでしたか？

新規事業やプロジェクトの資料、新しい商品の企画書、会社や学校のプレゼンテーション、学生の方なら論文のテーマ出しや就職活動での自己アピール……。

私たちは、会社単位の仕事から、学校生活、日常生活まで、あらゆる場面で、

● 新しいアイデアを作り
● それを（資料や口頭で）相手に分かる形で伝える

ことが求められています。

そして大抵は、アイデアを作ることはできても、打ち合わせや相談の際に上手く伝わらず、「なんでこのアイデアのよさが分からないんだ！」という悔しい思いで終わってしまうのではないでしょうか。

私も同じ思いを抱えていました。しかし、本書でご紹介する「**トリーズの9画面法**」を使うようになって、状況は大きく変わりました。**多くの仕事や提案が驚くほど順調に進むようになったのです。**

多くの創造技法は 伝えかたを想定しない 単なる「アイデア量産」

この「**いいアイデアが伝わらない**」という問題は、会社に限らず、また大小を問わず、様々な場面で起こります。歯痒くて、そして、なかなかに厄介な問題です。

（ある問題の解決策の）**アイデアは、人に伝わってこそ価値があります。**「ひとりだけで完結するアイデア」のままでは、複雑・多様化する実社会に効果のあるような価値をそうそう出すことはできないからです。

アイデアは、**何を考えるかということに加え、それをいかに伝えるかということも、あわせて考えるべきなのです。**

しかし、創造のため、解決のため、といって使われる方法の多くは、**アイデアの「質」を上げる**ことに重きがおかれています。

そして、**アイデアは量が質を呼びますから**（もちろん、これは事実です）、何かの解決のための創造的な技法について調べると、**アイデアの「量」をたくさん出す方法**ばかりが出てきます。

かの有名な「**ブレインストーミング（ブレスト）**」もその1つです。

アイデアへの批判を禁止して「アイデアの数を出す」ことを優先する発散のフェーズと、そうして大量に出したアイデアを「絞り込む」収束のフェーズに二分する方法です。

他にも、このブレストを生み出したオズボーン氏による「**オズボーンのチェックリスト**」という方法もありますし、「**ブレインライティング**」という6人で1時間かからずに108ものアイデアを出す方法もあります。

では、出たアイデアを「伝える」方法については、どうでしょうか？

プレゼン技法や、ラピッドプロトタイピングといった形で、たしかに手法はあります。

しかし、**アイデア出しとは別のアプローチになっており、アイデアを伝えることに適したものにはなっていません。**

すると何が起きるか？　それが冒頭でお話ししたような「今までの延長線上にない、画期的なアイデアであればあるほど、伝わりにくい」という悩み（トレードオフ）につながるのです。

アイデアは、伝わってはじめて使えるものになる

この「アイデアを生み出す」部分と「アイデアを伝える」部分は、発電所と送電線の関係でたとえることができます。

そしてアイデア出しの現場では、「発電所」での発電効率向上には熱心でも、「送電線」に関しては、送電専用ではない銅線を使っていて、伝達時に大幅なロスを生じているような状態が起こっているのです。

特に近年では、多くの問題が複雑化・多様化しています。アイデアひとつ、自分ひとりで思いついただけで解決するような問題は、そうそうありません。

自分の出したアイデアが、他の人に伝わり、そこからさらに新しいアイデアが生まれる。そういったアイデアの連鎖を必要とする場面が、さらに増えていくでしょう。

ですから、しっかりした「送電線」が必要なのです。これまでの「説明不能なアイデアを闇雲に出してから絞る」やりかたから、「アイデアが生まれた理由を、説明可能な形で量産する」というやりかたが重要になってくるのです。

では、そんな方法が果たしてあるのでしょうか?

あります。それが、この本で紹介する「**トリーズの9画面法**」という方法なのです!

トリーズの9画面法でアイデアの発想×伝達ができる!

自己紹介が遅れました。私、高木芳徳と申します。ソニーにて研究開発から新規事業創出を経て、現在は人材開発を職務としています。2017年からは、東京大学にて非常勤講師も務めています。

多くの事業やアイデアを創出し、伝えなければならない環境にいるなかで、日頃から使っているのが、この**TRIZ（トリーズ）**という手法です。

前著『トリーズの発明原理40』では、強力な手法であるTRIZの入門書として、TRIZの基本的な考え方である発明原理を紹介しました。おかげさまで、Amazonの発明・特許カテゴリで、半年以上1位となるロングセラーとなりました。

TRIZとはロシア生まれの「発明的な問題解決の理論（Theory of Inventive Problem Solving）」です。この意味を表すロシア語、ティオリア（理論）、リシェニア（解決）、イ

ズブレタチェルスキフ（発明）、ザダチェ（問題）、の頭文字をとって名付けられました。

1950年代に特許審査官のG・アルトシューラーと弟子たちによる特許研究をベースに作られて以来、今では世界中に広がり、さらに発展を続けています。

この理論がなぜすごいか? それは、「**分野を超えた共通性**」を意識して作られていること。そして、アルトシューラーと弟子たちが、**200万件以上もの特許を使って科学的に検証・ブラッシュアップし続けた**こと。

これにより、他に類を見ない、非常に優れた問題解決の理論となりました。

そしてTRIZは、ソ連が健在の間は、門外不出のノウハウとして西側諸国からは厳重に隠されていました。1991年、ソ連崩壊を機に、TRIZを身につけた技術者が西側諸国に流出するやいなや、大きなインパクトを与えるようになったのです。

現在では、ヨーロッパにTRIZを研究する研究室があり、1ライセンス数百万円のTRIZソフトが売れ、TRIZを使うコンサルタントが高収入を得るようになりました。

そんなTRIZのなかで、とくに**課題設定におけるベースとして重視されている**のが、本

書で学ぶ「トリーズの9画面法」なのです。

9画面法は、TRIZのなかでもとても重要な考えかたです。現在、TRIZを最も詳しく説明している書籍である『TRIZ 実践と効用(1) 体系的技術革新』（ダレル・マン・著／中川 徹・監訳／創造開発イニシアチブ）では、常に9画面法を意識することを象徴づけるために、**すべてのページに9画面のアイコンが記載してある**ほどです。

さらにこの9画面法は、研修などでも評価されています。ソニー社内に存在する約300以上の基幹技術研修の中で、私の9画面法の講座は、受講生からの総合評価ランキングで1位を獲得（2018年度）。受講生が社内で9画面法を教えるようになりました。東京大学での授業も、毎年好評です。

トリーズの9画面法は、歴史ある、そして実績のあるツールなのです。

仰々しくお伝えしましたが、手法自体は非常にシンプルです。9画面法をはじめるのに特別な器具は必要ないですし、難しいこともありません。

まず、紙に、昔やった○×ゲームのように4本の線で「井」の字を書き、3×3、計9つのマスに分けます。

次に、それぞれの方向（軸）に名前を付けます。

横方向には時系列、すなわち、過去→現在→未来という項目を。

縦方向には、包含関係にあるシステム（上位システム／システム／下位システム）を。

たったこれだけです。

上位システム、システム、下位システムという言葉が聞き慣れないかもしれません。

ここでは、システムとは「ある目的のために関係性がある要素が集まったもの」で、**「まとまりとしての包含関係によって、上下関係がある」**ということだけ、押さえてください（詳しくは第2部にてご説明します）。

たとえば、人の体をイメージしながら、考えてみましょう。

人の体のなかで、一番大きなシステムは「身体（人体）」です。生きるために、いろい

	過去	現在	未来
上位システム			
システム			
下位システム			

ろな役割に分かれた細胞や組織が集まり形づくられています。

では、その身体がどういったものから構成されているか？ 食物を摂取してから分解・排出するための器官を表す「消化器系」、血液を体に巡らせるための器官である「循環器系」など、「○○系」と呼ばれる器官によって構成されています。これらもシステムですが、人体の一部として、より小さいまとまりになっています。

そして、消化器系や循環器系は、さらに小さな器官である、胃や腸、心臓や血管などが集まってできています。

このように、ある目的のもと、関係のある要素が集まった「身体」「消化器系」「腸」などがシステムで、これらには　身体＞消化器系＞胃、腸　といった上下関係（包含関係）があります。

車の「交通システム」「自動車」「駆動系」、家のなかで音楽や映像を鑑賞するための「ホームシアターシステム」（とそれに付随する「システムコンポ」「音楽プレーヤー」）などもシステムで、人体と同様、包含関係にありますね。このイメージだけ、押さえておいてください。

「包含関係×時系列」で情報を整理することで、アイデアや企画が浮かびやすくなったり、ぐっと伝わりやすくなります。

9画面法の威力とは？

実は、冒頭で述べた「（多くのことを盛り込めば盛り込むほど）アイデアや企画が伝わらない」という話は、かつての私自身の悩みでした。

しかし、本書でご紹介する「9画面法」を使うようになってから、情報の「整理」→「発想」→「伝達」が一気通貫でできるようになりました。その結果、誰も成し遂げていなかった仕事の達成や、理解されにくい探索的な提案も仲間たちと共創して実現できるようになったのです。

なかでも、自分にとって印象に残っている出来事は、新規事業で開発したての機能を自ら営業し、製薬会社からの受注が取れたことです。

上位システム	人体	ホームシアターシステム	交通システム
システム	消化器系	システムコンポ	自動車
下位システム	腸	音楽プレーヤー	駆動系

「新規事業」の「業界初の機能」を「異分野」の人に営業するという3つのハードルに阻まれ、相手に分かってもらうのはとても困難。加えて営業先は、人の命を預かる規制産業であり、新しいことに慎重にならざるを得ない製薬会社。

そんななか、2社から受注をいただけたのは、9画面法があったからでした。

さらにこのことは、当時私が関わった新規事業の存続にもつながりました。

他にも、一夏の10日で、のべ2000人以上の親子向け発明教室を実現したり、特許をより権利範囲を広げての審査を何度も通したり、日経ビジネスオンライン（当時）での連載の依頼をいただいたり。企画や報告内容を9画面法で整理してから進めることで、その意義が人に伝わることがぐっと増えました。

そして現在の私は、ソニーグループの人材開発に携わり、**多様性を活かした成長の場PORT**で、企画および運営のリーダーを務めています。

PORTという探索的な仕事は、とても一人では果たせません。企画および自主活動メンバーの所属先は10社以上にまたがり、多様です。

加えて社会の状況が大きく変化しています。

私は9画面法を用いて**情報を整理**し、多くの**仮説創出を行い、構想を伝達し、実施からの検討**を繰り返しています。

2020年のコロナ禍においても、いち早くオンラインでの活動に舵を切りました。仲間の多様性と主体性にも恵まれ、Withコロナの状態でも、日々、探索しながら「学びあい続ける場」が成長しています。同様の場を取材して回っている方から、「**2歩も3歩も進んでいる**」と驚かれると共に、「**やはりソニーさんですね**」と嬉しそうにしていただけたのは、皆との仕事の励みになっています。

「こんなシンプルなことで、すごい効果が出るのならば、もっと多くの人に知ってもらいたい」——そんな思いが湧きあがり、今回の書籍の執筆にいたりました。

もちろん、この本の出版に向けても、9画面法が大活躍！　私が担当編集者を説得できたのも、また担当編集者が企画会議で企画を通すことができたのも、このツールあってこそでした。

アイデアを作ること、そのアイデアを分かりやすく伝えることは、センスが必要だと思われたり、コンサルタントの特権のように言われたりします。しかし、実際は違います。9画面法というツールを使うことで、**誰でも簡単に、新しいアイデアを作り、伝えあうことができるのです！**

たった4本の線で、多くの人がみんなで価値を生みだせる9つの画面。ぜひ使いこなしていただき、よりよい日本と世界をつくることにつながっていけば幸いです。

高木 芳徳

本書の構成と 各セクションで得られるもの

本書は3部構成になっています。

サイモン＝シネック氏のTEDトークでも有名になったように、Why, How, Whatの順に説明していくことで、トリーズの9画面法を理解し、自分で使えるようになっていただきたいと考えています。

● なぜ9画面法を学ぶとよいのか？(Why)
● 9画面法の理解・練習 (How)
● 9画面法の応用例、実践例 (What)

まず、第1部では、「9画面法への招待」と銘打って、9画面法のメリットと魅力についてざっくりとご紹介します。

現在、ビジネスも個人の人生の在りかたも多様化しています。協力して価値を出すべき相手との前提も多様になり、そのことへの配慮が必要となっています。さらに、技術の進歩により、環境が刻々と変化する時代になりました。そのようななかでは、いままでのやりかたでは太刀打ちできなくなるでしょう。

そこで、トリーズの9画面法の出番です。なぜ、9画面が上記のような状況で威力を発揮できるのか？ その理由は**3×3に分けること**と、**軸のとりかた**にあります。

ビジネスでよく使われている手法との共通点や違い、その強みについて理解することで、いくつかの従来手法の上位互換になっていることが分かっていただけるはずです。

次に、第2部では、9画面法のかきかたを、軸の要素に分けて3章構成でお伝えします。よく使うもの・使いやすい例を、例題形式で紹介することで、クイズ感覚でかき方を「体得」していただきたます。

第1章では、感覚的にとらえやすい時間軸方向の「過去→現在→未来」の横3画面を7つの例で学びます。

第2章では、システム軸方向の「大／中／小」の縦3画面をまた7つの例で学びます。システムという言葉についても紹介し、より理解を深めていただきます。

第3章では、いよいよ、それぞれの軸を掛けあわせた、6画面〜9画面の例を7つ紹介します。

そして各章末には、企業分析をテーマにした「実践ワーク」を用意しています。実際に手を動かしていただき、複数の3画面や9画面をかくことで、1つのものを多角的に見れることを体感してください。

最後の第3部では、トリーズの9画面法を使った応用例や実例を見ることによって、9画面の理解を深めていただきます。多くの応用例やアイデアの種となる9画面の内容が理解できれば、考えかたの整理に9画面法を使える力がついていることでしょう。

『トリーズの9画面法』で得られるもの

第1部の獲得物 **なぜ学ぶ必要が** **あるのか** **（Why）** 9画面法のメリットが 分かる	**第2部の獲得物** **9画面法のツールの** **機能と使い方** **（How）** 9画面法の要素と書きかたが わかる	**第3部の獲得物** **9画面法の** **実際** **（What）** 9画面法の実例や活用方法が わかる	獲得物
第1部のテーマ 9画面法への招待	**第2部のテーマ** 9画面法を知る	**第3部のテーマ** 9画面法を活かした コミュニケーション	テーマ
第1部の講義内容 ● 9画面法とは？ ● 9画面法がもつ威力 ● 従来手法との共通点・違い	**第2部の講義内容** ● 横3画面（時間軸） ● 縦3画面（システム軸） ● 6画面〜9画面 　（時間軸×システム軸）	**第3部の講義内容** ● コミュニケーションのための 　9画面法 ● 課題解決と9画面法 ● 9画面アラカルト	講義内容

第1部 → 第2部 → 第3部

CONTENTS

第 3 章　9画面 時間軸×空間(システム)軸に思考を拡張する

第3部　9画面を活かしたコミュニケーション

第 1 章　コミュニケーションのための9画面法

第 2 章　コンサルティング手法と9画面法

第 3 章　9画面アラカルト

『トリーズの9画面』　早見表

本書は300ページ近くありますが、学びたいところから学べるよう、基本的には各項目が3〜6ページ単位でまとまっています。

33ページ（「第2部で得られるもの」）まで読んだ後は、役立てていきたいことに応じて、以下の各マスに挙げたページにジャンプする使いかたも想定しています。9画面の使いかたの習得が目的なら、ページの番号が小さい順に読み進めていただくことを推奨しますが、特徴を先に知りたい場合は、各マス太字にしたページからご覧ください。

▼すぐに役立てたい！

情報の「整理」に役立てたい 企業9画面コース pp.52〜55、110〜112、**154〜**	企画の「発想」に役立てたい ブレス鳥居コース pp.107〜109、138〜**142〜147**、254〜	業務の「伝達」に役立てたい 報連相9画面コース pp.116〜119、178〜183、**214〜**

▼9画面法で成長したい！

9画面法で「創造性」を上げたい 発明9画面コース pp.104〜106、**129〜137**	9画面法で「企画力」を上げたい 企画9画面コース pp.**62〜64**、113〜115、**150〜153**、231〜	9画面法で「分析力」を上げたい Google解剖コース pp.70〜78、**120〜126**、184〜204

▼9画面そのものを知りたい！

9画面法の「特長」を知りたい 従来手法と対比コース pp.20〜24、127、**242〜**	9画面法の「概要」を知りたい 9画面の概略コース pp.**14〜35**、128〜137、284〜	9画面法の「理論」を知りたい 空間・システムコース pp.18〜22、**80〜103**、170〜177

第 1 部

トリーズの9画面法
への招待

第1部の背景・第1部で得られるもの

相手に企画やアイデアが伝わらない原因はなんでしょうか。

アイデアが分かりづらい、価値観が理解できない、関心がない……。いろいろな理由が思い浮かぶかもしれません。

ある程度聞き手が関心を持っている内容を話す環境であれば、多少分かりづらい説明だとしても、また自身の価値観や関心とずれていたとしても、最後まで聞いてもらえるでしょう。

また、アイデアが分かりづらいかどうかというのは、ある程度伝わっているからこそその感想です。

つまり、もしアイデアが伝わっていないと感じているのだとしたら、それは、アイデアそのものの分かりにくさではなく、**そのアイデアの前提となる課題設定が伝わっていない**ことや、その分析・比較の結果、**何をしたいのかが伝わっていない**ことにあります。

前提や伝えたい未来などの「**3つめの情報**」を用意してあげる必要があるのです。

そこで、本書で紹介するトリーズの9画面法は、横軸に時間軸を、縦軸にシステム軸を取り、それぞれを3つずつに区切っています。この3×3マスを用いて、解決すべき問題とその周辺について、記述しながら整理をしていきます。

この「3つに区切る」ことがポイントです。
現在の状況と仮説や提案があるなら前提の話を、過去の事実と現在の状況が分かっているなら伝えたい未来や仮説を伝える必要があります。

これらの3つめの情報を入れる空間をつくることで、前提の共有をして道筋を示してあげたり、アイデアのスキマが生まれることで、システマティックに発想することができるようになるのです。

第1部では、このツールの概要や強みについて、ご説明します。

まずは、なぜこの手法が今後必要となってくるのかについて、外部環境の変化と、この手法の縦軸にある「システム軸」の関係性についてお伝えします。

次に、9画面法がどのようなものなのかの概要について、簡単にお伝えします。

最後に、9画面法がなぜ強力なのか。いままでの手法との共通点や違いなども見つつ、ご説明しましょう。

第１部で得られるもの

環境変化の認識	従来技法との共通点	従来技法との相違点
世の中がVUCAになっているから 上位システム視点は必須 ➡ いい方法は？	時空間軸を意識した表は分かりやすい ➡ しかし、書きかたが分からない 　 から学びたい	従来手法は「要素」 時空間視点を学ぶ機会がない ➡ あと必要なパーツが９画面
一段上の仮説力が必要になった ➡ そこで９画面法が使える	伝える資料は「包含関係×時系列」 で整理すると 全体と詳細が分かりやすい	従来の方法では「要素」どまり ➡ 時空間視点はセンスではなく 　 学ぶことができる
● 天気の話　地震→余震 ● 業界に激震の話 ● 上位システムを意識	● スケジュール表 ● コンサルの資料 ● TS図	● 箇条書き／分割 ● ロジカルシンキング ● 困りごと別

上位システム（環境・前提・背景）　システム（主題）　下位システム（具体的要素）

システム軸

時点1（16〜19ページ）　　時点2（20〜22ページ）　　時点3（23〜25ページ）

９画面法がなぜ必要になるのか？
環境と目標の共有

環境を考えることの必要性

私たちは、環境のなかで生きています。

しかし多くの場合、環境は急激に変化しないため、それを意識せずに生活できます。突然、空気中の酸素がなくなることや、空から何か落ちてくるのを心配するのは杞憂です。

また、たいていの場合「環境には変化がない」ため、あまり変化を意識する必要はありません。たとえば、家の中のインフラである、電気、水道がありますから、外が暗くなればあかりをつければいいですし、蛇口をひねればいつでも水が出てきます。

ところが、2011年、東日本大震災で、原子力発電所が停止しました。私が住んでいた厚木では減った電力をカバーするために、電気が停まる時間帯がありました。そうなると、いやでも「自分たちが属している送電地域と、その動向」（＝環境）について考えざるを得ませんでした。

このように、自然災害、また最近では感染力のあるウイルスの蔓延など、環境変化の激しい時代では、過去に起こったことと未来に起こることの整理、そして、自分より大きな環境の変化についても考慮する必要性が増してきているのです。

ビジネスにおける環境変化

ビジネスにおいても、同じく自分より大きな環境を押さえておくことが必要です。

なぜ、環境変化を押さえなければならないのか？　それは、**自分がいる状態の整理、同じチームや部下・上司との前提情報を整理・共有する**ためです。

たとえば、あなたが、業界１番手の企業に勤める営業担当であったとしましょう。

会社で起きていることを何も知らされないままに、次のような仕事の変化や状態になったとしたら、不安やストレスになるのではないでしょうか？

- 今までは、営業時、客先から「商品が安定供給されるのか？」を一番に聞かれていた
- しかし最近は、客先から「自社の製品を、2番手企業と比較した表」を要求される
- そして来月から、客先ではなく業界4番手や5番手の担当者と話すことが仕事になった

しかし、会社に以下のような環境変化が起こったことが分かったら、仕事の変化も納得がいき、提案内容の方向性なども定まるのではないでしょうか。

- これまでは、自社が業界1番手だった
- 最近、業界2番手と3番手の合併が起きたため、2番手に転落
- そのため、慌てて業界4番手、5番手との合併を模索する状況に変わった

影響力が強い方を上段に置いて示せば、次のような表にまとめられます。

業界は平穏 序列通り	業界に激震 2番手3番手合併	業界の再編 2巨頭時代？	業界
自社の立ち位置 ➡ 業界1位 　供給安定で受注	自社の立ち位置② ➡ 業界2位 　比較して受注	自社の立ち位置 ➡ 合併の連続 　合併先探しへ	自社
自社製品の供給 見込資料を作成	他社製品との 比較資料作成	会社全体の 財務資料作成	自分
過去	現在	未来	

上記のように、自分が考えている大きさ・領域よりも大きい環境の変化が分かれば、どういう状況なのかが理解できるため、依頼された仕事のなぜ？　どうして？　が把握しやすくなります。ストレスが減り、創造的なことも考えやすくなるでしょう。

会社の吸収・合併というのは、かなり大きな例ですが、それ以外にも、自身が所属するチームの状況、部署の状況など、自分より大きな環境は、前提や制約になります。

上記のように整理すれば、前提を押さえたうえで情報の整理やアイデアの着想ができ、自分の仕事だけでなく、チームの仕事、部下に仕事を説明するときにも同様に有効となります。

トリーズの9画面法とは？

実は、前のページでお見せした3×3マスの図は、すでにトリーズの9画面になっています。横軸は時間軸として現在を中心に、過去の事実、今の状態、この後の変化をまとめました。縦軸はシステム軸として、自社を対象として中心に置き、それよりも大きな環境（＝上位システム）である業界を上に、要素（＝下位システム）である自分を下にとったものです。

このように、トリーズの9画面とは、
- 縦にシステム軸、横に時間軸をとり
- それぞれを3分割した9つのエリアに分ける

ことで、整理をするためのフレームワークとなります。

9画面のかきかた

かきかたは簡単で、「はじめに」で説明したように、9つのエリアに分けるために、○×ゲームのように4本の線を引き、それぞれのラベルを入れるだけです。

横方向の3列は、左から「過去→現在→未来」を表します。

過去に起こった「事実」、現在の「状況」、未来の「予測」を分けることで、事実と推測を分けたり、過去に起こった前提となる事実を見つけやすくします。

時系列は、プロジェクトのスケジュール立案や、人生の計画を立てる場面など、意識する場面が多く、比較的なじみがあるかたが多いかもしれません。

そして、9画面法の特徴。それは、「**過去→現在→未来の3マスが、3段積み重なっている**」ことです。

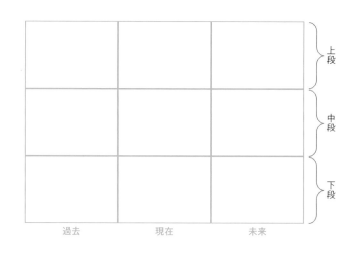

上段　中段　下段

過去　　　現在　　　未来

縦方向は、相対的な大きさや包含関係（＝システム）で分かれており、大きなグループや環境などを上段に、構成要素やより小さいものを下段に置きます。

このようにすることで、**環境変化が与える影響やそれに応じた予測**ができたり、**自身で変えられる部分と変えられない部分の整理**ができたりします。マクロな視点とミクロな視点を両立できるようになっているのです。

9画面の特徴

手法の特徴は、

❶ **軸の選びかた（システム軸×時間軸）**
❷ **それぞれの軸で３分割していること**
にあります。

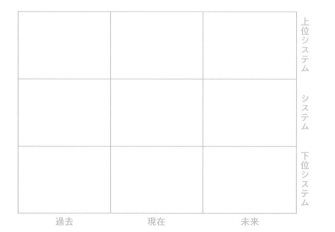

❶ **軸の選びかた**
（システム軸×時間軸）

まず、軸の選びかた。このシステム×時間という表しかたこそ、科学的であり、ビジネスのフレームワークとは異なる部分です。

しかし、この「空間の３次元（システムの一部）×時間変化」というのは、科学ではあたりまえの軸のとりかたです。中学や高校の物理を思い出してみると、何の疑問もなく、位置（x-y-z軸）と時間（t軸）でグラフを描いていたのではないでしょうか。

実は、**基本的な事象は、その（空間上の）大きさや関係性などの「包含関係」と、「時間変化」で表すことができます。**その２軸を採用することで、基本的なラベルの属性を変える必要がなくなり、アイデアを生むための再現性を高くしているのです。

ちなみに、社会に出た瞬間に、ビジネスではそのような軸のとりかたを見なくなるのはなぜでしょうか？

実は、表面的に見えなくなっただけで、よくある3Cや4P分析などのフレームワークには、この「システム」という考え方が隠れています。ビジネスでは覚えて利用しやすいように、

3Cや4Pなどの名前がついていますが、これらも実は、システム×時間で考えているのです。この辺りは、第3部第2章（p.241）でお伝えします。

❷ **それぞれの軸で３分割している**

次に、３つに分ける、３つの情報を並べるということに、この手法の特徴があります。

２つの差や比較を単に行うだけでなく、３つめの空間を設けることで、前提情報を補足したり、分かっている情報から仮説を生むための道筋が見えるようになるのです。

さらに、３つの情報が並ぶことで、それぞれの関係性がさらに詳細に見えるようになり、情報の更新や、次のアイデアの着想につながります。

ビジネスにおいてよく使われているフレームワークと比較しながら、特徴をもう少し詳しくご説明していきましょう。

伝わる資料は「包含関係×時系列」
全体と詳細が分かりやすい

前節では、トリーズの9画面法について、ツールの特徴などをご説明しました。軸の取りかたと、3つに分けるところに特徴があるということをお伝えしました。

しかし、シンプルなフレームゆえに、既視感を覚えたのではないでしょうか?

そこでここでは、すでに発想法として知られていたり、ビジネスで使われたりしている手法と比較し、どのあたりが一緒で、どのあたりが違うのか? についてご説明します。

まずは、その共通点からご説明しましょう。

伝わりやすい資料は「包含関係×時系列」になっている

9画面法は、包含関係×時系列に並べることで、「伝わりやすさ」と「創造性」を両立できるトリーズの思考ツールです。

先ほどお伝えしたように、この2軸を選ぶことで、内容の整理がうまくいくようになっています。

実はこの「包含関係×時系列」という考えかた、すでに様々なフレームワークで利用され、私たちは知らず知らずのうちに恩恵を受けています。

いくつかのフレームワーク・ツールを例に挙げながら、理由も含めてご説明しましょう。

● スケジュール表

スケジュール表とは、次の図に示したように「やるべき仕事が時系列順に並べてある資料」のことです。

世の中には、2種類の企画書があります。

それは、「スケジュールが記載されている企画書」と、「そうでない企画書」です。

企画書を上司や先生に渡した際、開口一番「スケジュールのページはどれ?」と聞かれた経験は一度や二度ではないと思います。

スケジュール表には必ず時間軸があります。多くの場合、横軸に左から右に時間軸を取り、時系列に並べるのは共通です。逆に、こうした「やるべき仕事を時間軸順に並べて概観できる資料」がないと大変不便です。マネージャーが「スケジュール資料をつけてくれ」と要求するのはもっともなことです。

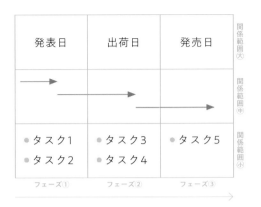

	発表日	出荷日	発売日	関係範囲(大)
	→→→			関係範囲(中)
		→→→		
			→→→	
	●タスク1 ●タスク2	●タスク3 ●タスク4	●タスク5	関係範囲(小)
	フェーズ①	フェーズ②	フェーズ③	

さて、そのなかでも「分かりやすい」スケジュール表記は、製品の発売日や出荷日といった他部署も巻き込む「関係者が最も多いイベント」を一番上に表記し、それに伴う「全体の大きな流れ」を描いたうえで、個々のタスクを表記するパターンです。

これを「(問題の)粒度が大きい順」という言いかたをすることは聞いたことがあるでしょう。

ここで、改めて「問題の粒度」を、「関係するメンバーの多さ」≒「関係者が占める空間」として縦方向に眺めてみてください。「大きな空間→小さな空間」という順に並んでいるはずです。

● ガントチャート

スケジュール表をより細かく別表記し、タスクを前工程→後工程の順に並べたのが、ガントチャートです。

見た目には、大小とりまぜたタスクが時系列順に並んでいます。ですので、一見すると、大きい→小さいという順に並んでいないように見えます。

しかし、タスクの影響度を考えてみましょう。すると、上から影響力の「大→小」の順で並んでいることが分かります。

タスクの影響度は関係者の人数であり、これもまた、「関係者が占める空間」という視点に立てば、包含関係×時系列順です。

● 矢羽根型を含む「大項目」「小項目」型

国策資料や、民間の研究機関が作成する大きなプロジェクトの資料。そのなかで、次図のような「矢羽根型→大項目→小項目」という形の資料を見たことがあると思います。

大抵、このフォーマットで描かれている資料が冒頭に掲げられている文書は、大筋をしっかりと押さえ、計画通りに進むことが多い実感があるのではないでしょうか。

探索期	成長期	成熟期
Project A	Project B	Project C
施策1	施策4	施策7
施策2	施策5	施策8
施策3	施策6	施策9

この方式は、全体像と詳細をともに見せるのに有効なフォーマットになっています。状況をこの形まで整理できていれば、のちの議論も、よいものになることが多いです。

それは、**この資料がシステム×時間軸になっている**からです。それぞれの要素をよく見ると、

矢羽根型：社会や環境、時期といった、よ

り大きな空間に関しての話

大項目：中心となる話

小項目：より細かなこと（＝小さな空間）が、時系列に並んでおり、まさに包含関係×時系列という「9画面法の考え方」で整理されていることが分かります。

● Ｔ＆Ｓキャンバス

最後に、ベストセラー『1日3時間だけ働いておだやかに暮らすための思考法』（プレジデント社）で有名な山口揚平氏による「Ｔ＆Ｓキャンバス」を挙げておきます。

「Ｔ＆Ｓ」は Time-Space 法の略ですから、まさに「時–空間法」、基本的な考え方は同じです。

上位概念を上に、下位概念を下に。時系列的に過去にあたる「原因」を左に、時間的に後になる「結果」を右にしているところなども同じです。

このように、全体像と詳細が分かりやすい資料は「空間軸×時間軸」になっているという共通点があります。

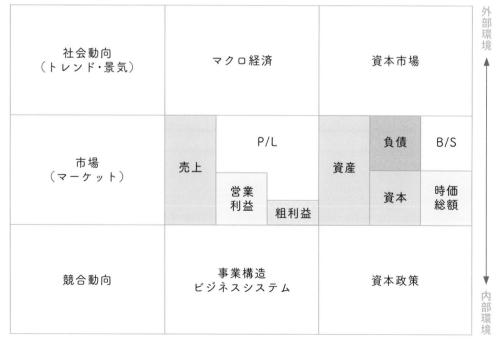

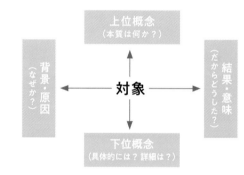

例：英語学習の場合

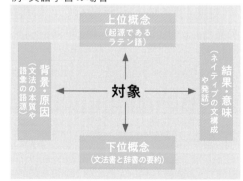

※山口陽平著『1日3時間だけ働いておだやかに暮らすための思考法』をもとに作図

従来手法で解決できなかった「問題点」

伝えるための資料では、「包含関係×時系列」という整理になっていることをお伝えしました。ですから、この2軸に従って、情報を整理すれば伝わりやすくなるわけです。

しかし、簡単なスケジュール表ならともかく、矢羽根型の資料やT&Sキャンバスなどは、すぐに描けそうな感じがしたでしょうか？ 描けるようになるまでにいろいろと学ぶ必要がありそうに感じたのではないでしょうか。また、こうした「分かりやすい図」を描く方法については、センスの問題ではないかと考えたかもしれません。

さらに、スケジュール表では、シンプルがゆえに、情報が複雑になったときに、あまり有効活用できない経験があるのではないでしょうか。

実は、**普段の普段活用している思考ツールは、シンプルすぎるか複雑すぎる**という問題があったのです。

9画面法を身につける前に、従来ツールの抱えていた長所と短所について考えてみましょう。

❶箇条書き

話を聞いて情報をメモするとき、まず最初に思いつくのが、この**箇条書き**です。少し字下げをしたり、マークを変えるなどの工夫をすると、より効率よくメモが取れます。

こうしたインデントつけ箇条書きは、小学生でもできるほど**簡単で使いやすい**手法です。

しかし、ただひたすらに箇条書きで羅列をしていくと、ある一部については詳しく列挙できても、ある部分については情報が粗くなるということが起きがちです。

情報が存在していなければ、その先を考えることからも抜けてしまいますから、**箇条書きしそびれたところについては知的生産が行われない**という弱点があります。

また、考えやすいところほど情報が列挙されるので、**考えやすい細部にばかり時間をかけ、視野が狭くなりがち**です。

❷分割的な手法

❶のような抜け漏れや、一部に一極集中しないために、別の方法があります。考えるべき全体に対して、規模の大小で分けるなど、最初に領域を区切って分けて考えるやりかたです。それが、**4つのマスや2軸に分割する方法**です。

たとえば、ある基準以上か未満か？　外的要因か内的要因か？　事実か推測か？　のように、**MECE**（ミーシー：排他的かつ網羅的）に状況を区切るという方法があります。

さらにそれを2×2のマトリクスに分ける、2軸をとって考える、などの方法もあります。**空間を分けることで、両者を比較などできるため、新たな発見が生まれるのです。**

しかし、こういった手法は、**従来の状態に関しての比較検討にとどまり、「何らかの仮説を立てる」到達点まで至らないことが多い**のが難点です。

❸ロジカルシンキング

そこで、仮説を立てることを想定し、最近、企業研修に取り入れられることが多くなってきているのが**ロジカルシンキング**です。

ロジックのツリー（ピラミッド）構造を形成し、Why So？（なぜそうなるのか？）、So What？（では、どうなるのか？）の問いを繰り返すというものです。

問いへの答えは、事実の確認もあれば、検証するべき仮説の提示でもあります。ですから、**ロジカルシンキングができるメンバー同士で議論をすると、知的生産性として非常に高いものになります。**

しかし難点なのは**習得するのが難しい**こと。企業で研修なども行われますが、もちろんその日だけでは使いこなせるようにはなりません。

数か月かかるようなプロジェクトを「ずっとロジカルシンキングでゴールまで考える」という場が必要です。しかし、コンサルティングファームにでも属さない限り、その環境に恵まれる人はまれ。「強力だが、習得が難しい」思考体系です。

以上のように、従来の箇条書きや分割的な手法にはそれぞれ一長一短がありました。

箇条書きは、シンプルだが視野が細部に寄りやすく、全体に抜けが出やすい。

分割手法は、全体を把握しやすいが、仮説検討や具体案にまで至らない。

この両者は、前節で挙げたような「包含関係×時系列」な図の要素としては活躍しますが、仮説を導けるような図を描く練習には足りません。

そして、ロジカルシンキングは、強力だが習得が難しい、という難点があります。

しかし、9画面法であれば「包含関係×時系列」観点をダイレクトに習得できます。そして、誰でも「仮説を導く」能力を身につけられ、しかもそれを「分かりやすく」伝えられます。

もともと、高度なアイデアや仮説を考えられるというかたも、この9画面法を使って、伝達相手に教えてみましょう。驚くほど、自分の考えがスムーズに伝わるようになることを保証します。

第2部では、実際にそのやり方について、例題を使いながら学んでいきましょう。

これまでの知的生産手法とその特徴

使う側から見た特徴	使う側から見た特徴	使う側から見た特徴
● 手軽にできるが 　情報や比較が抜けやすい ● 細部の検討に時間を 　かけてしまい視野が狭い	● 新たな気づきがあるが 　比較検討にとどまる	● 仮説作成もできるが 　習得に時間がかかる
従来の手法 箇条書き	**従来の手法** 分割的な手法	**従来の手法** ロジカルシンキング
上記の要素、部品 ● 水平位置（インデント） ● マーク（■／▼／・）	上記の要素、部品 ● MECE 　（事実と推測、外的要因と内的要因） ● 2×2のマトリクス ● 2軸をとって考える	上記の要素、部品 ● ツリー（ピラミッド）構造 　（Why so?、So what）

使う側視点　システム軸　手法　要素・機能

難易度　小　　　難易度　中　　　難易度　大

第 2 部

トリーズの
9画面法を知る

巨人とは戦うな、肩に乗れ

If I have seen further it is by standing on shoulders of Giants.
"私が遠くまで見渡せたのだとしたら、それは巨人の肩に乗っていたからです"
by アイザック・ニュートン

言うまでもなく、Google はインターネット界の巨人です。彼らと戦って打ち倒すことは至難ですし、先方も戦おうなどとは思っていないでしょう。彼らは彼らなりに世界を良くしようと日々努力しています。

そんな巨人とは戦うのではなく、その肩に乗せてもらいましょう。

彼らもまた、自身が科学およびインターネットという名の「巨人の肩」に乗せてもらっていることは自覚しています。

……ではどうやってその肩に乗るか？

そこで提案したいのが、Google の歴史から学ぶために、Google を 9 画面メモで様々な側面から描写してみることです。

"愚者は経験に学び、賢者は歴史に学ぶ"
とはドイツの鉄血宰相ビスマルクの言葉として知られる言葉です。

温故知新：歴史を題材に「大きすぎるアイデア」の伝えかたを学ぶ

「なぜ Google は成功したか？」

世の中でもこの問いに対して、いくつもの言説が試みられています。

● Web ページのリンクする／されるの関係に着目した PageRank 形式
● 検索結果に広告を挟む AdWords

などなど、単発のアイデアは挙がるものの、その分野特有のもので、あまり参考になりにくいものです。

しかし Google もたった 1 つ 2 つのアイデアで巨人になったわけではありません。何千、何万、いやそれ以上の試行錯誤の積み重ねの歴史を経ています（今この瞬間にも、10 万人いる Google 社員のうち何割かは、さらなるアイデアを積んでいることでしょう）。

凝った企画を作ったとき、私たちは「大きすぎるアイデア」を相手に伝えるスキル不足を痛感します。しかし、普段から「世の中にある実例（特にベストプラクティス）」から、周囲に役立つアイデアとして取り出す方法を意識し、身につけておくことで、伝わらない悩みから解放されます。

第 2 部の各章では、様々なラベルをつけた 3 画面〜9 画面を説明します。知識を入れた後、各章の終わりで「その章で学んだことを使って Google の一部を切り出す」ワークでアウトプットをしてみましょう。

第2部で得られるもの

第 1部で9画面法の威力や特徴についてご紹介しました。

第2部では、3×3の9つの画面を用いて、「時間軸とシステム軸を意識して物事をすすめる」ことを可視化、習慣化できるようになります。

まず第1章では、横3マスに「時間を区切って並べる」横3画面法を学びます。

つぎに第2章では、縦3マスに「システムの大きさを区切って並べる」縦3画面法を学びます。

最後に第3章で両者を組みあわせ、「時間とシステムを区切って並べる」6画面法〜9画面法を学びます。

3つに区切ること、そして時間×システム軸を掛けあわせることの強みを感じてください。

9画面への道①
時間を区切って並べる (第1章)

時間は**連続的**なものです。しかし、ある時点で**区切り分ける**ことで考えやすくなります。

「昨日終わった出来事」
「今日、進行つつあること」
「明日の予定」

は、一度に考えるよりも、昨日／今日／明日とそれぞれ区切って考えた方が考えやすくなります。

なぜなら、それぞれの影響や関係性が明確になり、**整理しやすくなる**からです。昨日、過度な運動をしていたら今日は疲れているでしょうし、今日どれだけ睡眠できるかで、明日どれだけ眠いかは変わります。今日の行動は昨日影響を受け明日へ影響を与えるのですから。

こうした時間の影響は、並べることで考えやすくなりますし、人にも伝えやすくなります。

第1章では横3画面を用いて、時間を分けて並べることの効果を学びます。

昨日 (過去)		今日 (現在)		明日 (未来)
スポーツ大会だった。いつもより走ったが、ストレッチし忘れた。	影響	勉強もするが疲れているし、睡眠もしっかりとろう。	影響	将来の進路に関わる大事な試験がある。

- 「変えられない過去（動かせない事実）」
- 「具体的で、自身が行動できる現在（事実＋意志）」
- 「まだ仮のもので、推測しながら動く未来（推測＋意志）」

この３つの違い。アイデアが浮かぶときや人にうまく伝えられるときには、このポイントが**自然に認識**できており、**時間軸を味方**にすることで課題解決力を高くしています。逆に言えば、これを常に意識して考えることが課題解決への近道になります。

9画面への道②　システムの大きさで区切って並べる（第2章）

空間もまた連続的なものです。しかし、ある単位で**区切り**、**分ける**ことで考えやすくなります。

たとえば都道府県別、東海３県を「三重県、愛知県、静岡県」と分けて並べることで、それぞれの特色が見えるようになります。

しかし空間の区切り方は、区切る基準によって分けかたが変わります。先ほど例に挙げた日本も「国＞都道府県＞市町村」というように、別の切り方をすることができます。

たとえば河川は、その流域と重要性に応じて、国が定める一級河川、都道府県が定める二級河川、市町村が定める準用河川、というように分かれています。同様に道路にも、国道、県道、市道がありますね。

また、愛知県にはセントレア空港がありますが、入国審査は国単位の話、名古屋鉄道（名鉄）やバスはだいたい愛知県の範疇。一方、地下鉄は都市部でしかコストメリットが無いですから、名古屋市の範疇となります。

管理している主体は違えど、河川や道路、交通機関の間には関係性があります。駅の前が道路と繋がっていないことはまずなく、鉄道は河川の横を通っていることが多い。河川が氾濫すれば道路は通行止めになります。実際にその運用を考えるときには、互いを同じレベルの規模感で考えたほうが見通し良くなります。

もう少し、空間の大／中／小を身近な「個人の行動」レベルにあてはめてみましょう。

よく、コンサルのロジックの例として空・雨・傘の例が出てきます。その「空を見て雨が降りそうだから傘を持って行く」というロジックは、実は関係している空間の大／中／小を表しています。

空間・大	国単位：日本国（一級河川、国道、飛行機）
空間・中	県単位：愛知県（二級河川、県道、私鉄・バス）
空間・小	市単位：名古屋市（準用河川、市道、地下鉄）

空間・大	天気 ➡ 自分が移動する範囲の**上空の状態**
空間・中	その日の**行動全体（判断）** ➡ 雨が降りそうか？
空間・小	１つの**行動** ➡ 傘を持つ、傘をさす

関係する空間の大きさ毎に「自分が影響を与えられる度合い」が変わりますから、空間を区切って考えることは、課題を解決する際に大事です（バーバラ・ミント氏のピラミッドストラクチャーもまた、多くの場合、関係する空間が大＞中＞小となっています）。

第2章は縦3画面を用いて、空間やシステムを、その大きさに応じて分けて考えることの効果を学びます。

9画面への道③
時間と空間を
区切って並べる（第3章）

ここまで説明したように、時間も空間も連続したものではあるのですが、それをあえて区切って並べることで考えやすくなります。

第3章ではいよいよ、縦横の軸が組みあわさることによる効果を学びます。

環境が時間で変わる状況を考える例として、台風が近づいてきたときの対策を考えてみましょう。右上の設定で考えてみてください。

これは考えるまでもなく、家に不足しているもの（や明日の食材など）を買いに行く、ということになります。今回は昨日の行動なども決まっていたので簡単でしたね。

設定

今週はじめ、テレビのニュースで、台風が接近してきているということがわかりました。少し規模の大きい台風で、明日は外に出られなくなりそうです。

昨晩、家のなかの備えは確認しましたが、足りていないものもありました。では、今日、どのような行動をとればよいでしょうか？

昨 日	今 日	明 日
上空 台風＝日本の南方	**上空** 台風＝日本近海	**上空** 台風＝日本上陸
↓ 影響	↓ 影響	↓ 影響
行動全体（結果） 台風の備えを確認	**行動全体（判断）** 台風の備えを購入に	**行動全体（予測）** 戸外に出られない
影響 →	← 影響	
１つ１つの行動 ●電池の確認（無し） ●食料の確認（あり）	**１つ１つの行動** ●電池の購入 ●避難場所の確認	**１つ１つの行動** ●読書 ●避難
影響 →	← 影響	

このような日々の行動や判断というのは、**自分より大きな環境や、そのとき判断した内容（要素）も含めて整理する**ことで、客観的に見えるようになったり、何をすべきかが伝えやすくなります。さらに足りていないことなども浮かび上がってくるでしょう。

9画面法では、前ページのように、分かっている内容から整理し、本当に考えたい部分（今回は中心のマス）を明らかにします。

さらに、その要素や明日（以降）に行うことのブラッシュアップを行います。

各章の特徴と使いかた

各章では、複数の切り口から、9画面法の利用方法について練習問題とともに学びます。

そして、各章の最後では「Googleについてわかることをアウトプットしてみる」訓練を行い、9画面法の威力と、ご自身の成長を実感していただける設計となっています。

といっても、初回から第2部を通読する必要はありません。各章内の項目はラベルの違いのみで互いにほぼ独立しています。

第1章は、前から順にわかる節を読み、わからない節は飛ばしてしまいましょう。章末問題もわかるところだけチャレンジしてください。

第2章は、あまり順序にこだわらず、縦軸の内容で興味のわいたものから読み進めてもかまいません。章末問題も同様です。

第3章も、読みながら、第1、2章で対応する横軸と縦軸がわかるものを優先的にお読みください。

もしくは、先に第3章をパラパラと見て、「この9画面は使えるようになりたい」と思った9画面に対応する第1章、第2章を読む、という形でも構いません。

第2部で想定している成長コース例

第2部のなかで、「この9画面なら、自分でもかいてみようかな」という切り口が1つでも見つかれば十分です。まずは自分なりに、9つの画面に情報を分けてかくことによる効果を味わってください。

いくつか同様の9画面によるアウトプットを行ってみて、自分なりに横軸と縦軸の感覚がつかめてきたら、他の9画面（のラベル）も試してみましょう。

88ページの「システムという考え方」に関しては、いくつかの9画面を試しているなかで、縦軸についての共通性を考えたくなってから読んでも構いません。

はじめにでお伝えしたように、おおむね「考察対象に対しての環境と要素」の理解でOKです。

第2部で得られるもの

第1章の効果	第2章の効果	第3章の効果
長期的視点を持ちつつも、行動も伴うには時間を区切って考えることが有効。特に過去を知り、未来を想定してから動けば、現在の時間を有効に活かせる。	広い視野を持ちつつも、具体的な議論も両立するには、考察対象のスケールを区切って考えることが有効。特に、空間の大小や、関わりあう要素の規模の順で「3つの粒度を並べて考える」ことで考察が深まる。	創造性のためには可能な組み合わせが多いほどよいが、まとめにくくなる。そこで考察の粒度を揃えた縦3画面を時系列に3つ並べた9画面で考えることで、流れができ、仮説構築やアイデア創造を行いやすい。
第1章のテーマ	第2章のテーマ	第3章のテーマ
時間軸を区切って並べる横3画面	システムや空間を考案のスケールで区切って並べる縦3画面	時間と空間を区切って並べ多様性と統合性を両立する9画面法
第1章の講義内容	第2章の講義内容	第3章の講義内容
● 事前 ⇒ 事中 ⇒ 事後 ● 過去 ⇒ 現在 ⇒ 未来 ● 歴史 ⇒ 現状 ⇒ 将来 ● before ⇒ After ⇒ 予測 ● 従来 ⇒ 新規 ⇒ 推測 ● 事実 ⇒ 抽象化 ⇒ 具体化 ● 達成 ⇒ 贈与 ⇒ 目標	● 大空間／中空間／小空間 ● 上位システム／対象システム／下位システム ● 使い手／発明品／発明の要素 ● ニーズ／ヒット商品／シーズ ● 環境／企業／要素技術 ● Who／What／How ● Why／What／How	● 観察・発明6画面／9画面 ● ヒット商品分析6画面／9画面 ● 分析鳥居 ● 企画メモ9画面 ● 企業メモ9画面 ● 空間9画面、システム9画面 ● 未来予測9画面 ● 自己紹介9画面

獲得物 テーマ 講義内容

第1章 ⟶ 第2章 ⟶ 第3章

9画面を「体感」しよう

　トリーズの9画面法をかけるようになるとどんな変化があるのか、まずは体験してもらいましょう。

　たとえば、第2部各章の最後にあるワーク（実践トレーニング）では、Googleという巨人を分析します。その環境や企業活動を時系列で整理することで、企業がどんなことを目指しているかを予測することができ、分析や理解に役立てることができるものです。

　ここでは、その一例として、「Googleの企業分析」をしてみましょう。
　まずはノーヒントで。スマホやインターネットで調べながらでOKですので、タイマーで5分計り、手元の紙やパソコンのメモに自分なりに「分析結果」をまとめてみてください。はい、どうぞ！

　……どうでしたか？　インターネットの検索で毎日のように使っているGoogleでさえ、なかなか知らなかったり、企業の情報は分かっても、何をどうまとめたらいいのか分からず、手が止まってしまった方もいたのではないでしょうか。

　第2部でご紹介していく9画面法のかきかたを学ぶことで、右ページのような9画面がかけるようになります。
　第3章の実践トレーニングで実際に扱う問題ですので、読み進めていった後、その変化を感じてみてください。そして、すでにスラスラっとかけてしまった方は、さらなる手法の理解や新しい視点の獲得のために読んでみてください。

　右ページの9画面は、実際にかく場面ではなく、読みとる（分析の）視点で見たとし

ても、現時点ではおそらく情報がToo Muchに感じると思います。しかし、9画面法を使いこなし、慣れてくるうちに「これくらいの情報密度で共創したい！」と思えるようになります。

　掲載しているのは企業9画面（「環境／企業／企業活動」×「歴史→現在→将来」）ですが、他の9画面のラベルについてご紹介します。
　興味のある所から読んでみてください。そして何度も読み返し、実践してみてください。

企業9画面を使ったGoogleの分析

当時の環境 株主（創業者）：ラリー・ペイジ、 　　　　　　　　サーゲイ・ブリン 競合：Yahoo、Goo、Altavista 顧客：PCユーザー	**企業の環境** 株主：Alphabet社 競合：Apple、Facebook、 　　　Amazon 顧客：Androidユーザーなど	**将来の環境** 株主：Alphabet社？ 競合：（G）AFA、BAT、 　　　自動車会社？ 顧客：＋自動車ユーザー
企業の歴史（沿革） 最も、読みたいWebページを検索してくれる検索サイト	**企業の現在** 世界最大の広告企業 Google社（Alphabet社）	**企業の将来（MVV）** 世界中の情報を整理し、世界中の人々がアクセスできて使えるようにすること
当時の企業活動 ● 検索サービス ● 検索エンジン（PageRank）の 　向上 ● データ収集技術	**企業活動** ● 検索を軸としたサービス群 ● 膨大なサーバと電力削減 ● 世界中のデータを集める	**将来の企業活動** ● 自動運転を軸とした 　移動サービス（MaaS） ● 電力効率化サービス ● 20％ルール

環境 / 企業 / 企業活動 — システム軸

歴史　現状　将来 — 時間軸

第 1 章

横3画面
時系列を区切って考える

時系列を区切って並べることを習慣化する

トリーズの9画面法は、「横3画面」と「縦3画面」を組みあわせた9つの画面からできています。

そして、横3画面は**時間軸（時系列の前後）**で区切られ、縦3画面は**システム軸（視点の大小）**で区切られています。

第1章ではこの「**横3画面で時系列を区切って考える**」方法をいくつかの例を用いて学びます。

ここでのキーワードは「**左前右後**（さぜんうご）」。真ん中の画面を基準にして、左は前の時点、右は後の時点になります。

一般的にも時間軸をかくときにも、**左に行くほど前の時点**であり、**右に行くほど後の時点**ですから、直感的です。ここから、いろんな基準の取りかたとともに、時間軸での横3画面を使っていきましょう。

横に3つ異なる時点を並べて考察することを習慣化することは、想像以上に効果があります。というのも、人間の脳にはもともと「**エピソード記憶**」という形の記憶の仕組みがあり、**時系列順に思い出す**ほうが得意です。長い進化の過程で、ほとんどの環境は以前行ったときと同じだったのですから、時系列を一望せずとも、**前回のことを順次思い出しながら考える**仕組みは合理的でした。

しかし、現代、特にビジネスの状況は目まぐるしく変化しています。行動すべきことを考えるときには、**異なる時点の状況を一望**できるようにし、「**未来から逆向きに考える（バックキャストする）**」ことが大切です。複雑な迷路を、ゴールからスタート方向にもたどった方が解きやすかったように。

たとえば試験勉強。ただ漫然と教科書に出てくる順に勉強するよりも、志望校の過去問から**未来を予測した「傾向と対策」**を行い、重点分野がはっきりした勉強をするほうがやりやすくなかったでしょうか？　なんとなく受けた模試と、注力する分野を決めて受けた模試では、結果の分析と今後の対応が全く異なるはずです。

時間を意識し、それを区切ることで起こる創造性の高まりを体感してください。

基準より前の時点	基準の時点	基準より後の時点
過去	現在	未来

時間軸

よく使われる 横3画面のラベル

事前	事中	事後

時間軸 →

過去	現在	未来

時間軸 →

歴史	現状	将来

時間軸 →

Before	After	予測

時間軸 →

従来	新規	推測

時間軸 →

事実	抽象化	具体化

時間軸 →

達成	贈与	目標

時間軸 →

横3画面を学ぶ目的と効果
時間を区切って並べる意味

学校の授業や企業の仕事で、はじめに「年間スケジュール」が示されると見通しがつきやすくなった経験、ないでしょうか。

また、何かしらの活動（業務、仕事、有志活動）に途中参加することになった際、

● ここまで（＝過去）何があったか？　どんな経緯で始まったか？
● この先（＝未来）何を目指しているのか？
● その上で現在、どういう状況で、何をしているのか？

の説明があるかないかで、その活動で力を発揮できるようになるまでかかる時間が大きく異なることは想像がつくと思います。

このように、時間軸を意識して事実を並べ、それらを関連付けて考えることは、状況を伝えることや、また、それを用いて考えることを大いに楽にします。

そのために本章では、時間を区切って並べる「横3画面」を学びます。

横3画面を使う目的と効果は、次の3つです。

まず1つめに、過去・現在・未来の3つに分けることで、**共通認識を明確にしたり、事実と推測を分けたりする**ことができます。

2つめに、3つのスペースを作ることで、**前提となる事実や今後の推測を浮かべること**が簡単になります。

今の状態と未来にやりたいことがわかっていれば、そのために必要な過去の事実を補完することができます。もし、事実と現在の状況がわかっていれば、これから起こることや未来の仮説を立てることができるでしょう。

そして3つめに、3つの要素が並ぶことにより、**全体を俯瞰しながら、アイデアや仮説、情報の精度をブラッシュアップすること**ができるようになります。

他の2つの内容を見ながら、過去の情報をより正確・詳細にしたり、現在の行動をよりよい方向に変えたり、未来の仮説の精度アップや内容を充実させることができます。

過去・現在・未来をわける重要性

「過去と現在」を区別することは有用です。「過去＝変えられないもの」、「現在＝これから変えうるもの」であり、過去は過去、今は今と割り切ることで、これからの行動が変わるからです。

とはいえ、ただ行動するだけではまた同じ失敗に陥ってしまいます。過去は過去できち

んと分析を行うことが大事です。普段から**過去と現在の双方を並べて考慮することで、分析と行動の両立**ができます。

そのためにも、歴史と現状、従来と新規、Before と After といった視点で対比して考えることは有用です。

もう 1 つ、「事実と推測の両立」は重要です。報告時に「**事実 (Fact) と推測 (Guess) を分ける**」というのは社会人として最初に学ぶ鉄則です。しかし正直なところ、私は 10 年目になるまでこの基本をあまり叩き込まれずに過ごしていました（これを叩き込んでくれた当時の部長には感謝しています）。

横に 3 画面並べることで「**過去（左列）と現在（中列）は事実**」、「**未来は推測**」と分けることができます。もちろん報告時にも役立ちます。

- 「**変えられない過去（動かせない事実）**」
- 「**具体的で、自身が行動できる現在（事実＋意志）**」
- 「**まだ仮のもので、推測しながら動く未来（推測＋意志）**」

この 3 つの違い。実は業務のなかでも意識されています。

たとえば、就職・採用にあたっては

- **過去**について（学歴・職歴）
- **現在**の状況や、普段重視して時間を割いていることについて
- これから（＝**未来**）の希望職種、キャリアプラン

の 3 点は、エントリーシートでも、面接でも、必ず聞かれます。そして 3 つを別々にではなく関連付けて評価します。

就職・採用の場は人生でそう何度もあることではありませんが、「新しい人と出会って自己紹介する」場は何度もあります。

そんなとき、

- **過去**に達成したこと
- **現在**、他の人に与えられること（贈与）
- **未来**の目標

の順で 10 秒ずつ並べた『30 秒自己紹介』を作っておくことは役に立ちます。

たとえば、私なら下図のようになります。

この『30 秒自己紹介』は、ソニー社内外で講座を実施しました。各回の最後、20 名ほどの参加者全員に発表していただきます。

これまで 100 名以上が受講しましたが、その全員から「今まで聞いた自己紹介の方法よりよかった」という評判をいただいています。

以上のように、過去、現在、未来の 3 要素を区別したうえで、互いに関連付けて考えることは、状況を伝えやすくしたり、また、それを用いて考えることを簡単にしたりする効果があります。

達成 (過去)	贈与 (現在)	目標 (未来)
社内約300以上の技術講座の中で「TRIZの９画面法」が総合評価で 1 位となりました。	他分野の人にはなかなか伝わりにくい自身の専門知識を、一段深く相手に教えられます。	全ての人が、自分の課題解決を相手が喜ぶ形で教えられるようになることが目標です。

横3画面を考えるコツ

こ れからご紹介する横3画面ですが、やりかたは共通です。

それぞれ、ブランクになった3画面を用意していますが、以下のようにして手元でかくこともできます。もちろん、実際に仕事や生活のなかで使う際にも役立ちます。

準備

・筆記用具と紙（ノートでもA4用紙（横置き）でも）を用意する
・縦に2本線を引き、横3つの領域に分ける（＝3画面）
　　左が過去、中が現在、右が未来を示す
・それぞれの画面にラベルをつける

（過去）	（現在）	（未来）

実施

・3画面の内、埋めやすい領域から埋める
・残りの画面についてもラベルを参考にしながら埋める
・それぞれの画面が、時系列的につながっていることを意識して、書いた内容をブラッシュアップしていく。

ふせんを用いる

　なお、まだ時系列にするにはフローが定まっていない場合や、自分が時系列で考えることに慣れていない場合はふせんが便利です。

　やりかたは簡単で、ふせん1枚を1画面として、横に3つ並べ、それぞれに過去・現在・未来などの「ラベル」をつければ「横3画面」になります。ふせんが1枚ずつで足りない場合には適宜追加してください。

　第3章でも触れますが、自身が「過去→現在→未来」の見極めに慣れてきたら、「黄＝過去、緑＝現在、青色＝未来」のように違う色のふせんを用意すると、後で見返す際に便利です。

PC上でかく

　3画面はワードやエクセルなどの表機能を使って簡単にかくことができます。

　横3マス、縦1マスの表を作れば、すぐに始められます。

よく使われる横3画面❶
時間軸

▶「事前→事中→事後」

皆さんは大事な打ち合わせや試験（採用面接や、主力商品の売り込み、入試など）に対し、ぶっつけ本番で当日を迎えるでしょうか？

そんなことは稀で、事前に何かを準備してから臨むでしょう。打ち合わせなら事前資料づくり、試験なら事前に勉強します。

さらに、とても大事な出来事であれば、事後に何かフォローを行います。打ちあわせなら先方に事後のメール、見積書やサンプルの送付など。試験なら解答を見ての答え合わせ、間違い直し、苦手分野の復習など。

この一連の流れを、きちんと意識することが「時間軸を使っての知的労働」につながります。

課題解決やロジカルシンキングの場で、「もれなく、ダブりなく、MECEに考えよう！」ということはよく話されます。

MECEに考えるのは慣れていないと難しい。ですが、誰でもが考えやすいMECEな分けかたが「時系列で分けて並べて考える」という方法です。

この時系列の中でMECEに分けるなかでも、最もシンプルなのがこの「事前→事中→事後」の3分割です。

「ある一定の時間」を区切り、それを「事中」とし、その前を「事前」、その後を「事後」に分ける、ということです。

たとえば、2月1日の9時から12時まで行う他社との打ちあわせ（ないし入試）を「事中」とすれば、

事前：2月1日9時まで

事中：2月1日9時〜12時

事後：2月1日12時よりあと

になります。

事前	事中	事後

時間軸 →

問題 01　事前→事中→事後の横 3 画面

「事前→事中→事後」という視点で、時間軸を3分割して考えることで状況を整理し、リソースも有効利用できることが多いです。

身近な例で「事前→事中→事後」の横3画面をかいてみましょう。

学生のかたなら直近の面接やテスト、社会人のかたは近日中に行われる商談を思い浮かべてください。

事前：その前にやることは何ですか？
事中：テストや商談中にやるべきことは何ですか？
事後：終わったあと、すべきことは何ですか？

空欄に事前・事後にあてはまること、その下に、やることを箇条書きで書きこんでみてください。

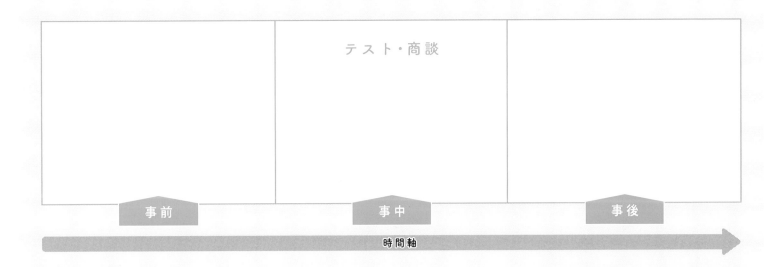

考えかたと解答例

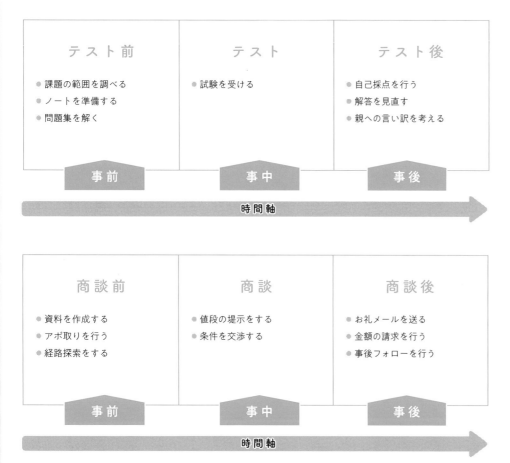

　いかがでしたか？　テスト前なら、課題の範囲を調べたり、ノートを準備したり、問題集を解くなど、色々と努力のしようがあります。テスト後の自己採点や解答の見直しは大事な一方、範囲は限られています。また、結果が悪かったときは「親への言い訳を考える」ということもありますね。

　でも、こうやって横３画面をかいて先読みすると、「言い訳を考える」ことのバツの悪さと試験に対しての効果がないことに気づいたら、「事前に何ができるか？」により身が入ります。

　これは商談でも同じこと。事後にお礼メールや金額の請求は「やっておかないとさらに後で困ること」です。そのためにも、このように、横３画面「事前→事中→事後」で前もって考えておくことをおススメします。

時間の粒度は、着目するスパンに合わせて自由に変えて構いません。

たとえば、朝ご飯を食べることのその直前直後だけにフォーカスするのであれば、シンプルにかくと右上段のようになります。

これを時間的な視野を少し広げ、上記で3マスに分けたこと全体を「事中」とすると、右中段のようになります。

朝ご飯に取りかかる前には「起床する、顔を洗う、ひげをそる（化粧する）」などがあるでしょう。

食べた後には「着替える」、「会社（学校）に行く」、「仕事（勉強）する」。

このように、時間軸を区切っておくと、行動のまとまりが作りやすくなります（その効果については第3部にて）。

その他、違う例として、趣味の発表会の横3画面を載せておきます。

事 前	事 中	事 後
用意する	（朝ご飯を）食べる	後片付けする

事 前	事 中	事 後
起床する 顔を洗う ひげをそる （化粧する）	料理を（用意）する 食べる 片づける	着替える 会社（学校）に行く 仕事（勉強）をする

事 前	事 中	事 後
事前準備 練習 告知	客席誘導 発表会 アンコール	片付け 振り返り 打ち上げ

よく使われる横3画面❷ 抽象的な時間軸

▶「過去→現在→未来」

前 節では中列の「事中」を中心に3分割しました。

しかし、時間軸で3分割して考えるといえば、最も自然に行っているのが**「過去→現在→未来」**の3つに分ける方法です。

たとえば、10年前〜10年後の期間について。一緒くたに考えるよりも、**過去→現在→未来**として分けたほうが、ものごとを整理して考えられます。

また、単なる時間のラベルではなく、その時の状態をベースに切り分けたりもします。

何かの節目に人生を考えた際、社会人であれば、少年少女だった過去→社会人である現在→そして退職後のアクティブシニアである未来と、いまの自分を基準にして、過去と未来に視点を設けるのではないでしょうか。高校生ならば、もう少し範囲を短くして、過去→現在→未来を、それぞれ中学生としての過去の生活→高校での今の生活→未来の大学での生活、と区切って考えることでしょう。

もっと短いスパンもあります。

いまが昼なら、朝のことは過去であり、夜のことは未来になります。それぞれ、今朝は自宅にいて、昼（今）は職場にいて、夜はどこかお店に行く用事があるとしたら、それぞれを分けて考えていると思います。

スケジュール帳に記入するときのように、さらに細かく考えるならば、9〜10時は○○、10〜12時は△△、15時からは××、というように、さらに細かく、分単位、時間単位で考えていることでしょう。

このように、我々は普段、意識せずとも時間軸で分けて考えています。

過去	現在	未来

時間軸 →

過去→現在→未来の横3画面

私たちは、知らず知らずのうちに、「過去」「現在」「未来」を区別して話をしたり、考えたりしています。

〈単語〉

昨日	今日	明日
速報	目標	歴史
予測	従来	現況

以下の単語がつくものが、それぞれ「過去」「現在」「未来」のうち、どれに属するかを考えて、記入してみてください。

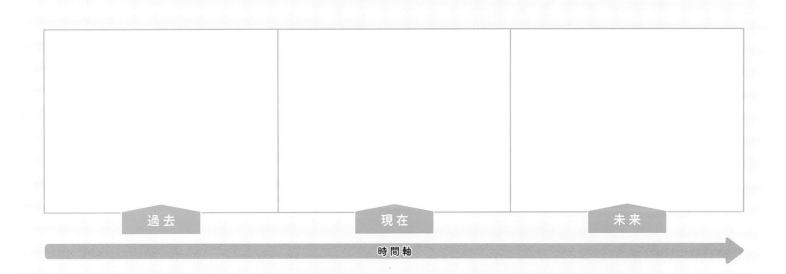

過去　　現在　　未来

時間軸

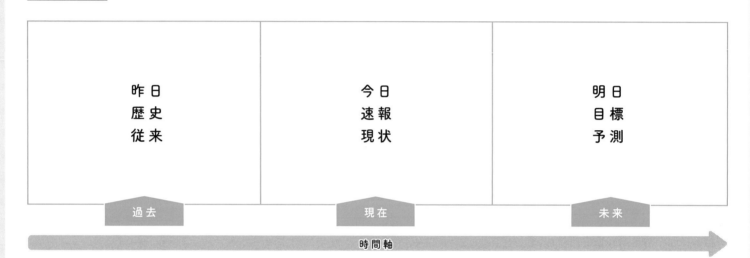

昨日	今日	明日
歴史	速報	目標
従来	現状	予測
過去	現在	未来

時間軸

「過去」「現在」「未来」という言葉になっていなくても、普段から「過去のことは過去」、「未来のことは未来」ということを念頭に置きながら話したり、考えたりしています。

しかし、それを「過去→現在→未来」と意識して、さらに対比してまで考えることは稀です。

そこで、横の3マスに区切り、各画面に時系列に並べてラベリングをした3画面を作り、期間を区切って並べることで、考える際に創造性が向上します。

問題以外にも、過去→現在→未来の分けかたは様々ありますね。

過去	現在	未来
10年前	今	10年後

過去	現在	未来
少年少女	社会人	アクティブシニア

過去	現在	未来
中学まで↓義務教育	高校生↓高校生活	大学生↓1人暮らし

過去	現在	未来
朝	昼	晩

よく使われる横3画面❸
考えやすい時間軸

▶「歴史→現状→将来」

「過去→現在→未来」の時間軸3分割の視点で見ると、見方が広がる1つの例が、対象を**歴史→現状→将来の視点で見る**ことです。

見知らぬ土地に旅した時のことを考えてみましょう。

ただ単に観光地になっているところに行き、散策するよりも、その土地の過去が分かる場所に行き**歴史**を知るほうが、ぐっとその土地の魅力を知ることができます。ですから、大抵の観光ツアーは、史跡や博物館など、行った先の歴史が分かる場所が要素として含まれています。さらにその場所にある自治体や組織が掲げる（**将来に向けての**）**目標、スローガン**も知ると、もっと重層的にその土地のことを考えることができます。

さて、この観光ではあたりまえのノウハウ、仕事にも活かせるのが「企業の歴史→現状→将来を並べて意識する」という方法です。というのも、日本に何百万社とある企業のなかで、多くの人に名前が知られている企業には、何らかの歴史があります。特に、大企業には何らかのヒット商品が出た歴史があります。

たとえば本田技研工業なら、「スーパーカブ」というガソリン1Lで100km以上走れる超低燃費のオートバイがあります。そんな本田技研工業の最初の商品は「自転車の補助エンジン」でした。創業者は有名な本田宗一郎氏です。

企業の現状については、投資家向けの資料から調べてみます。

2019年、本田技研工業を中心とするグループ（以下、ホンダ）は15兆円の売上で7000億円の営業利益。内訳は自動車（四輪）が主力で11兆円の売上。社員は22万人。一番売れている車種はフリードです。

企業が掲げている目標や投資予定などの「将来の姿」は、MVV（Mission、Vision、Value）に注目します。ホンダの場合は社是は「The Power of Dreams」。力を入れている製品など記入すると、右列のようになります。

3列9項目でホンダという企業の特徴が、時間方向に立体的に見えてきますね。

歴史	現状	将来

時間軸

歴史（沿革）	現状	将来
ヒット商品 最初の商品 創業者	売上・利益 主力商品 従業員数	Mission 開発中製品 投資計画

歴史（沿革）	現状（2019年）	将来
スーパーカブ 補助エンジン 本田宗一郎	売上15兆円 フリード 22万人	The Power of Dreams ASIMO 二輪の電動化

問題03　歴史→現状→将来の横3画面

　ある一企業について述べるときには「歴史→現状→将来」を分けて話すと伝わりやすくなります（第3章ではより詳しく、9画面での企業メモをご説明します）。

　また、このフォーマットは、地域や企業以外に、学校にも使えます。

　ここでは、これら地域・企業・学校をテーマにし、その歴史、現状、将来についてまとめてみましょう。

　右下に空欄の3画面を用意しました。自分の出身地や、出身校、勤務したことのある会社などについて調べ、「歴史→現状→将来」の順に整理して並べてみてください。

　右図に、それぞれを選んだ場合に、ピックアップするとよい項目を挙げておきましたので、参考にしてください。

歴史（沿革）	現状	将来
旧国名、藩、王国 古くからの産品 藩主、建国者	人口、面積 特産品、主産業 収支状況	人口の見通し スローガン 力を入れる特産品

歴史（沿革）	現状	将来
創立時の旧称 最初の商品 創業者	売上・利益 主力商品 従業員数	Mission 開発中製品 投資計画

歴史（沿革）	現状	将来
創立時の旧称 創立者/初代校長 有名OB/OG	有名な行事 代表者 生徒数	校是 力を入れている制度 奨学内容

歴史（沿革）　　**現状**　　**将来**

時間軸 →

考えかたと解答例

私の出身校である開成学園を例に調べてみると、以下のようになります。

佐野鼎という創立者が、共立学校として設立。

初代校長は高橋是清。過去の代表的な卒業生としては俳句で有名な正岡子規がいます。

現在の学校生徒数は中学高校合わせて2100名。現在の校長は野水氏。東大合格者数でよく名が上がりますが、実際に学校の活動として重要なのは運動会です。

校是として掲げるのは「質実剛健」。

近い将来高校校舎が竣工予定です。また、東大だけでなくハーバード大で教鞭を執っていた前校長の柳澤氏以降、海外進学する卒業生が増えることを目標にしはじめています。

また、企業の例として、富士フイルム株式会社の横3画面を載せておきます。「企業分析」に9画面を用いる方法は p.110 に続きます。

開成学園

歴史（沿革）	現状	将来
共立学校 佐野鼎／高橋是清 正岡子規	2100名 校長 柳澤→野水氏 運動会	質実剛健 高校校舎竣工 海外進学増

富士フイルム株式会社

歴史（沿革）	現状	将来
富士写真フイルム 写真フィルム国産化	33932名 古森重隆CEO イメージング ソリューション	社会の文化発展 複数の異種技術融合 ヘルスケアに投資

よく使われる横3画面❹
創造性を上げる時間軸

▶ 「Before → After →予測」

創 造性を上げるには、まず「予測する力」を上げることです。今回の横3画面は「**Before → After →予測**」の3点セットです。

たとえば、目の前に今5000gの赤ちゃんがいるとします。この子が1週間後にだいたい何gになるのか？ といきなり聞かれても、身近に体験していない限り、即答は難しいでしょう。

でも、1週間前に4800gだったと聞けば、1週間後には5200gと予測できます。

同じ「計画」と名がついていても、現在の数値と、その前の数値を並べ、予測したうえでの計画と、そうでない「掛け声だけの計画」では成功率が異なります。

ですから、縦線2本で横に3分割し、BeforeとAfterを併記したうえで、予測や計画を立てるようにする癖をつけましょう。

小学生がグラフを描くとき、「2点以上の点を打ってから、その先の線を引きなさい」といわれますが、まさにその作業となります。

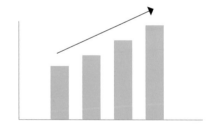

同じ「前年比売上20%アップ！」という目標を掲げても、昨年度の売上が、前年比20%だったのか5%だったのか、それともマイナス10%だったのかによって、これから行うべき行動は異なります。

Before	After	予測

時 間 軸 →

Before → After →予測の横 3 画面

簡単な科学の例から予測を行う練習します。

砂糖は水の温度が高いほどよく溶けます。結晶を溶かす実験は、小学校でも行います。

具体的には 40℃の水 20cc に対して、47g も溶けます。では 50℃のときは何 g くらい溶けるでしょうか？

よほどの理科オタクでない限り即答は難しいでしょう。

しかし、ここで、加熱前（Before）、30℃の水 20ccの時点で、43g 溶けた、という情報があれば、予測できるのではないでしょうか？

・Before（加熱前）：30℃のときに砂糖の溶ける量

・After（加熱後）：40℃のときに砂糖が溶けた量

・予測（さらなる加熱後）：50℃のときに砂糖が溶けそうな量

として、50℃のときを予測しながら 3 画面にかいてみましょう。

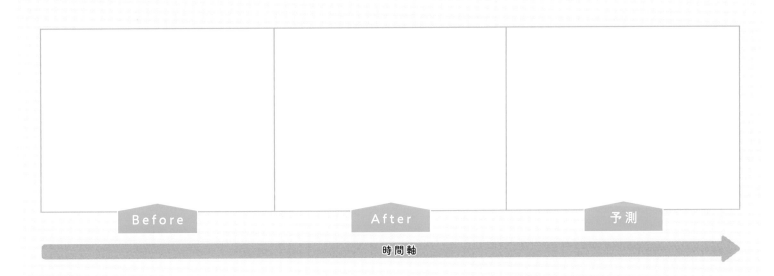

| Before | After | 予測 |

時間軸

問題 04　考えかたと解答例

20ccに溶ける砂糖の量については以下になります。グラフを描いて予測すれば、一目瞭然ですね。

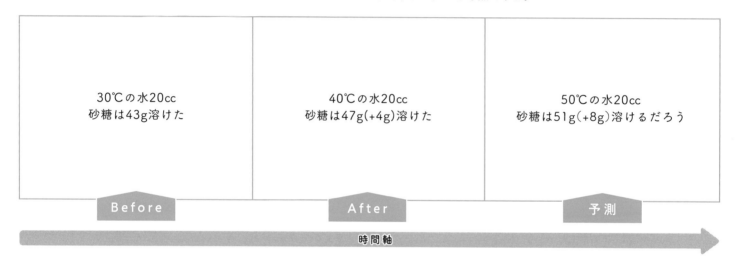

30℃の水20cc 砂糖は43g溶けた	40℃の水20cc 砂糖は47g(+4g)溶けた	50℃の水20cc 砂糖は51g(+8g)溶けるだろう
Before	After	予測

時間軸

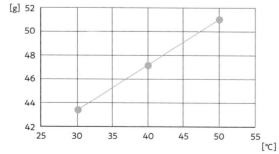

20ccの水に溶ける砂糖の量

よく使われる横3画面❺
比較して紹介する時間軸

▶「従来→新規→推測」

Deep Learning が発達して、従来のような、正誤を判定したり、最適なパラメータを求めたりする仕事は AI の方が素早く、けた違いに安価にできるようになっています。そのような中で、人間に残された価値創造の中で、「考察する」「仮説を立てる」という力の重要性がいや増しています。そのような時、ぜひ普段から意識した方がよいのが「従来（事実）／新規（事実）／推測（考察）」という視点です。

新人が社会人の基本として先輩から言われるのが、「報告・連絡・相談」の「ほう・れん・そう」です。その報連相の際に大切なのが「事実と推測は分けて話す」ということです。この事実の部分を、**従来から知られていること（過去）と新規のこと（現在）に分ける**と、推測を述べやすくなります。

いわゆる洗剤の CM での常套句、「従来品では落ちなかった頑固な汚れが、新しい洗剤なら驚きの白さに！」というパターンです。

たとえば、従来の地上波デジタル放送は、ハイビジョン。水平方向の解像度が約 1920 本の 2K と言われる状態です。これに対して、最近では NHK の BS プレミアム放送で 4K、8K 放送が始まっています。また、サッカーW 杯の 2002 年ごろには地上波はアナログ放送で 1K 相当の中、NHK だけが BS ハイビジョン放送を始めていました。そうして BS 放送が先行して後から地上波が追いつくことを考えると、将来的には地上波の方も 4K、8K になることが推測できます。

従来	新規	推測

時間軸 →

従来→新規→推測の横3画面

わたしたちとテレビ番組の関係性は、技術や環境によって大きく変化してきました。

たとえば、SNSの出現や普及により、今までは受動的な番組が多かったのに対し、今では、番組内でツイートや動画を紹介するばかりか、番組に投票やコメントで参加するような番組が主流になっています。また、SNSでの発信が広く拡散されること

によって、間接的に社会に影響を与えられるようになりました。

本書の原稿を書いている現在、コロナ禍でテレビ番組やドラマの撮影方法が大きく変わろうとしています。リモートやオンラインでの収録・撮影なども増えてきました。

では、この現状を踏まえたうえで、これからのテレビ番組や撮影方法はどのように変わっていくと思いますか？
横3画面を使って考えてみましょう。

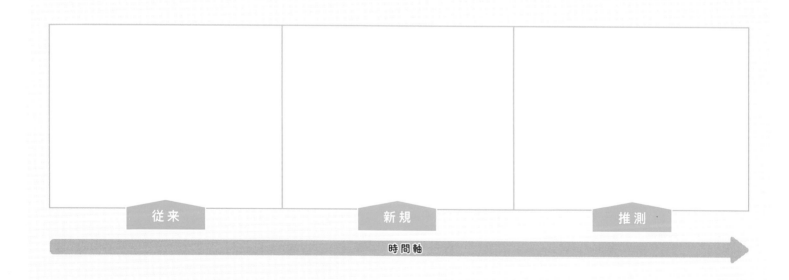

考えかたと解答例

ドラマ	双方向でのクイズ番組	双方向で結末やキャスト 変わるショートドラマ
従来	新規	推測

　従来、テレビ番組で視聴率が話題になるものと言えばドラマでした。特に、人気俳優が共演し1クール12回かけて徐々に盛り上がっていくドラマは、継続的に話題になりつづけました。

　しかしドラマは人間同士の接触が避けられないことから制作が難しく、NHK大河ドラマを筆頭に相次いで延期。

　代わって出番が増えているのがクイズ番組。特に双方向性のあるものです。こうした番組は、ドラマと異なり1回完結です。先の見えない中で編成の自由度を優先したと思われます。そして、YouTubeを視聴する機会が全体的に増えました。

　今後も先行きが見えないなか、制作スケジュールは短い方が望ましい。また、YouTubeによって「結末を早く知りたい」「自身の望む結末を選べる」視聴姿勢があたりまえになってきました。

　そのようななか、双方向性を活かし、視聴者を深く呼び込むと考えられるのが「視聴者からのリクエストで結末やキャストが変わるショートドラマ」。これが増加することが推測できます。

　ただ、もう少し情報がないと、推測は難しく、推測内容も伝わりません。「よりよい推測」をする方法については、第3章をお待ちください。

よく使われる横3画面❻
企画力を上げる時間軸

▶「事実→抽象化→具体化」

こからの2つは、時間軸の考えかたを、より柔軟に考えたラベルになります。スリットの事例を考えてみましょう。

ここでは、「平成27年4月10日、切り餅にスリットが入れたのはどちらが先か、越後製菓が佐藤食品工業を訴えた裁判で、被告に約7億円の賠償金を支払う東京地裁での判決が出された」というニュースから着想します。付随して、「板チョコには前から切れ目がある」「切れ目のないカレールゥでは売れない」という身のまわりの事例を記入します。

そうして溜まった過去のメモに対し、抽象化を行います。切り餅、板チョコ、カレールゥは、「適切な力で割れるようスリットを入れることで便利にしたら儲かった」と抽象化できます。

この抽象化した知を、今抱えているビジネ

スや、異分野での問題解決に活かすために考えて書くのが「具体化」の部分になります。

事実として挙げたのはどれも食品ですが、金属にスリットを入れても構いません。実はこの「割れるスリット」をカッター業界に活かしたのが、OLFAカッターの「替え刃の切れ目」です。同社ホームページにも書いてある通り、「折る刃」のシステムは板チョコから考案しました。

現在では、これが世界標準。異分野の事実から抽象化し具体化することの価値を体現している企業といえます。

事実→抽象化→具体化の横3画面

TRIZ の発明原理というものは、ロシアの天才、G・アルトシューラーが、特許上に書かれた「事実」を様々な分野で横断的に眺めているうちに、「課題解決における共通性があるのでは？」と気づいたことがきっかけです。彼は、それらの課題解決の方法を発明原理という形に一段抽象化することで共通性を持たせました。

たとえば、発明原理の1番目「分割原理」は、「分割して（＝割って）小分けにすることで解決する」という「抽象化」を扱っています。

・カレールゥは、小分けにします
・鉱山ではダイナマイトによる爆破で岩を細かくして鉱石を取り出します
・また、キャンプでは薪を割ります

（1）これらのファクトを抽象化すると、どのようなことがいえますか？ 一見すると関連のなさそうな事柄ですが、これらに共通していることは何でしょうか？

（2）（1）で抽象化したことが具体化されているものが、他にないでしょうか？ また、自身のビジネスや生活で活かそうと思ったとき、どのような応用ができますか？ もしくは、この本の作りで「分割」されている部分は見つかりますか？

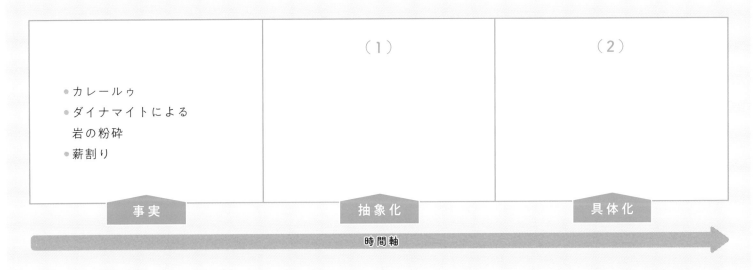

（1）

（2）

● カレールゥ
● ダイナマイトによる
　岩の粉砕
● 薪割り

事実　　　　　　抽象化　　　　　　具体化

時間軸

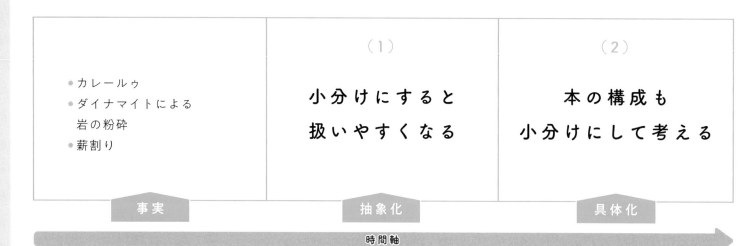

	（1）	（2）
● カレールゥ ● ダイナマイトによる 　岩の粉砕 ● 薪割り	小分けにすると 扱いやすくなる	本の構成も 小分けにして考える
事実	抽象化	具体化

時間軸

　カレールゥは実際に鍋に入れるときには、割って小さくして入れます。そのことによって**溶けやすく**なるからです。

　鉱山では、岩盤をダイナマイトで爆破し、割って小さくすることで、**鉱石を運びやすく**しています。いまではキャンプのときにしか行いませんが、薪割りも、太い薪を割って小さくして**燃えやすく**します。

　このように、分割は分野を超えた解決法です。

　これらの例をもとに、自分の課題に対して「具体的に分割を考える」ことで解決できないかを考えることがポイントです。

　たとえば本書なら、「3段組み」という形でページが分割されています。

　本の構成も「1部／2部／3部」と分割して各部を特徴づけています。

　さらには第2部を「1章／2章／3章」と分割することで、それぞれを「横3画面」「縦3画面」「3×3＝9画面」として割り当てています。

　分冊化やnoteへの一部掲載など、頒布方法の「分割」も視野に入れています。

よく使われる横3画面❼ 自己紹介の時間軸

▶「達成→贈与→目標」

この章で最後にご紹介するのが「30秒自己紹介」です。

今までの人生で、あなたは自己紹介を何回しましたか？ そして人生100年時代、あと何回自己紹介をするでしょうか？ 想像してみてください。

もうひとつ、いままで「自己紹介を事前に準備しておいたこと」はどれくらいあったでしょう？ 就職活動やスピーチの前など、おそらく数えるほどではないでしょうか。「自己紹介を前もって用意しておくなんて、自意識過剰みたいでカッコ悪い」と思うかたも少し思い出してみてください。他の人の自己紹介の際、なんだか要領を得ない自己紹介（特に自慢や卑下ばっかりの自己紹介）を2分も3分も長々とされたとき、どう感じましたか？

相手の話を聞く際、「30秒」というのは1つの指標となります。シンプルで聞く相手の為になる自己紹介を前もって用意しておくことは、自意識過剰でもなんでもなく、むしろ「相手を慮る素晴らしい行為」なのです。

たとえば、右の文章はブラッシュアップ前のAさんの実際の自己紹介。

この自己紹介で、情報のほとんどは弁理士に集約されてしまっています。ちょうど特許を出したいと思っている人以外で、もっと話したいと思う人はいないでしょう。

| 達成 | 贈与 | 目標 |

時間軸

ブラッシュアップ前の自己紹介

Aです。弁理士をしています。

弁理士とは特許を出す時にサポートする仕事です。よろしくお願いいたします。

最近スマホのゲームにはまっています。（※詳細割愛）知財活動がもっと他に人にも伝わってほしいです。

では、以下の自己紹介ではいかがでしょうか？　もし、こんな自己紹介だったら、少しは話しかけてみたいと思いませんか？

実はこの説明文、「30秒自己紹介の横3画面」を使って整理した内容を話しただけなんです。

30秒自己紹介では、以下のように「達成／贈与／目標」の3つをそれぞれ約50字、各10秒（計30秒）で構成します。

整理した自己紹介

　Aと申します。
　恥ずかしながら、この年になってスマホゲームにハマり、半年で15万円課金するようになりました。その話をすると驚かれるので、試しにそのことを4コマ漫画にしたところ、喜ばれるようになりました。
　最近では、この4コマで伝えることにも慣れてきました。自分が他の人に教えたい面白いことを、4コマ漫画にして伝える方法を教えられるようになりました。興味があるかたは、声をかけてください。
　将来は、より手法を極めて、伝わりづらい「特許創出」みたいな内容をわかりやすく伝える4コマ漫画を発信していきたいと考えています。

達成	贈与	目標
この年になってスマホゲームにハマり、半年で15万円課金しました。そのことを4コマ漫画にしたら喜ばれました。	自分が他の人に教えたい面白いことを、4コマ漫画にして伝える方法を教えられます。	特許創出という、あまり分かってもらいにくい内容を、4コマ漫画で楽しく伝えられたらと思っています。

これを順に並べて述べることで、30秒の自己紹介になります。

これまでに社内外100名以上に作りかたを伝えてきましたが、多くの参加者から「従来の自己紹介よりも聞いていて楽しかった」という評価をいただいています。

まず、仕事や、趣味など、自分が多くの時間を使っていることの中で「達成したこと」を挙げます。

分かりやすいのは「何かの大会で1位になった」ことです。その他に、今までにこの方法を教えたなかで一番多かったのが、「（旅行や仕事で）国内の〇か所に行った」という内容でした。達成の項目については上記のように、順位や数など数字で表せるものがあると伝わりやすくなります。

続く贈与については、その達成したことからの**ノウハウ伝授、おススメ情報、一歩踏み出すことへの後押し**、などを挙げると説得力があります。

最後に目標としては、（自己紹介をする場を意識し）「**今日、皆さんと～できれば、と思っています**」で締めます。

まとめると、30秒自己紹介の構成とフォーマットは次のようになります。

達成、贈与、目標の3点を意識して、自己紹介のたたき台を作ってみましょう。

30 秒自己紹介の構成

過去に達成したこと
　　対象が今までで一番成し遂げた実績（何かの No.1 など）は？

現在、贈与できること
　　紹介対象が他者に対して贈れる価値は？

未来の目標にしていること
　　自分にはどんな目標があるか？

自己紹介フォーマット

〇で1位／〇〇ヶ所を達成。
それから〇〇を教えられます。
今日、皆さんと～できることが目標です。

達成：資格、No.1、100 個
贈与：達成から教えられること
目標：より高い達成目標

達成→贈与→目標の横3画面

実際に30秒自己紹介を書いてみましょう。

（1）一番左の過去についての欄に、いままでに達成したことを思い出して、列挙してみましょう（○○の資格を取った、△△で一番になった、××を100個収集している、〜〜を10年以上続けている、など）。

（2）次に、（1）から言えること、（1）の経験や事実をもとに相手に教えたり伝えたりできることを羅列していきます。これが、自分が誰かに「贈与できる」こと（≒自分が得意で教えられること）になります。

（3）目標に関しては、自分が手に入れたいことについてキーワードで記入します。迷う場合には、達成したことのさらに上位版を書いてみてください。資格ならより上位の資格や関連資格へのチャレンジ。何かの大会での優勝経験なら、日本一や世界一になる。何かを100個集めたのなら、200個、300個集めるなど。

実際にこの3画面を使って自己紹介を行ってみましょう。もし近くに聞いてくれる人がいれば、是非実際に話してみて、感想を聞いてみてください。実際に声に出してみた感触は、どうでしたか？

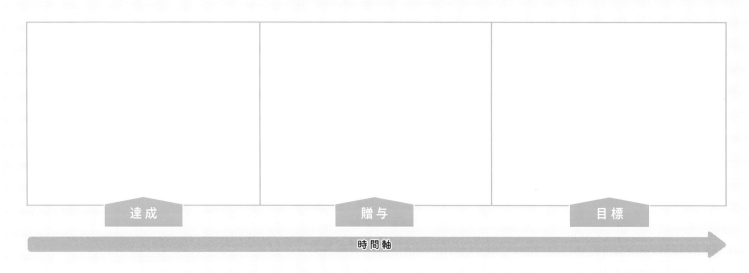

考えかたと解答例

私の自己紹介の例を入れておきます。

前著「トリーズの発明原理」は、発明の世界で半年以上Amazon１位のベストセラー。(41字)	貴方の専門的な課題解決を異分野にも伝えやすくでき、創造性を高められます。(36字)	この本を通じ、9マス使っての情報整理と仮説構築力向上をしたくなっていることが目標です。(43字)
達成	**贈与**	**目標**

時間軸 →

　これから、新しい節目を迎えるかたはもちろん必要ですが、時代的にも、オンラインでのコミュニケーションが多くなり、言語化することが求められる機会が増えてくることでしょう。
　このような自己紹介３画面を用意しておくと、いざというとき、分かりやすく自分の魅力を伝えられます。

　自己紹介３画面については、この後の第２・３章（縦３画面や９画面法）でも、別の視点からお伝えします。

横3画面の実践トレーニング
キャリアの未来として企業を考える

こまで7通りの横3画面をかく方法について説明してきました。

1つでもピンと来たものがあれば、それで第2章に進んでいただいて構いません。

一方で、より多くの横3画面を覚える活用例として7通りの横3画面を、「同じテーマ」に総合的に活かしてみることを、最後に例示しておきます。

人生で考える問題のうちで、「今後のキャリアを考える」は大いに考え甲斐のあるテーマです。これから就職するにせよ、自社でキャリアを積むにせよ、あるいは他社に転職を考えるにせよ、何かしら「新しいキャリアをつくる」ことを考えて、各3画面をかいていきます。

ここでは、Googleに就職（や転職）を考えているAさんになったつもりになってみ

ましょう。「企業分析」のためには、どのようなことを考えるとよいでしょうか？

孫子でも最も有名な一節に『彼を知り己を知らば百戦殆うからず』とある様に、まずは相手、つまり就職／転職先の企業について調査し理解を深めます。

企業を理解するためには、まず、社内の人物となって、会社の理念や方針の理解、次に開発するサービスを考えていく必要があるでしょう。

と同時に、俯瞰的な視点を持ち、企業がどういった環境に置かれているのかということを押さえておく必要があるでしょう。

そこで、ここまでに紹介した3画面を使いながら、一緒に整理していきましょう。

ところどころ穴埋め形式にしてありますの

で、書きこんで、アウトプットしながら進めてみてください。

❸ 歴史 → 現状 → 将来 （企業の歴史→現状→将来（MVV））

まずは「歴史→現状→将来」の横3画面を考えてみましょう。

Google 社は、スタンフォード大学の博士課程に在学中だったラリー・ペイジとサーゲイ・ブリンによって、検索エンジンの会社として創業されました。

現在は、検索結果に広告を挟む Google Ads や、YouTube 内広告など、実質的に世界最大の広告企業です。

そして、「Google の概要」としてそのトップに「Google の使命は、世界中の情報を整理し、世界中の人がアクセスできて使えるようにすることです」と書いてあります。

では、これらを、Google の「歴史→現状→将来」として横3画面をかいてみましょう。すぐ下に一例を示しておきます。

Googleの沿革	Googleの現在	Googleの目標
＿＿＿＿＿＿＿＿大学	世界最大の＿＿企業	（MVV）
ラリー・ペイジ、サーゲイ・ブリン	AdWords、YouTube	世界中の＿＿＿＿＿
＿＿＿エンジン		＿＿＿＿＿＿＿＿＿
（PageRank）		＿＿＿＿＿＿＿＿＿
		＿＿＿＿＿

Googleの沿革	Googleの現在	Googleの目標
スタンフォード大学	世界最大の広告企業	（MVV）
ラリー・ペイジ、サーゲイ・ブリン	AdWords、YouTube	世界中の情報を整理し、世界中の人々がアクセスできて使えるようにすること
検索エンジン		
（PageRank）		

❹ Before → After → 予測

人の採用にあたり、特に企業は「自社に入る価値があるか」と同じくらい「この人は本当に自社に興味があり、働くイメージがあるか？」をチェックしています。

企業を調べると「主力製品」が分かります。その主力製品の Before → After を把握し、そこからの予測を述べることで、その会社への思いや考えかたを伝えることができます。

Google であれば、最近、我々がよく目にするのは検索結果よりも YouTube 上での動画。そしてそこに挿入される広告動画です。

しかし、もともと Google の主力製品は検索結果に影響を与えられる Google Ads です。実際、2019 年の売上は、前年比 36 ％増の150 億ドル (約 1.6 兆円)。これは Alphabet 社の年間総売上高の約 9 ％に担当します。

そしてここから予測されることは、「総広告売上内での YouTube の割合はより増加し、収益の柱として Google 社も見込んでいる」であろうということです。

以上を横 3 画面にまとめてみましょう。

Before主力製品	After主力製品	主力製品の予測

Before主力製品	After主力製品	主力製品の予測
Google Adsが大部分 総広告売上は16％増	YouTube上で挿入される広告動画 売上1.6兆円(36％増) 総広告売上の９％	YouTubeの広告収入の割合がより増加

さらに、主力製品の Before → After からの延長的な予測だけでなく、従来商品と新規の商品を比べ、他の付随情報も加えることで、非連続に次の主力商品を推測してみましょう。

そのようなことまでする人は多くはありませんから、この横 3 画面を使うことで、A さんも他の志望者から頭一つ抜け出た存在になることができます。

従来商品に Google 検索、新規商品に YouTube 画面と置いてみます。そのうえで、最近 Google が自動運転車の実験をしていることを考慮してみましょう。

自動運転技術だけでは、これまでの Google 検索画面や、YouTube 画面で培ったことが活きるとは思えません。しかし、スマホの Google マップアプリをカーナビ代わりにしている人がいることを考えるとどうでしょうか。

これらの情報から、「次の主力商品は何か？」ということを推測してみましょう。

ここから出てくる 1 つの予想は、ここまでの技術を活かして、車の自動運転まで含んだ超カーナビともいえるシステムの制御画面を扱いそうだということです。

この推測を通じて、Google が、情報の検索のなかで、「文字情報→画像→動画」として扱う情報量を増やしていくのとは別軸で、「リアルの世界にもアプローチしている」ことが分かります。その結果、これまでと全く違う協業相手や競合先ができることも予想しやすくなります。そして、スマホ上の Google マップが、Google の他のサービスよりもどんどん進化して便利になっていることにも納得がいきます。

もっとも Google ほどの知名度になると、次は自動車業界と関連してくることは様々な識者が推測をしています。しかし、そこまで知名度のない会社が対象であれば、こうした仮説を持っておく差は大きいです。

また、なにより、普段の社会人生活でも、自社や他社の経営層が想定している今後の競合相手や業界構造を推測しておく習慣をつけておくことは有用です。その習慣をつけておくと、一見不可解な動きに整合性があることが発見できることが少なくありません。

従来商品 Google検索画面	新規商品 YouTube画面	推測商品 _____ 自動運転技術

従来商品 Google検索画面	新規商品 YouTube画面	推測商品 超カーナビ画面 自動運転技術

⑥ 事実→抽象化→具体化

対象企業の主力製品や業界について、変化点が分かれば、改善してほしいポイントが見えてきます。身近な発見を抽象化し、主力製品についてアイデアを出してみましょう。❸〜⑥まで準備すれば相当に創造性がある人材と見込まれやすくなるでしょう。

Google検索の意義もとにを抽象化を考えます。するとたとえば、「情報提供者とその需要者のマッチングサービス」とまとめられます。

ここにもし、自身が不登校児の教育状態に対しての問題意識を持っているのであれば、これを組みあわせて「不登校児に対しての教育マッチングの場」というアイデアを作ることができます。

これではまだ「具体的」とまでは言えないですが、これを第3章のラストの9画面で具体化していきます。

自分のキャリアや、ある企業を浮かべて、❸〜⑥の3画面をかいてみると、対象（企業）のことが随分見えてきます。

情報を集めつつも整理されたところで、改めて自分のキャリアを過去→現在→未来の視点で考えてみましょう。

❷ 過去→現在→未来

ただ単に、未来を考えたり、現在だけから未来を考えるよりも、過去と現在を書き出してからの未来のほうがより実現に向けて力が入るものです。それがよりよいキャリアの推進剤になります。

これまで見えてきたGoogleの未来の主力商品。そしてGoogleの現状などを考慮して、考えてみましょう。

Aさんは次のような未来を描きました。エントリーする際の志望動機として、説得力のあるものが書けそうです。

車を常用していたことを活かしたユーザー目線で、Googleの超カーナビを見据えたサービス企画職になる。さらに、端末から入手できる位置情報とYouTube履歴を整理・活用して、不登校児をまだ学校に通っている予備軍のうちに救出する。

事実 Google検索	抽象化 情報提供者と需要者の マッチングサービス	具体化 不登校児に対しての 教育マッチングの場
自分の過去 不登校になってしまった友人。 振り返れば、問題が起きる前に手が打てればよかった。	自分の現在 社内で営業職をしており公私で車は常用。 不登校児の教育についての問題意識がある	自分の将来 Googleの超カーナビを活かすサービス企画。さらに入手できる位置情報とYouTube履歴を整理・活用し不登校児を予備軍のうちに救出する

その会社で働く未来が見えたら、そのキャリアの転換点。今回なら面接日を「事中」として（①）、事前や事後に何をするべきかを作っておきましょう。そうすることで「事中」までの時間を有効に使えます。

Aさんになったつもりで考えてみた例です。
まず、事前に面接用やエントリー用の資料作成が必要です（②）。そして当日、Googleまでのルートも確認が必要でしょう。事後には、営業では必須な面接後のフォローメール（③）。そしてついでにGoogleに勤めるGさんに会うことを考えます（④）。と、ここでAさんは、そもそもGさんに頼んで、Gさんやその同僚からもっとGoogleについて情報収集したほうがよいことに気づきました（⑤）。面接後には、そうした協力者にも御礼が必要なこと（⑥）を記入します。

事前情報収集と、事後フォロー、協力者を広げる、といったあたりは就職面接に限らず有効な行動です。

各画面は徐々に埋まり 影響しあう

さて、これまでは説明の便宜上、3マスを1マスずつ埋めて次に進んでいました。実際には、今回の例のように、「各マスを行ったり来たり」して、埋まっていきます。

これは画面が9つになっても同様です。むしろそうして「記入するたびに他のマスに影響を与え、ブラッシュアップされていく」のが9画面法の醍醐味です。

事前	事中	事後
②面接用の資料作成 ルートの確認 ⑤Google社員から 情報収集	①面接日	③面接後のフォロー ④ついでにGさんに 会う ⑥協力者への御礼

面接用の資料の中には、エントリーする際の自己アピールや、当日の自己紹介が含まれます。「30秒自己紹介」を作っておきましょう。

まずは65ページを例に一度自身の自己紹介をいくつか作ったうえで、先ほど調べたGoogleの目標「世界中の情報を整理し、世界中の人々がアクセスできて使えるようにすること」を想定して、目標と贈与をアレンジします。

達成もそれに最もふさわしいものがあれば変更しましょう。この場合は、Aさんではなく私の例にしておきます。

「すべての人が教え子を持てるようにする」という目標がGoogleの目標と相性が良いので、ミックスして右列に書いた文言にします。

その目標に向けて、説得力のある「贈与」を記入します。私はまさにこの本で説明している内容である、中列の内容を記入しました。

そして、自身が「達成」したことの中で、この「贈与」にさらに説得力を持たせられる内容として、左列の達成経験を記入しました。

以上、Googleに就職を考えるAさんを例に、横3画面を7種類用いてきました。いかがでしたでしょうか？「横3画面」だけでも、思考が整理され、仮説も立てやすくなったことは実感できましたでしょうか？

なお、自己紹介では筆者を例として出しましたが、Aさんは架空の人物です。筆者は現在の会社が好きで、現時点ではGoogleへの転職は考えていませんので、誤解なきようお願いいたします（笑）。

企業というものは、就職先・転職先として考えるときが一番真剣に考える機会です。しかし、そうでなくても取引先や、競合相手、また投資先としてなど様々な側面で「いま以上に考察を深める対象」としての価値があります。

この後の第2章以降の縦3画面や9画面を学べば、ますます「企業にたいしての考察を深める」方法が分かります。もちろん、企業以外の考察対象についても同様です。

達成	贈与	目標
「トリーズの9画面法」で社内300ある技術研修で総合評価No.1となりました。	3 x 3の9つの画面で創造的で複雑なアイデアでも相手に伝達しやすくできます。	世界中の人々が、自身の経験を整理して、教え子をもてるようにすることです。

以上、第1章ではここまで、

❶ 事前→事中→事後
❷ 過去→現在→未来
❸ 歴史→現状→将来
❹ Before → After →予測
❺ 従来→新規→推測
❻ 事実→抽象化→具体化
❼ 達成→贈与→目標

と、時間軸方向に「過去／現在／未来」と3つに区切って考える方法を7種類ご紹介してきました。

「困難は分割せよ」。物心二元論を唱え、近代哲学の父ともいわれるデカルトの言葉です。
　大きすぎて伝わらない自分の考えを語るときに、「時間軸で区切る」という方法は最もシンプルにMECE（排他的かつ網羅的）に分割できる方法です。
　❶～❼の中に1つでも「考えやすくなった！」「思考が整理された！」と思う方法がありましたら、まずはその3分割で考えてみてください。

　縦に線を2本ひき、「着目する時間」とその前後を意識するようにしていてください。それが「トリーズの9画面法」を使いこな

す第一段階になります。

　第2章では、時間軸ではなくあまりなじみのないシステム軸という方向を扱います。
　システムという概念を説明しつつ、この「システム」を階層ごとに3つに区切って考える方法を紹介していきます。

Column 『メモの魔力』とTRIZ

SHOWROOM創業の前田裕二氏による『メモの魔力』（幻冬舎）に掲載されている「**ファクト／抽象化／転用**」ですが、読んで感心しました。

TRIZ界で「**4箱方式**」と言われる思考形式を横3マスという、**メモとして記載しやすい形に見事に落とし込んでいた**からです。ですから、『メモの魔力』はとても理にかなったフォーマットと感じました。他にも、書くペンの色使いや、見出しのマークなど様々な工夫が同書にはちりばめられています。

詳細は同書に譲りますが、見開き2ページを一単位とし、左ページ側にまず出合った事実を左ページ側にとにかく書き溜めておき、時期を見つけて抽象化し、自身の課題解決に転用します。この**抽象化と転用（具体化）こそが、ITとAIが発達した時代における人間の本質的な知的労働**だ、という著者の主張に私も同感です。野球の素振り同様、知的労働にもいい素振りが大事。やみくもにバットを振るより、きちんとしたフォームで素振りをし続けたほうが野球で活躍できる確率は上がります。知的労働についてもこうした形で「自らが決めた形で積み上げている」同氏が成果を上げているのは頼もしいものです（私も、過去5年間で3000枚以上は9画面でメモをかき続けています）。

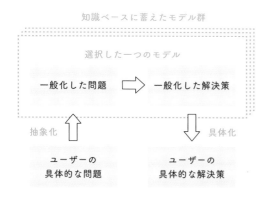

知識ベースに蓄えたモデル群

選択した一つのモデル

一般化した問題 ⇒ 一般化した解決策

抽象化 ↑ ↓ 具体化

ユーザーの具体的な問題　　ユーザーの具体的な解決策

※中川徹氏の第10回TRIZシンポジウム2014の資料をもとに作成

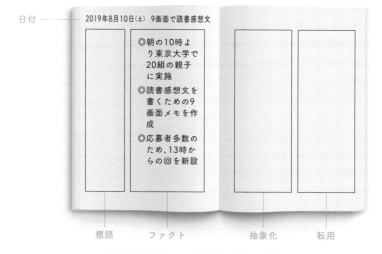

日付

2019年8月10日（土）9画面で読書感想文

◎朝の10時より東京大学で20組の親子に実施

◎読書感想文を書くための9画面メモを作成

◎応募者多数のため、13時からの回を新設

標語　　ファクト　　抽象化　　転用

※前田裕二著『メモの魔力』をもとに作成

第 2 章

縦3画面
空間（システム）を区切って考える

縦3画面で、空間を区切って考える

第2章では、9画面法における縦方向、空間軸をあつかいます。

第1章では時間軸で、キーワードは「左前右後」でしたが、この章のキーワードは空間軸で「上大下小」になります。

横線2本で3つの画面を作り、空間をより大きくとった視点と、空間をより小さくとった視点とを併記します。このことにより、対象の空間をマクロに俯瞰した視点での思考と、対象の空間をミクロにより掘り下げた視点での思考を、広げつつも混じらずに両立できます。

ここで「上大下小」に関しては、会社の職位を考えるとイメージがつかみやすいと思います。会社で職位が課長→部長→社長と上に行くにしたがって、権限が大きくなり、関係する範囲も大きくなります。逆に、課長→係長→一般と職位が下がるほど、権限は小さく

なります。

第1章の時系列を分けて考える思考法に比べると、慣れない部分もありますが、この視点を持てるようになると、思考の質がグッ

とよくなります。7つのラベル例で説明していきますので、まずはこの7つの中より自分にとって考えやすいものを見つけてください。縄跳びや自転車の練習と一緒で、続けるうちに徐々にコツがつかめてきます。

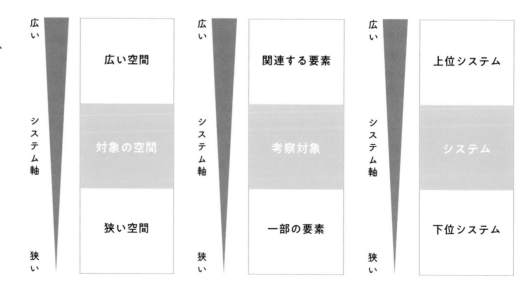

よく使われる 縦3画面

上下しているのは、考えている範囲の大小がすこし異なるため

	環境					
より大きい空間	企業(提供価値)	需要・業界		上位システム	Who	Why
基準の空間	企業活動	製品	使い手	対象システム	What	What
より小さい空間(一部の空間)		要素技術	発明品	下位システム	How	How
			発明の要素			

縦3画面を学ぶ目的と効果
空間を区切って並べる意味

議論や思考が細部に陥ってしまって、捗らなかった経験はありませんか？　私もよくやってしまっていました。

そういったかたは、ぜひ縦3画面をかく習慣をつけてみてください。空間の大小を区切る考え方を身につけることで、ふだん扱っているテーマについても「概要と細部を区切って考えるクセ」をつけることができます。実際、9画面を使うようになって、議論や会話の粒度を整理できるようになりました。

システム軸をとり、整理することによる目的・効果は、大きく3つあります。

❶システムという視点で観察できる
❷コントロールできることとできないこと（外的要因・内的要因）に分けられる
❸ブラッシュアップを行うことができる

まず、**システムという概念を使い分けることそのものに意味があります。**空間やシステムの大小、拡張すれば Why ／ What ／ How といった「視点」は、普段ぼんやりと考えている部分です。意識的に分解する仕組みがないと、なかなか整理することが難しいものです。

そこで、意識的にシステムという軸をとることで、考察に適したスケールを定めることができます。

システムという概念については、このあと詳しく説明するので、ここでははじめにで書いたようなイメージ（人の身体のように、ある意味のあるひとかたまりであり、自分より大きな環境と、自分を構成する要素に分かれている）を浮かべていただければ大丈夫です。

つぎに、システムを3つに分けることで、**自分が影響を与えることが難しい環境（＝上位システム）と、影響を与えられる要素（＝下位システム）に分ける**ことができます。自分の影響範囲がわかるので、アイデアの出しどころがより明確に定まります。

そして3つめに、時間軸同様、3つの要素が並ぶことで**全体を俯瞰しながら、アイデアや仮説、情報の精度をブラッシュアップする**ことができるようになります。他の2つの内容を見ながら、情報の精度や自分の視点をより正確・詳細なものに変えていくことができます。

まずはシンプルに「空間を3段階に分ける」空間3画面からシステムに分けることの威力と効果を体感してみてください。

空間軸 三分の計
「空間の大きさ」と課題解決難易度の相関

空間の大きさごとに3段に分けることのメリットについて、もう少し深掘りしていきましょう。

この「大きさごとに分ける」ことの意味は何なのでしょうか？

それはズバリ、**課題解決をしやすくする**ことにあります。

課題解決において、**解決する空間の大きさと難易度には相関があります**。一般に、関係する空間が大きいほど、関係する人が多くなるため、解決することが難しくなります。

ここでも1つ、例題を考えてみましょう。

学校生活や会社で働きはじめてからの課題である「朝起きること」について考えてみましょう。

WORK

(1)【空間軸とは、どのくらいの基準で、何をかんがえているのか？】

寝室のなかを見回して、睡眠に関わるようなものや構造について、サイズごとに3つに分けてみましょう。

まず真ん中の段には、布団やベッドなど、等身大スケールのものを。

次に上の段には、間取りや寝室の広さなど「変更にかなりの労力が伴う大きなスケールのもの」を。

そして一番下の段には、目覚まし時計など「自分より小さなもの」を書いてみてください。

(2)【解決策の準備】

今度は睡眠というテーマを忘れて、自分や家族、友達の部屋に置いてありそうな日用品や、部屋や家の空間で目に入るものを書き加えてみましょう。

(3)【早起きのための解決策】

サイズの異なるものを組みあわせ、早起きの工夫を考えてみましょう。

起床するということに関して、「なかなか起きられない」という課題を解決するために、何を変えたらよいのでしょうか？

そのための空間の思考を縦3画面で追いかけた問題になっています。

これから紹介する空間3画面では、
❶対象としているもののスケールを中心に置き
❷それよりも大きいものと小さいものの3つに分け
❸それぞれに該当するものを記入する
❹3つのスケールごとに解決策を検討する
ことで、課題を整理し、解決案のベースを作ります。

（1）（2）
今回であれば、
上段：自分よりもかなり大きなもの
中段：自分と同サイズのもの
下段：自分よりも小さなサイズのもの
に分けて、リストアップしてもらい、それぞれの内容と解決策を考えてもらいました。

まず、上段の自分よりもかなり大きなものとしては、寝室（の広さ）、窓、日光の方向などが挙げられます。しかし、これらを変更しようとすると引っ越しするしかありません。

引っ越しするとなると、引っ越し代に敷金礼金と相当なお金がかかります。家族など同居人が居る場合には、自分の起床の課題解決だけを理由に引っ越すことは難しいでしょう。

つぎに、中段、寝室で起床に関係する「自分と同程度の大きさ」のものを挙げてみます。考えられるのはベッドや布団、エアコンといったあたりでしょうか。これらも、それなりに値段が張るものであり気軽に変えることはできませんが、先ほどの上段で挙がった項目に比べれば、同居人に与える影響も少なく、引っ越さなくても変更が可能です。

その一方で、下段で挙がるものは、上段・中段に比べると影響を与えている空間は限定的で狭い範囲です。目覚まし時計、枕、パジャマなどです。ですから、まずはこの範囲で何らかの解決策を講じることが現実的でしょう。

目覚まし時計に関しては、周囲の騒音で使えない、ということもあります。この場合もやはり、「目覚まし時計は関連する空間が寝室より大きかった」ことで、課題解決難易度も高かったと言えるでしょう。

このように、「空間の大きさ」を意識し、その大きさごとに、状況を区切って考えると、

課題解決の見通しがよくなることを感じていただければ幸いです。（3）の解説は、次の項目で。

空間の大きさは解決のハードルに比例する

広い

より大きな空間
（見える空間・設備）

基準の空間
（自分の行動範囲）

局所的な空間
（手元の空間・道具）

狭い

家レベルの空間

- 寝室の広さ、間取り
- 窓、日光の方向、立地
- エアコン取り付けの穴

引っ越しするなど、
変更するのは
かなり難しい

等身大レベルの空間

- 布団、ベッド
- エアコン
- 衣装ケース

変更できるが、
少し大変

小さな空間、日用品

- 目覚まし時計
- 枕、パジャマ
- スマホ、メガネ→他の空間

比較的、
変更が容易

考えていた
空間の範囲

課題解決法
空間を広げての「リソースの発見」
上を向いて歩こう

『上を向いて歩こう』という歌があります。

困ったときには、ついついうつむいてしまい、視線が下に向きがちです。そして同時に視野が狭くなってしまいます。

そんなとき、「前向きに頑張ろう！」という掛け声も大事ですが、「視点を上にする」というのもよい解決策です。

実は数多くあるトリーズの解決ツールの中で、すぐに活用しやすいツールの1つが**リソースの発見**です。

やることは単純で、「問題が起きている場面の周辺で、何か解決に使えそうなリソース（モノ、手段、動き、特性など）はないか？」と探すことです。

こう書いてしまうと硬いですが、せっぱつまった時、私たちが自然と行っている思考です。「猫の手も借りたい」ほど本当に困ったときには、今まで使えるとは思っていなかっ

たものの意外な使い道に気づくものです。

そして縦3画面は、その思考を「せっぱつまる前に」発見できるツールです。

たとえば、先ほどの「朝起きられない」という課題。『あなたの人生を変える睡眠の法則』（菅原洋平・著／自由国民社）によれば、身体を目覚めさせるためには1500ルクス以上の光が必要で、そのためには、**なるべく窓に近いところで日光に当たる**ことが大切です。

とはいえ、一度置いてしまったベッドなどは移動するのは難しいもの。何か工夫をすることで状況を変えられないでしょうか？

大きな空間（ベッドや窓、太陽の位置）は変えられませんが、鏡を使うことで、日光の方向を変え、大きな空間にあるものをリソースとして使うことができます。

朝起きたい時刻に、自分の顔にちょうど日光が当たるように鏡を置いておけば、朝の狙った時間に起きることができそうです。

なかなか見つからない探し物がふとしたときに見つかり、「こんなところにあったの？」と感じた経験、ありませんか？　今まで探していなかった意外なところで見つかることもよくある話です。

「空間の大小」を意識して言いなおせば、「より大きな空間を探したら、あっさり問題が解決した」ということです。日常生活にとどまらず、ビジネスのアイデアにおいてもよくあることです。

かといって、せっぱつまった状況をわざわざ作るのもよくないですよね。こうなる前に、視点を上にする効果をもたらしてくれるのが縦3画面なのです。

空間を広げて、問題解決のリソースを探す

広い

より大きな空間
（見える空間・設備）

基準の空間
（自分の行動範囲）

局所的な空間
（手元の空間・道具）

狭い

家レベルの空間

- 室の広さ、間取り
- 窓、日光の方向、立地
- エアコン取り付けの穴

等身大レベルの空間

- 布団、ベッド
- エアコン
- 衣装ケース

小さな空間、日用品

- 目覚まし時計
- 枕、パジャマ
- 鏡

「システム」という考えかたを理解する

前のWORKでは、9画面法における上下方向を空間軸として説明しました。大小2つの視点を追加することで、思考やアイデアの自由度が大きく変わりそうだということを感じていただけたかと思います。

実際に手を動かしたり、例題を考えたりしたなかで、「対象の大きさをどう考えればいんだろう？」「大きい／小さいの基準に幅があって難しい」「もっと別のサイズで考えることができるのではないか」と感じた方もいらっしゃったのではないでしょうか。

そのような感覚はとても大切です。

なぜなら、9画面（縦3画面）において、**「基準よりも大きい空間範囲」「基準の空間範囲」「基準よりも小さい空間範囲」を、それぞれどういった大きさで切り出すかが重要**であり、9画面法を使いこなせるかどうかのポイントとなるからです。

そして、後で改めてお伝えしますが、「切り取る」という言葉を使ったことからもわかる通り、そのスケールのとりかたには自由度があるのです。

では、そのスケールのとりかた（の感覚）をどう身につけるか？　そのためには**「システム」**という考えかたをおさえておく必要があります。

じつは、「トリーズの9画面法」は別名を「システム・オペレータ」といいます。その縦軸のラベルは、上から「上位システム（Super-system）」「システム（System）」「下位システム（Sub-system）」とつけられています。

システムという概念を理解することが9画面法を自在に操る最大のカギになります。システムの全体像をつかむよりも「まずは実践！」という方は、ここをいったん飛ばして96ページに進み、縦3画面の問題を一通り行った上で、また戻ってきてください。

では、システムとはいったい、どんなものなのでしょうか？　いくつかの例を用いて、イメージを理解していきましょう。ここから以下の順で話を進めます。

◎システムって何だろう？　「システム」の特徴
● システムには様々な大きさがある
● システムでは個々の要素が、何かの目的のために組み合わさり、お互いに影響を及ぼしあっている
◎TRIZにおける「システム」
● システムの定義と具体例
● システムには階層がある
● システムの上下関係（上位システム／下位システム）

システムって何だろう？ 「システム」の特徴

「システム」という言葉は、日常生活でもよく聞く言葉です。では、子どもや新人に「システムってどういう意味？」と聞かれたら、どう答えましょうか？

システムの定義を述べる前に、世の中で**「システム」と呼ばれているものの特徴**についてみていきましょう。

はじめに思い浮かぶのは「コンピュータが絡む」システムです。会社で「○○（たとえば経理）システムに入力しておいて」といえば大抵コンピュータを介しています。銀行やコンビニにあるATMもまた、コンピュータを介してお金の入出金をする一種のシステムです。

一昔前の「ホームシアターシステム」のように**コンピュータが絡まなくても**、顧客の要望に応じて**「複数の製品や機械を組み合わせて価値を出すひとかたまり」**でシステムと呼ばれます。

さらに、**機械が無くてもシステムと呼ばれる**ものがあります。

Jリーグや海外のサッカーの試合を見ていると、「システマティックな動きができてますねー」という実況がはいります。しかし、その言葉を聞いても不自然には思いませんよね。そう、サッカーの試合でボールに向かって関係しあう選手たちは1つの「システム」です。

また、居酒屋で「当店の（飲み放題）システムについて説明します」という言葉も聞かれます。大抵は、飲み物の一覧、料金や制限時間（2時間）、1度の注文で1人1杯まで、などのルールが説明されます。これも「システム」です。

そして、飲んだお酒やつまみが通っていくあなたの胃や腸をひとまとめに呼ぶときの「消化器官系」。英語では Digestive System。そう、消化器官も「システム」なのです。

ここまで、さまざま分野が出てきましたが、どの例も**「システムは単体ではなくいくつかの要素がひとまとまりになっている」**ことは共通なことと感じられます。なお、**System の和訳は「系」**です。太陽系は Solar System、自動車の制動系は Breaking System です。

さあ、自動車が出てきました。実はこの自動車が「システム」のもう一つの特徴をつかむのに絶好の題材です。まず一台の自動車から徐々に小さい空間に着目し、構造や部品で「○○系」と呼ばれるものを考えていきましょう。どんなものが思い浮かびますか？

まず「駆動系（エンジンやアクセル、タイヤ）」、「制御系（ハンドルやそこからタイヤにつながる一連）」などの言葉が浮かびます。

駆動系の中に含まれる「エンジン」もまた内燃機関と呼ばれる1つのシステムです。さらにその中には点火系と呼ばれる部分があります。これらのワードから、システムが何かはわからずとも、**ある空間の大きさでひとまとまりをとらえている**ということがわかります。

逆に車を小さい空間から眺め、徐々に視点のスケールを大きくしていきます。どんな部品やプログラム、システム（ここではあえて曖昧に使っています）が含まれているでしょうか？

まず、車を小さい空間でとらえると、ネジや加工した鉄板などの部品（要素）からできています。そして、これらを組み合わせることで、エンジンやクラッチ、タイヤや排気口などを作ります。

さらに、それらが物理的な接触やコンピュータによる制御で**互いに支えたり力を伝えたりする**ことによって、駆動系や（駆動）制御系などの「**システム**」ができます。そう

いった複数の系が組み合わさることで「車」が機能しています。

　さらに空間を大きくとると、高速道路の出入口にあるETCは、車と料金所手前の通信系、料金所後のゲート開閉系などが**連携しあって「一度停車しなくても料金を支払える」**という**目的**が達せられます。さらに大きい空間、路線バスは他のバス路線とひとまとまりになって「ある都市圏の交通システム」の一部として動いています。交通システムはさらに空間を拡げ、国、世界、……と続いていきます。

　エンジンのレベルから、実際に車が動く道路での動きまで、さまざまな空間スケールのものに対して「システム」という言葉が使われています。これらに共通していたこと、それは、「**（何かをするために）組み合わさっており、互いに影響しあっている**」ということです。

　身のまわりには、このように「システム」と呼ばれているものがたくさんあります。そして、これらの「システム」という言葉は、（適当に使われているわけではなく）きちんと**システムの定義**に則っているのです。

　以上を踏まえ、システムの定義をご紹介します。システムとは、端的には「**ある目的の為に互いに関連しあう要素の集まり**」です。先ほど例に挙げたものも、この定義にあてはまります。

　先ほどまで例に挙げたものは、
● 会社の経理システム→会社の経理処理を目的とした要素（領収書データ、コンピュータのプログラム、社員の振込先口座情報）

交通システム	上位システム
車	システム
駆動系　駆動制御系	下位システム
タイヤ、エンジン、排気口、ネジ、金属板	部品、要素

システム名	目的	（関連しあう）要素例
経理システム	会社における経理処理	領収書データ、プログラム、社員の口座番号 etc.
ATM（システム）	銀行口座との入出金	タッチパネル、プログラム、現金
ホームシアター	感動できる画音の視聴	スピーカー、アンプ、ケーブルetc.
サッカーチーム	試合の勝利	FW、MF、パス回し etc.
飲み放題システム	顧客にお得感を与えつつ利益確保	飲み物一覧、料金、制限時間etc.
消化器系	栄養の摂取（吸収）	胃・腸・膵臓etc.

の集まり

- ATM →銀行とのお金の入出金を目的とした要素（タッチパネル、現金、処理プログラムなど）の集まり
- 顧客へのホームシアターシステム→顧客の要望（＝目的）を果たす要素（アンプ、スピーカー、ケーブル……）の集まり
- サッカー試合中の選手たち→試合で勝つ（得点をとる）ための要素（選手＋ボール＋パス回し）の集まり
- 飲み放題→店と客双方にお得感を両立させるための要素（アルコール、ソフトドリンクの集合、制限時間）の集まり
- 消化器官系→食物から栄養を分解・吸収するための要素（口・胃・腸など）の集まり

というように、全部システムです！　逆に、上記に挙げた要素が、**ただ集まって関連しあわない状態はシステムとは呼ばれません。**単なる「寄せ集め」です。

サッカー選手がただ11人いる状態はサッカー選手の寄せ集め。ホームシアター一式分のスピーカーやケーブル等を買い揃えても、配線しなければシステムではありません。

システムには階層がある

逆に、これらのシステムはさらに大きなシステムの一部になっている場合があります。

たとえば消化器系は、他の循環器系や呼吸器系などとともに、「人体」というシステムの一部です。人体は「生物として生存するという目的の為に互いに関連しあう要素（臓器や各種細胞）の集まり」です（身体の各種細胞をただ単に60兆個集めても生存できません）。

また、消化器系というシステムを構成する主な要素1つ1つもまた、より小さいシステムでもあります。たとえば腸は、食物分解・吸収するために、絨毛というひだがあり、その上で腸内フローラ（腸内細菌叢）と呼ばれる腸内細菌たちが活動しています。こうした細菌が分解したアミノ酸などの栄養物を絨毛を通っている（毛細）血管を通して受け取って体内に取り込んでいます。

さらにその腸内フローラは、ビフィズス菌といった善玉菌や、ウェルシュ菌といった悪玉菌、どちらでもない日和見菌など、様々な種類の細菌同士の共生によって成り立っているシステムです。それらの菌は「単細胞生物」という1つの細胞から成り立っていますが、細胞もまたシステムです。細胞膜、核、ミトコンドリアといった要素が関連しあって

要素1	要素2	要素3	分野（専門家）
	人体		
呼吸器系	消化器系	循環器系	消化器内科（の臨床医）
胃	腸	膵臓	（腸の）研究医
腸細胞	腸内フローラ	(毛細)血管	腸内細菌学会
細菌A	細菌B	細菌C	細菌学
細胞膜	核	ミトコンドリア	分子生物学
核膜	染色質（クロマトン）	核小体	分子生物学
タンパク質	DNA	ヒストン	有機化学
デオキシリボース(五炭糖)	リン酸	塩基(A,G,C,T)	有機化学
リン原子	酸素原子	水素原子	無機化学
陽子	中性子	電子	物理学

1つの系を成しています。その核もまた、より小さな要素群が関係しあっています。

システムの上下関係

これらがシステムであることの証左は、その要素となっている部品をそれぞれ単体で寄せ集めた状態と比べてみると分かります。

こうして、システムとして「互いに関係しあうひとまとまり」を意識することで、要素を別々に考察するよりもより高度な知的活動をしやすくなります。知見もためやすくなります。

たとえば、胃や腸を1つ1つ個別のものとして捉えるよりも「消化器系」として意識することで「体を治す」という観点での知見は蓄積しやすくなります。大学附属の病院は大抵の場合、循環器科、内分泌科、神経科……と人体の中にあるシステム（循環器系、内分泌系、神経系……）ごとに分かれています。

腸内に存在する細菌1つ1つを個別のものとして捉えるよりも、「腸内フローラ（腸内細菌叢）」として捉えることで見えてくる世界があります。この「ひとまとまりとして区切る範囲」が等しい範囲の間では専門分野といった形で、得た知見を交換しやすくなり

ます。消化器学会、腸内細菌叢学会など、○○学会と呼ばれる集まりはそうした場です。

他にも前ページの図の灰色の列に示した通り、各システムの大きさに従って、確立している学問の領域が異なっています。自分が考察する対象となるシステムの大きさを適切に意識することが重要です。

上位システム、下位システムを意識する

「自分が考察するひとまとまり」をシステムとして適切に意識することの重要性を見てきました。そしてそのシステムの単位で学問領域も積みあがっていることも見てきました。

また、前節のWORKにて、対象としている空間を基準により大きな空間とより小さな空間を区切って意識することで、問題解決が容易になることを学びました。

実は、システムについても同じことが言えます。

ここで、9画面法を学ぶなかでたった1組の耳慣れない用語、「上位システム」と「下位システム」を覚えて下さい（9画面法の専門用語ではなく、システム理論の専門用語です）。

自分が考察対象としたシステムよりも、上の階層のシステムが「上位システム（Super-system）」逆に下の階層のシステムが「下位システム（Sub-system）」です。

これを上下3段に積み上げたものを「システム3画面」とここでは呼びます。
上段が「上位システム」
中段が「システム（対象システム）」
下段が「下位システム」
になります。

たとえば、腸内フローラを対象システムとして考えるのなら、腸が上位システム、個々

腸	上位システム
腸内フローラ	対象システム
細菌Aのコロニー、同B、同C	下位システム

空間の大きさは解決のハードルに比例する

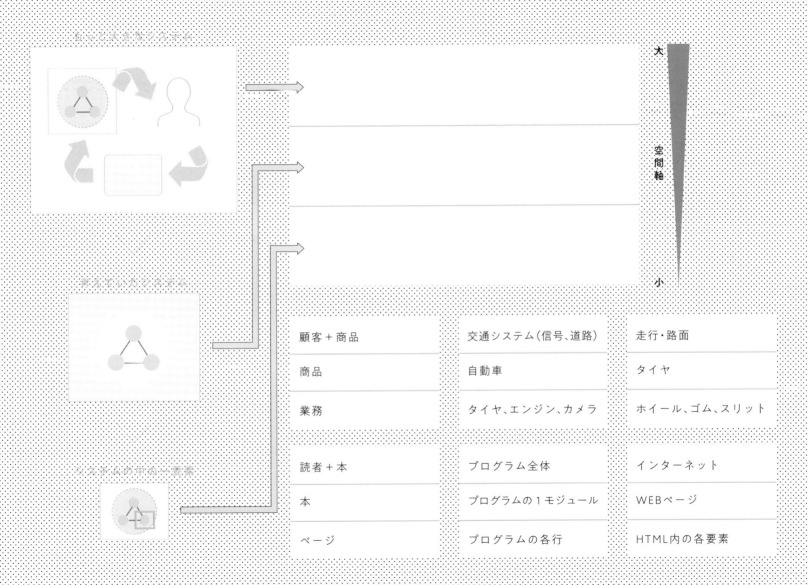

もっと大きなシステム

考えているシステム

システムの中の一要素

大

空間軸

小

顧客＋商品	交通システム（信号、道路）	走行・路面
商品	自動車	タイヤ
業務	タイヤ、エンジン、カメラ	ホイール、ゴム、スリット

読者＋本	プログラム全体	インターネット
本	プログラムの1モジュール	WEBページ
ページ	プログラムの各行	HTML内の各要素

の細菌（の集団、コロニー）が下位システムとなります。

システムアプローチをする際にシステムとしての「上位／下位」は、どこに着目するかによって変わってきます。

9画面法ではまず、考察対象を中段・中列に置くので、説明の便宜上、中段のシステムのことを適宜「対象システム」とも呼ぶことにします。

各段の上下関係は「上がシステムとしての集合、下はその要素」という関係です。ですから、下位システムは「対象システムの要素」、上位システムは「対象システムを一要素として含んだ、より上位のシステム」ということになります。

具体例を挙げれば、「心臓」は血を全身に送り出すという目的を持った「一つのシステム」です。

この心臓を対象システムとした場合、下位システムはその要素である「左心房、右心房、左心室、右心室」などになります。下位システムの項目としてピックアップするものは構

成要素全てである必要はなく、考察の必要に応じて着目すべき分だけをピックアップするのでも構いません（不具合解析など、分析をしたい際にはなるべく網羅した方が良い場合もあります）。

上位システムは、この対象システムである心臓を要素としているシステム、たとえば「一人分の身体」が当てはまります。

また別の観点としては「目的／手段」の関係性に着目し、「そのシステムが目的としている集合」の方が分かりやすいかもしれません。

先ほど心臓のことを、血を全身に送り出すという目的を持った「一つのシステム」と表現しましたが、その意味でもこの時、心臓の上位システムは「全身」となります。

なお、こうした「何が上位システム、下位システムになるか？」は、対象システムと考察の範囲次第になります。

先ほどの「心臓」をシステムとするなら、上位システムも、その時に考察したい内容によって適したものを選びます。

ざっくりと「人体の仕組みとしての心臓」なのであれば、上位システムは「全身」ですし、考察対象が「呼吸における心臓の働き」

であれば、上位システムは、「呼吸に関するシステム（肺、肺動脈の血液、肺静脈の血液、心臓、動脈の血液、静脈の血液、他の細胞）」という粒度になります。

以上が、システム、そして上位システム、下位システムの説明でした。

いま、この時点で全てを理解している必要はありません。次ページからの様々な縦3画面をかくことを通じて、身につけていってください。

縦3画面を考えるコツ

この後、実際に縦3画面の例をご紹介していきます。書き込み式にしていますが、手元でかきながら進めていただくと、より理解が深まります。

第3章以降を想定すると、右の方法が最もおすすめです。横罫ノートやふせんを用いてもよいですし、PC上で表を作ってかくのもOKです。

準備

- A4用紙を用意し、横に置く
- 縦3つの領域に分けるよう2本の横線を引く（＝3画面）
- その横線に垂直な方向に3つ折りにする（3画面×3）

このうち、それぞれの縦の3つずつを縦3画面として用います（折り目を開くと、3×3＝9つの画面になる）。

実施

- 3画面のうち、埋めやすい領域から埋める（大抵は中段）
- 残りの画面についてもラベルを参考にしながら埋める
- それぞれの画面が、互いに関連していることを意識して、かいた内容をブラッシュアップ

よく使われる縦3画面❶
空間軸

▶「空間の大／中／小」

部屋の例でも説明したように、縦3画面の基本の考え方は、「自分の（または注目したい）サイズを基準にして、物理的な空間の大小で整理する」ことです。

そこで、ある対象をおき、それよりも大きいものや空間、小さいものや空間の3つに分けたものが、ここで扱う「空間の縦3画面」です。

さて、ではこの「空間3画面で自然界の生物を観察」を練習してみましょう。

この時、練習しやすいのが「逃げることで生存を有利にしている生物」です。自分が追いかけられるところを想像すると分かりますが、「追っ手が追ってこられる空間」を逃げ続ける限り、走力も体力も必要です。でももし「追っ手が追ってこられない空間」が逃げ道にあれば、途端に逃げる側に有利になります。

そこで「特別な器官をもつことで、より大きい空間を逃げ道として利用できる」生物は生存競争を有利に勝ち抜いています。とくに爬虫類などは哺乳類に比べて何億年前からあまり進化していません。進化していないと聞くと、優れていないように聞こえますが逆です。生物にとっては「種を生存し続けること」が勲章。既に「数億年も生存し続けるほど優れた進化を数億年前に遂げた大先輩」と考え尊敬の念をもって接するのが創造力を上げる心得です。

たとえば、家の壁をよじ登るヤモリは、剛毛面を持った足を持っています。それを縦3画面に描けば、右図のようになります。

生体模倣は有効なヒントになります。ヤモリの剛毛面を模して造られた日東電工の「ヤモリテープ」は「張り付く力が強いのに、はがすこともできる」という矛盾した要求をかなえました。

また、スタンフォード大学では、ヤモリのように垂直方向の壁が登れる「ヤモリグローブ」が研究されています。

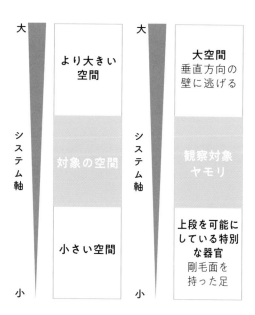

空間軸の縦3画面

生物というものは、営利企業よりもさらに激しいコスト競争にさらされています。文字通りの「命がけ」です。生存するには、動きが速く、力が強く、体が大きいほど有利です。が、捕食して入手できるエネルギーをそのすべてに割り振っていては、実際に速く強く大きくなる前に捕食されてしまいます。

ですから、生物はそれぞれ自身が入手したエネルギーの投入先を「選択と集中」します。その際に、自身単体の空間を考えるのではなく、「自身よりも大きな空間」を生かす方向で投入することでコストパフォーマンスの良いアウトプットを選択しています。それができた種が生存しています。そのヒントをつかむ練習をしましょう。

では練習問題。先ほどのヤモリを参考にして、以下の文章から空間3画面を記入してみましょう。
①「バシリスクは、水辺に生息。長い指と素早い足の動き、水の表面張力を活かして、水面を走って逃げます」

②「砂漠にすむトカゲ、サンドフィッシュ。その名の通り魚のようななめらかな鱗と流線形の体形で砂の中へと泳ぐように逃げます」

そのうえで、次の生物を対象に、3画面をかいてみて下さい。

③アリジゴク（ウスバカゲロウの幼虫）
④ナイルワニ（ナイル川に住むワニ）

ヒント：アリジゴク
上段：アリジゴクはサラサラな砂の場所で、すり鉢状の巣を作ることで自身があまり動かなくても餌となるアリを捕まえられるようになっています。
下段：アリジゴクはその蟻地獄空間を生かすべく、強力なアゴを持っています。

ヒント：ナイルワニ
ナイルワニのアゴの握力はなんと2トン。一度つかんだら離しません。が、離さないだけなら相手を倒すことは難しい。

しかし3億年もほとんど進化せずに生き残れたのは「住んでいる地の利を活かして」きたからです。

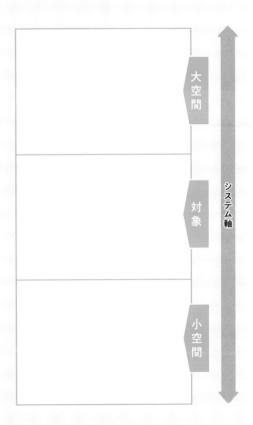

いかがでしたか？

①のバシリスクや②のサンドフィッシュについては以下のような縦3画面がかけていればOKです（部分の特徴については1項目でもOK）。

アリジゴクに関しての空間3画面

サラサラの砂地にすり鉢状の巣を作り、餌となるアリを捕らえる罠とする（アリ地獄）	大空間
アリジゴク（ウスバカゲロウの幼虫）	対象
強力なアゴ（と牙）	小空間

ナイルワニに関しての3画面

ナイル川に引き込んで溺死させる	大空間
ナイルワニ	対象
強力なアゴ（と牙）	小空間

アリジゴクも、ナイルワニも、「強力なアゴ（と牙）」を持つという点では共通ですが、その活かし方は生息している環境によって異なります。アリジゴクはエサを引き込んで逃がさないためで、蜘蛛の巣と似た働きです。

一方、ナイルワニにとっては溺死させる武器の代わりです。彼らは自身の体のすべてを強力にせずとも、自身よりも大きな空間を味方にすることで生き残っています。

このパターンはほかにも数多く見られます（ニッチの創造ともいいます）。
・擬態によりカムフラージュする動物（カメレオン、マダコ、ハナカマキリなど）
・宿主に寄生する動物（寄生虫、寄生植物。クマノミなど）
・自ら強固な巣を作る動物（ビーバー、シロアリ、ハチなど）

以上のように、生物は「自分の身体の一部を用いて、自分の身体よりも大きな空間」を活かすことで何百万年、何億年の環境変化をも生き残ってきました。

生体模倣による部分的な要素もそうですが、もっと大きな枠で「自身よりも大きな空間（地の利）を活かす」という共通のノウハウこそ、皆さんで模倣して活かしていきたいも

のです（名物経営者が好んで座右の書としている孫子でもまた、「地の利を活かす」ことは何度も出てきます）。

空間3画面「より大きい空間」と「より小さい空間」を考える意味

空間3画面で、粒度が異なる視点を常に意識することで、普段からその観察対象の特徴への観察力を上げることができます。問題解決力＝創造性を上げることができるのです。

実際、何万年何億年と生存してきた生物たちの工夫を分析し、人間界での課題解決に役立てる**バイオミメティクス（生体模倣）**という研究分野では、この考え方が役立っています。

生物はそれぞれ、自身の住む環境に特化しています。

そして生物のなかには、生活範囲（＝周囲の空間）を自身の生存に有利なように変えているものもいます。これを**ニッチ形成**といいます。

生態を理解するうえで、対象生物の身体そのものを分析するだけでなく、その生物の生活している環境、すなわち「より大きい空間」に着目することは、大事な手段の1つです。

ニッチ形成の例がクモ（蜘蛛）。クモは、「クモの巣」を張ることによって、自分の手

足が届く範囲よりも「より大きい空間」で餌を取得することができています。

ただ、ここまでは、よくある話。空間3画面が有効なのは、**このときに「より小さい空間」に着目したメモを残しておくことなのです。** クモの巣を、クモよりも小さい空間の単位で観察すると、クモの糸は「出糸器官」という体の一部から粘液として出たものが糸となって出ています。人間界においても、「自分より大きな空間を有利にする」ことで解決していることが結構あります。

たとえば、夏場の蚊。ブンブン飛び回っているのを直接捕まるのは難しい。しかし、蚊帳（かや）と呼ばれる網の目が細かい網で、より大きな空間を囲うことで蚊を寄せ付けないようにしていました。これは実は「糸」を使って、「糸を編んで自分に有利な空間を作る」という意味ではクモと共通点があります。

他にも、蚊取り線香や薬品を空中に散布という「より広い空間」に対して解決を行うことで、蚊に刺されたくないという課題を解決しています。

そしてそのことを考える際は、小さい空間（要素）を押さえておくことが大切です。なぜか？　それは**課題解決策のストック**になるからです。この積み重ねが、創造性を養います。

よく使われる縦3画面❷ システム軸

▶「上位システム／対象システム／下位システム」

自分が考察対象としたシステムが一要素として属す、より上の階層のシステムを「上位システム」と呼びます。

逆に、自分が考察対象としたシステムの要素となっている、より下の階層のシステムを「下位システム」と呼びます。

これを上下3段に積み上げたものが「システム3画面」です。

トリーズの9画面法としては、縦軸方向はこの「システム軸」が正式です。

そして、システム軸は3段を超えて増やすこともできます。ただ、日常的に思考ツールとして使う分には、考察対象を基準として、それ以上とそれ以下の3段に分けていれば十分です。

大

システム軸

小

| 上位システム |
| 対象システム |
| 下位システム |

システム軸の縦 3 画面

では 97 ページ同様、縦 3 画面の練習をしましょう。

次に挙げる単語のシステム（系）を対象とし、システム軸の縦 3 画面でどこに配置されるか考えて、それぞれシステム 3 画面をかいてみましょう。

（1）駆動系、エンジンシステム、点火系
（2）太陽系、銀河系、地球＆月
（3）経理システム、経営管理システム、（交通費精算用の）運賃計算システム

余力があれば、縦 3 画面にとどまらず、さらに横線を引き、上下に上位システムと下位システムを列挙していっても構いません。

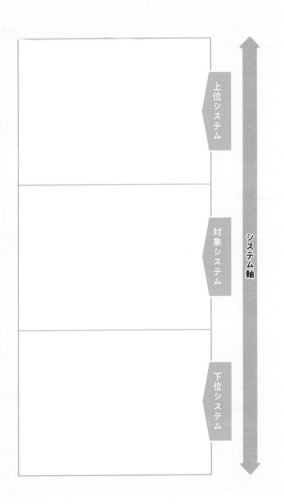

考えかたと解答例

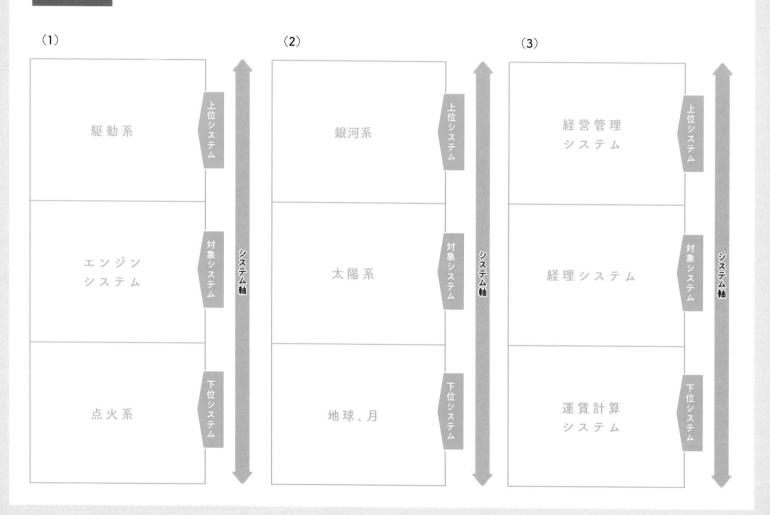

（1）

駆動系	上位システム	システム軸
エンジンシステム	対象システム	
点火系	下位システム	

（2）

銀河系	上位システム	システム軸
太陽系	対象システム	
地球、月	下位システム	

（3）

経営管理システム	上位システム	システム軸
経理システム	対象システム	
運賃計算システム	下位システム	

（1）

　駆動系の要素（下位システム）として、エンジンシステムがあり、エンジンの要素として点火系があります。さらにその要素として点火プラグに、そこで放電させる系なども下位にあります。上位システムとして、自動車（自動車1台もシステムです）や、交通システムが存在します。

（2）

　地球とその周りをまわる衛星である月、たった2つですが互いに引力で影響を与え合っており、1つのシステムです。天気予報などで耳にする「大潮」「小潮」は月によって地球の海面が引っ張られることによって起きています（潮汐力）。そして両者ともに太陽系に属しています。地球は太陽からの影響なしにはいられません。地球が太陽に与えている影響は軽微ですが、時折太陽系内に散らばる小さな岩石を吸い寄せています（われわれの目には流れ星や隕石として見えます）。小さくとも影響を与えているのは確かです。

　また、太陽系は「天の川銀河」という銀河系に属しています。気が遠くなるほど多い要素の中の1つですが、太陽系がもつ質量とそれに伴う万有引力もまた、「天の川銀河」系を形作る一要素です。銀河も、さらに大きい銀河団に属します。宇宙は広いですね。

（3）

　宇宙から今度は身近なシステム。経理システムにとって、従業員が入力する交通費精算はごく一部。それを手助けしてくれる運賃計算システムは経理システムを支える下位システムの1つ。そんな経理システムは、ほかの売り上げを管理するシステムや、輸出入を管理するシステムなどと連携して、会社の経営全体の数値を経営管理システムに送ります。経営陣はそれを見て経営のかじ取りを判断します。

　このように、まずは身のまわりで「システム」と呼ばれるものを見つけ、
● そのシステムが目的としているものを見つける
● そのシステムが一まとまりになっている範囲を見つける

● その範囲で主要な要素を見つける
　ということを繰り返していると「システム視点」がだんだん身についていきます。

　第2章のこれ以降では、もっと身近なもの、発明品やヒット商品、企業を「システムを意識した縦3画面」で捉えることで視野を広げます。システム軸に根差した視点で創造性を高めていきましょう！

よく使われる縦3画面❸
発明品をとりまく空間軸

▶「使い手／発明品／発明の要素」

　東京大学や科学館、ソニーなどで、毎年夏に親子向けのイベントを開いてきました。そのなかで、参加者に「21世紀型スキルとして必要なものは何か？」を複数回答で聞くと、**常に「創造性」がトップ**になります。英語塾や、プログラミング塾があるのに比べ、創造性の塾はあっても芸術方向の創造性で、課題解決方向のものは皆無。課題解決方向の創造性を向上させるにはどうしたらよいでしょうか？

　何事も**「"まなぶ"は"まねぶ"から」**といいます。いま、身のまわりにある日用品の多くは**かつての発明品**です。たとえば、ヒラメキのシンボルである電球。その後継である蛍光灯もLED照明も発明品です。実は、日用品には複数の発明の要素がつまっているのですが、あまりに多く一口に表しきれません。

　そこで、**「発明発見3画面」**です。

　まず、**使う場面を想像**することで、自然と「より大きな空間」の視点になります。つぎに日常品の持つ要素＝「より小さな空間」に着目します。

　発明の要素は数多くありますが、ここでは**「溝をつけて分割しやすくする」**という要素を例に説明していきます。

　たとえば、**板チョコ**。板チョコには必ず**「溝」**がついています。もし、溝のないただの**チョコの板**だったら食べにくいですよね。溝があることで**割って食べやすい**のです。

　板チョコとほぼ似た形なのが**カレールゥ**。溝で割って小分けしやすく、ルゥが鍋の中で素早く溶けます。

　最近は**切り餅にも溝**がついており、焼いたときに形が崩れにくくなりました。

　縦3画面にして他の日常品も観察していくうちに、様々な利便性が、実は**共通の発明**の要素で生み出されていることに気づくことができます。

大

システム軸

小

| 日常品を使う 場面 |
| 日常品 （かつての発明品） |
| 発明の要素 |

発明品起点の縦3画面

「溝を見たら発明と思え」は食品分野だけではありません。皆さんも「溝を見たら発明と思え」を合言葉に身の回りの「溝（スリット）がある日用品」を探し縦3画面をかいてみましょう。

　たとえば、「溝のあるカッターの刃」もかつての発明品。溝があるので折りやすく、切れ味が鈍ってもすぐに復活。「折る刃」は世界標準規格。発明したOLFA社は、日本の会社です。しかも、なんと従業員91名で年商70億円！この話は新規事業担当者たちの目の色が変わります。同社のWebにも「板チョコを見て思いついた」と明記されています。

　OLFAカッターを題材に、
　① 下段には「溝がある部分」
　② 中段には「溝のある日用品」
　③ 上段には「溝を使う場面と、その効果」
　の順で3画面にかいてみましょう。

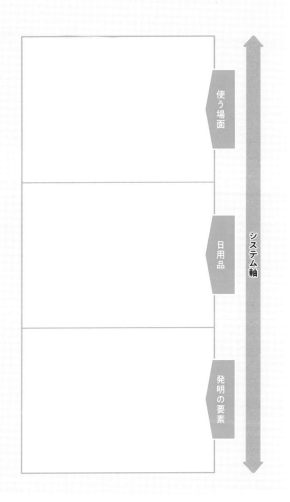

使う場面

日用品

発明の要素

システム軸

問題03　考えかたと解答例

では、OLFAカッターの場合です。
① 下段に「（カッターの）刃の溝」
② 中段に「"折る刃"カッター」
③ 上段に「刃を折るだけで切れ味が（すぐに）復活する」
の順になります。

なお、この「日用品からシンプルな発明の創造性を見つける訓練」は、次節の「ヒット商品起点3画面」と似ています。それもそのはず、ヒット商品が最もヒットした状態は、「買う／使うことがあたりまえになった状態＝日用品」ですから自然なことです。「使う状況」と「発明の要素」も、言い換えれば、「ニーズ」と「シーズ」になります。
　ただ、ここで「発明の要素」に着目することで、より「解決策のシーズ」として再現しやすい形で抽出できる点がポイントです。

　溝の発見に慣れたら、次は「非対称な部分を見つけたら発明と思え」にチャレンジ。更なる「発明の要素」については、前著『トリーズの発明原理40』にこうした「○○を見たら」のヒントになる発明の要素と日常品のセットが240個以上列挙してあります（257ページにも掲載しています）。
　この、「身近で見つけた便利なものに対して、TRIZの発明原理を当てはめて工夫点を説明する」という内容は、東京大学大学院の授業でも実施されている内容です（発明品ですぐに9画面がかきたくなった場合は、p.129へ）。

③刃を折るだけで
切れ味が復活する

使う場面

②"折る刃"カッター

日用品

システム軸

①（カッターの）刃の溝
（#1分割原理）

発明の要素

前著を記して以来、アイデアクリエータとして相談が持ち込まれることが増えました。その中で、何度もあったのが「自部署の持っているシーズに対して、ニーズを発見してほしい」という相談です。

そう、**ニーズとシーズがうまく合致するとヒット商品になります**。この観点で、世の中にある製品やサービスを観察すると、自分の中での企画力向上になりますし、他の人にも伝えやすくなります。

2019年のヒット商品、ハンディファンを例にして、書き方を説明していきます。

① 中段にヒット商品と置き、記載対象の商品を記入→ハンディファン

② 上段にその商品を大量に買ってヒットさせた購買層、ニーズについて記入

● 散歩中の涼風
● 暑い職場での涼風
● 外出先から戻ってきた際のクールダウン

実はこれらは以前から存在していたニーズ。それを今回ハンディファンという形で解決可能にしたシーズを記入しておくと創造性向上に繋がります。

③ 下段にヒット商品を支えた要素や技術（シーズ）を記入

・USB充電で、6時間以上利用できるだけ、バッテリーが持つようになった

・静音化により、オフィスなどで使いやすくなった。小さくてもしっかりとした風量が出せるよう、大小交互の羽根になった

ということがあるようでした。

これらのニーズやシーズも、「空間」という視点で見れば、前節の発明観察の場合と同様です。ニーズは使われる空間という形で、

元のヒット商品より大きな空間を指し、下段のシーズは、元のヒット商品の内、一部の空間を指しています。

ヒット商品起点の縦 3 画面

　上段と下段は順不同、ニーズとシーズが逆順に埋まる場合もあります。たとえば 2019 年に、爆発的に売れて話題になったわずか 120ml のマグボトルである「ポケトル」。高齢者のウォーキング中の水分補給。妊婦のようにあまり動きが取れず、屋内にいる場合や幼児の水分補給。こうした 1 時間以内にまた注ぎ足せる状況にいるユーザー層を掘り起こしました。

　これは、埋もれていたニーズを、シーズで顕在化させた例です。前ページのように「ヒット商品のニーズとシーズ」を縦 3 画面にまとめてかいてみましょう。これまで同様 A4 の紙に横 2 本線引いて縦 3 画面を用意します。

　① 中段に対象とするヒット商品（例：ポケトル）
　② 下段にシーズ＝差別化要素など（ポケトルの特徴）
　③ 上段にニーズ＝ヒットした理由（ポケトルが顕在化したニーズ）
　を書いていきましょう。

　また、ヒット商品は無形のサービスでも構いません。そんな新サービスで、ニーズにもシーズにも新旧含まれた好例が Uber Eats です。ポケトルについて書きこめたら続いて縦 3 画面をかいてみましょう。

　もちろん、自身で観察対象とするヒット商品を思い浮かべてチャレンジしても構いません。

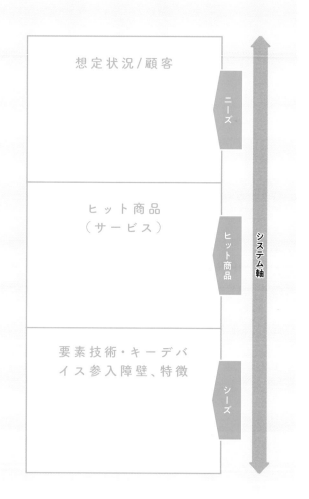

考えかたと解答例

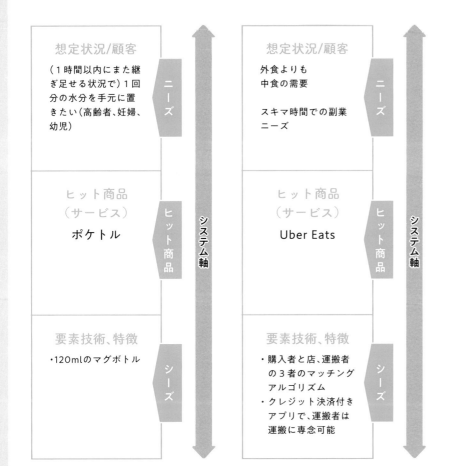

まずポケトルでのヒット商品起点の縦3画面は、

① 中段　ヒット商品：ポケトル

② 下段　シーズ：120ml のマグボトル

③ 上段　ニーズ：1回分の水分を手元に置きたい
　　　　　（高齢者、妊婦、幼児）

となります。

　続いて、Uber Eats の場合です。

① 中段：Uber Eats と記入。

② 上段：スキマ時間での副業ニーズは前から存在。
　　　　そこに外食できない状況が発生し、出前
　　　　のような「中食ニーズ」が加速。

③ 下段：スマホアプリでの購入者と店、運搬者の
　　　　3者をつなぐマッチングアルゴリズムが
　　　　Uber 社の新しいシーズ。また、クレジッ
　　　　トカード決済も組みあわせ、運搬者は料
　　　　金受け渡しから解放、運搬者が完全に商
　　　　品受け渡しに専念可能。

　このように縦3画面にすることによって、ヒット
商品を見通し良く分析可能。シーズ発かニーズ発かも
対比して考えやすくなります。

よく使われる縦3画面❺ 企業起点の視点（3C）

▶「環境／企業／技術要素」

こ　こまで、日用品、ヒット商品と少しずつ中段に据える観察対象（システム）が大きくなってきました。5つめの観察対象はさらに大きく「企業」です。

その際の縦3画面のラベルは、上段に「環境」、下段に「要素」です。何かを紹介するときに、紹介したいものが「どのような環境が前提となっているか？」、「どのような要素を持っているか」を併記するととてもわかりやすくなります。

まず、中段には「企業全体規模の内容」についてメモしていきます。たとえば企業としての主力商品や提供価値をメモしていきます。

次に、「企業を取り巻く環境」についてメモしていきます。上位システムは「株主・競合・顧客」略して「カキコ」と呼んでいます。

株式会社では「株主」の存在を欠くことはできません。多くの一般社員は会社に雇われているイメージですが、最終的には株主に雇われています。特に企業の経営陣は株主総会で直接的に株主の賛成を得なければその座にとどまることはできません。年に（たいていは）1度の株主総会は自分に課されているテストです。特に創業家やファンドなど大株主がいる場合、影響が特に大きいです。

また競合がいる場合、どうしても価格設定などで争いとなります。競合がいなければのびのびと事業ができる一方、市場形成も自力で行う必要があります。自身を支える基礎技術についても、競合がいたほうが産業が育ちやすくなるなど、多くの影響を与えます。

最後に「顧客」。一般消費者を直接相手にしているのか、企業を相手にするのかの区別です。それによって、商品の販売チャネルや広告媒体をはじめ業態が大きく異なってきます。ざっくり、テレビCMや雑誌広告で、具体的商品が推されていたら顧客中心、具体的商品無しで「社名が連呼」されていたら企業が中心です。

そして下段は、中段（企業の提供価値）を支える要素を書き入れていきます。具体的には、企業の価値提供はそれまで培ってきた要素技術や、各種の企業活動に支えられていますから、これを書き入れます。

企業起点の縦 3 画面

それでは、「トコタ自動車」について縦 3 画面を作ってみましょう。

対象となる会社の「投資家向け情報」を見ると端的にまとまっていることが多いです。

上段は「カキコ」、

カ：株主構成（企業のホームページ）

キ：競合他社（トヨタ車の販売と選択肢で競合する相手）

コ：顧客（B2B か B2C か ≒ CM で商品推しか社名推しか）

を、

中段には、企業の提供価値を記入し、

下段にはその要素を書き入れてみましょう。

企業のホームページや Wikipedia を見ると情報があります。

考えかたと解答例

ではまず、中段の「提供価値」について。社名の通り「自動車」が主力製品です。が、価値、という点では、掲げている「Mobility for All 〜すべての人に移動の自由と楽しさを」もピッタリでしょう。

続いて上段の「カキコ」。カの株主について、同社ホームページ「株式の状況」（https://global.toyota/jp/ir/stock/outline/）を見ていきます。

2020年時点で約32.6億株の普通株式を発行済。トヨタ自動車と言えば、親会社（株）豊田自動織機は約2.4億株で約7.4%、第2位。ほぼ子会社な第6位デンソー以外ベスト10は金融機関。金融機関が16億株と半数所持。日本の会社が多く、株主から極端な要求がされるよりは配当がきちんと出せることの方が重要では？と予想されます。欄外に「自己株式　約5億株」（創業家の豊田一族は1%くらい）。

競合は、現時点では日産や、GMといった主に自動車会社。

顧客も、社名の連呼よりは、商品そのもののCMが目につきますから、主に個人が多いでしょう。

最後に下段、提供価値を生み出しているのは、自動車を自ら製造していること。それを支える幅広い系列会社。そして "かんばん" や "アンドン"、"5回のなぜ" などでも有名な「トヨタ生産方式」も特筆すべきこととして挙げてみました。また、「販売のトヨタ」と言われるセールス網も。

これらは一例ですので自分なりの「トヨタをメモした3画面」を作ってみましょう。

環境（株主・顧客）

株主：金融機関50%、
自己所有16%、親会社8%
競合：日産ルノー、GMなど
顧客：主に個人

環境

企業の提供価値

**主力商品＝自動車
「Mobility for All 〜
すべての人に
移動の自由と楽しさを」**

企業

システム軸

技術要素・内容

・デンソーなど系列会社
・トヨタ生産方式
・「販売のトヨタ」セールス網

要素

よく使われる縦3画面❻
ビジネスを考える軸

▶「Who ／ What ／ How」

ヒット商品でも発明品でも「その品をユーザーが使っているより大きな空間（ニーズ）」と、「その品の特徴的要素（シーズ）」を捉える練習をしました。

ビジネスを考える時も「何の価値を提供するか？」という What を考える時に、「それは誰のためのものか？」という Who を考えることで目的がはっきりします。そして、それを行うための「How（手段）として何を準備するのか？」は What に対しての要素に当たるものです。

実は、ビジネスのためのフレームワークとして紹介されているものもつきつめるとこの「Who ／ What ／ How」をセットで考えることを示唆しています。

川上昌直氏の「9セルフレームワーク」のように、Who ／ What ／ How が直接書き入れられているものもあります。

そこで、うまくいっているビジネスを見つけたら、この縦3画面をかく癖をつけると、情報が整理され、比較することができます。また、Who ／ What ／ How を考えやすい単位としては「書籍」もあります。自分が読んだ本をこの視点でまとめてみるのもよいでしょう。

Who= 顧客＝想定読者、What= 提供価値、How ＝実現手段＝本の内容、でまとめてみましょう。たとえば、2019 年に大ヒットし、2020 年のビジネス書大賞も受賞した『FACTFULNESS』は、以下のようにかくことができます。

大

システム軸

小

| Who 顧客 |
| What 提供価値 |
| How 実現手段 |

Who 顧客

読者
自分が世界のことを人よりも良く知っていると考えている人。世界の事実を正しく知りたいと考えている人

What 提供価値

書籍が提供する価値
人間の持つ生存本能による情報の知覚バイアスを意識することで、情報を正しく認識して考えられる

How 実現手段

提供価値を届ける具体的な手段
・自身の持つ情報バイアスを認識させる13の問い
・10の生存本能の説明と紹介
・1日の所得が2\$／8\$／32\$の軸で見る視点

ビジネスを考える軸の縦3画面

ビジネスとして何通りかの「Who」が考えられる好例が Uber Eats です。
ここには3人の Who が存在します。

Who
顧客

Who① 購入者
Uber Eats で注文する人

What
提供価値

外出せずとも自宅に居ながらにして、プロの作った料理を食べることができる

How
実現手段

・Uber Eats アプリ
（によるマッチング）
・提携店によるメニュー
・運搬者による運搬

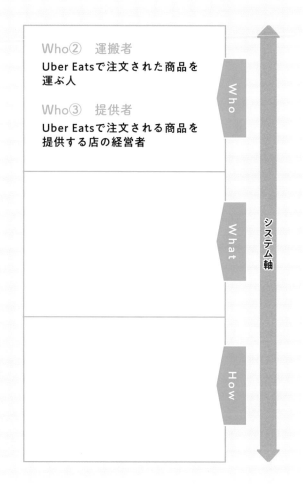

Who② 運搬者
Uber Eats で注文された商品を運ぶ人

Who③ 提供者
Uber Eats で注文される商品を提供する店の経営者

Who

What

How

システム軸

上記を参照に、運搬者や提供者について、それぞれに縦3画面をかいてみましょう。もちろん、自身で観察対象とするヒット商品を思い浮かべてチャレンジしても構いません。

考えかたと解答例

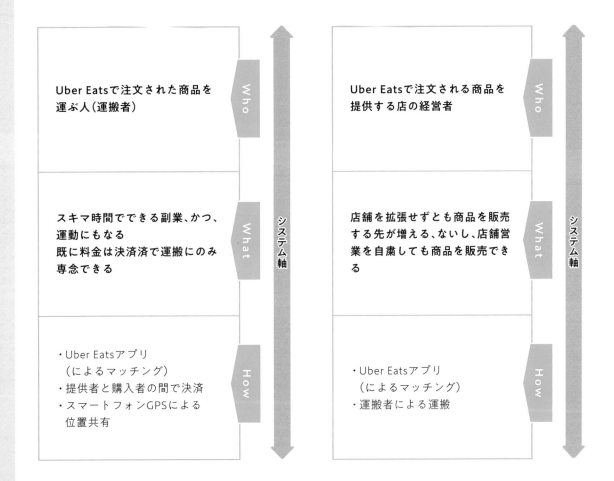

左側（運搬者）

Who
Uber Eatsで注文された商品を
運ぶ人（運搬者）

What
スキマ時間でできる副業、かつ、
運動にもなる
既に料金は決済済で運搬にのみ
専念できる

How
・Uber Eatsアプリ
　（によるマッチング）
・提供者と購入者の間で決済
・スマートフォンGPSによる
　位置共有

システム軸

右側（店の経営者）

Who
Uber Eatsで注文される商品を
提供する店の経営者

What
店舗を拡張せずとも商品を販売
する先が増える、ないし、店舗営
業を自粛しても商品を販売でき
る

How
・Uber Eatsアプリ
　（によるマッチング）
・運搬者による運搬

システム軸

よく使われる縦3画面❼ ロジカル3画面

▶「Why ／ What ／ How」

エレベータートークは30秒間、と言います。30秒なら相手は耳を傾けてくれます。30秒でスマートに伝える際に意識したいのが「Why? What? How?」の3要素。縦3画面をかき、上段にWhy、中段What、下段Howとラベリングします。各マスを埋めた上で、120文字の文章を作ります。（☆）

私は講義の際、ペアで教えあいをよく行います。これをスムーズに行うためにも、まず始めの時間に自分が薦めたいものを一つ選び、理由（Why）とどうやるか（How）をメモ。その上で2人組で互いに30秒で紹介してもらいます。この「ワンポイント自己紹介」、受講生間でも好評です。（★）

たとえば、ボードゲームのカタンを紹介したい場合は以下のようにメモします。メモするときは、What → How → Whyの順が書きやすいようですが、順不同で構いません。

一方、紹介するときは、このメモを見せながら（What →）Why → How → Whatの順が相手に伝わりやすくなります。

「（紹介したいのはカタンです。これは）世界で3000万セット売れ、今もボードゲームランキング1位常連。老若男女遊べる2～4人用ゲームです。サイコロを振って出た資源を用いて10点分の市街を建設したら勝ちです。Win-Winな交渉がカギです。これが、カタンです。ぜひ遊びましょう」

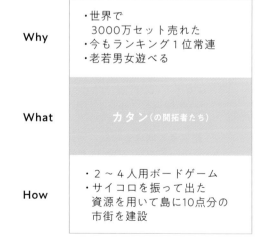

Why	・世界で 3000万セット売れた ・今もランキング1位常連 ・老若男女遊べる
What	カタン（の開拓者たち）
How	・2～4人用ボードゲーム ・サイコロを振って出た 資源を用いて島に10点分の 市街を建設

ロジカルシンキングの縦3画面

実は前ページの冒頭の文章は、この3画面をかいてから文章に起こしました（☆と★）。どこが Why、What、How にあたるか、考えてみてください。

　①中段に伝えたかった概要（What）

　②下段にその具体的な要素（How）

　③上段にその What がなぜ有効か？（Why）

の順で3画面にかいてみましょう。

　ちなみに、この本全体にもところどころ、こうして Why と How を意識して書いている文章があります。

　なお、Why So? と So What? を問うのは、ロジカルシンキングの基本です。そこから、「ロジカル3画面」と名付けました。

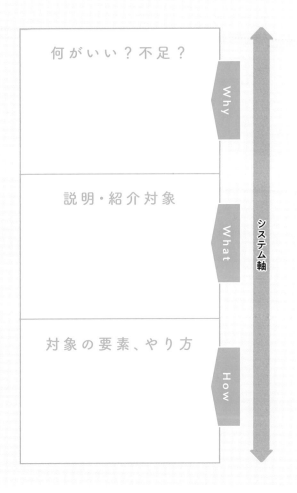

考えかたと解答例

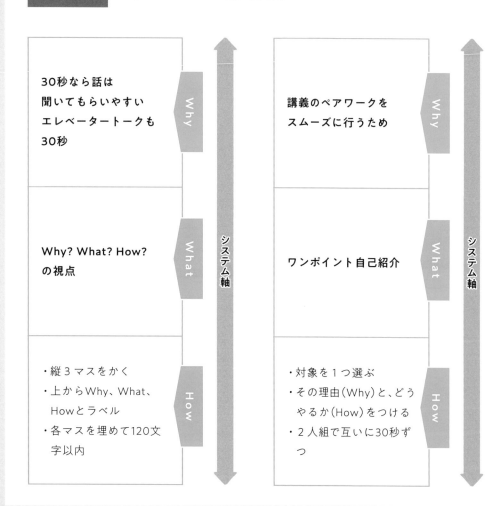

この Why ／ What ／ How は、紹介を越えて、売り込みにも使えます。そのときには、Why の部分には、「何が不足しているのか？」と、伝える相手に「不」の存在を自覚させるのが大事です。

この辺りは、ベストセラーの「伝え方が9割」にも載っていますし、マーケティングのセオリーの定石です。最近のWeb広告を見てみると、低収入や口臭、肥満、シワという「不の押し付けと、その解消」のオンパレードです。

よくある Web 広告なら、

Why　え、私の年収、低すぎ！

What　今より高収入の仕事

How　リンク先のフォームに記入して応募

この「Why ／ What ／ How」を使った 30 秒トークの宣伝ならこうなります。

Why　上司とエレベータに同乗した 30 秒の機会を逃すのは、その後の自分の人生と時間を大幅に損する！

What　30 秒で自分の要望伝える技術

How　120 字に Why、What、How の 3 視点を盛り込むだけ！

ポイントは、

Why　What を入手しないと起こる不（不具合、不平不満、不安…）

What　提供する価値

How　What を提供する手段（とりかかりやすい）

で端的に伝えることです。

2020 年の新型コロナウイルス蔓延以降、口頭で話すよりもチャットが主になりました。すると、自分の近況や感想を

長々と述べると、**「後から見て長かったのが残ってしまう」** ようになってしまい、何ともカッコ悪いものです。

そこで、上司や同僚に自分の近況、感想を効果的に伝える一文づくりに役立つ 3 画面をお教えします。Why と What はそのままで、下段の How を少し変形、**「How 〜（どれくらい？）」** とします。

たとえば、「私は炭酸水を飲むことが好きです」と、ただ述べてもインパクトはありません。

そこで、Why（なぜ好きか？）と、How 〜（どれくらい好きか？）を付け加えると以下になります。

「私は、炭酸水を飲むのが好きです。理由は、シュワーっとして気持ちいい上に、カロリー 0。昼でもいくらでも飲める。なので、毎日飲んでいて、家では重曹とクエン酸から自作もしています。薬局でそれぞれ 500g ずつ買ってきました」

これで 106 文字。実際、これで周囲には自分の炭酸水好きが印象に残り、ほかにも炭酸水好きが増えました。

事前にかいた縦 3 画面は以下の通り。

Why　シュワッとして気持ちいい。カロリー 0。昼でも飲める。

What　炭酸水を飲む

How　毎日飲む。
　　　重曹とクエン酸から自作。
　　　薬局で各 500g ずつ購入。

くり返しになりますが、ロジカルシンキングの世界では、「Why so ？」と「So what ？」の形で論理を上下させますが、まずは「Why と How」を意識する（その過程で What も意識する）と、とりかかりやすいです。

この Why と How を使って自己紹介をブラッシュアップする方法は、p.178 へ、また報連相をしっかり行う方法は、p.214 へお進みください。

縦3画面の実践トレーニング
キャリアの未来として企業を考える

さて、ここまで、7種類の縦3画面を使って、「考える対象の、上位システムと下位システムも考える」練習をしてきました。

様々なラベルがありましたが、上段に「（対象を含む）より大きな関わりあいを考える」、下段で「（対象の一部を）より具体的に考える」という方向性は同じでした。

ここまでは各節で、別々のものを対象にしてきましたが、最後の実践として、「Googleを対象に、異なる縦3画面（＝視点）で考えるトレーニング」をしましょう。

ここでも、第1章同様に「Googleで働くことを考えている」Aさんになったつもりで縦3画面を書いて、Googleの企業研究をすすめていきましょう。同じ「Google」でも、企業と捉えるか、製品（サービス）と捉える

か、発明品として捉えるかで3画面の埋まり方、そして見え方が変わります。それが、Googleやその他の「巨人」の肩に乗る練習にもなります。

● Googleを企業として捉えた縦3画面

では、まず、就職に伴う企業研究の第一歩。Googleを企業として捉えます。Google社と中段に書き入れます。そしてGoogle社の決算発表を見たことがあれば、Googleの売り上げの大部分を広告売上が占め、世界最大の広告会社であることは有名です。これを同じ中段に書き入れておきます。

そんなGoogle社のカキコ（株主・競合・顧客）を調べたり考えたりして上段に加えます。

環境	株主： 競合： 顧客：
企業	**Google社（Alphabet社）** **世界最大の広告会社**
顧客	

では実際に記入してみます。

株主は持ち株会社である **Alphabet 社**。競合は **GAFA4 社の他の３社**でしょう。Apple が作る iPhone や Safari、Siri などの製品群は Android や Chrome の 競合 です。 また Facebook による「知りあいからの口コミ」は Google Ads の手ごわい相手。また人々が何か買いたいと思った時に、Amazon のサイトで直接検索しているのも競合です。

そんな Google 社の顧客は世界中にいますが、中でも **Android 端末で、Chrome 経由で検索してくれる人**が上顧客です。単なる検索キーワードだけでなく、GPS 位置情報や各種センサーからのデータをくれますから。

そんな環境下での Google の企業活動としては、もちろん検索サービスの提供はありますが、他にもあります。膨大なサーバーの管理、中でも冷却のための消費電力を抑えるために、サーバをどのような場に置いた良いかの知見があります。また、Google ドキュメントや Google マップなどのために、Web ページにとどまらない世界中のデータを集めるということも企業活動として熱心に行っています。

以上を企業３画面に表すと、次のようになります。

Google という企業が、その置かれた環境と、特徴的な企業活動とともに、シンプルにまとまりました。上段にあるのは Google の一存では動かせない関係者。下段にあるのは Google 自身が選択して行っている行動に分かれています。

これではシンプルすぎると感じる方は、第３章での９画面では情報量が３倍になりますからお楽しみに。

環境	株主：Alphabet社
	競合：Apple, Facebook, Amazon
	顧客：Androidユーザーなど
企業	Google社（Alphabet社） 世界最大の広告会社
顧客	・検索を軸としたサービス群 ・膨大なサーバと電力削減 ・世界中のデータを集める

● Google を製品として捉えた縦３画面

そんな世界最大の広告会社である Google。その主力製品は Google 検索。通称「Google」です。企業研究で主力製品は当然おさえるべき内容です。次は Google を製品として捉えた製品３画面で記述してみましょう。

対象製品として「Google 検索」を考察対象として中段におきます。

Google 製品の需要や要素技術を記入してみましょう。

需要・業界	・ ・ ・
製品	Google検索
要素技術	・ ・ ・

上段、Google 検索の需要ですが、1つは「答えや選択肢を知りたい」という需要です。

しかしこれは、需要の1面でしかありません。Google 検索が検索のデファクトスタンダードになったことでもう1面の需要が存在します。それは、**「選択肢（検索結果）を自身に有利に誘導したい」**という需要です。Google はこの2つの需要をマッチングすることで、今や**広告業界**で最も売り上げの大きな会社になりました。実際、Google 社の決算発表を見れば、収入のほとんどは広告収入です。Google 検索を**「製品」**としてみればあれは「広告媒体」なのです。

そんな「製品としての Google 検索を支えている要素技術」といえば、まず Google の検索結果を他の検索エンジンよりも確かなものにした「PageRank」という考え方です。そしてその PageRank という考え方と、「広告費に応じて表示内容を変えるアルゴリズム」もまた Google 検索を支えています。そしてその「広告費をオークション形式で最大限に集める仕組み」が、AdSense であり、利用者に広告を強制的に（しかしコンテンツからは逃げない程度に）挿入する技術です。

以上を3画面にまとめてメモしておくと以下になります。

Google 検索の成長をけん引してきた需要と、その要素技術が3段にまとまりました。ここでも先の3画面同様、上段にあるのは Google に影響を与えつつ自由にはできない外部の需要。下段にあるのは Google 自身が選択して行っている行動に分かれています。

需要・業界	・答えや選択肢を知りたい ・選択肢を有利に誘導したい ・広告業界
製品	Google検索
要素技術	・PageRank ・表示アルゴリズム（YouTube） ・AdSense（広告強制挿入）

● Google を発明品として捉えて縦3画面で分析する

主力製品のビジネス的な立ち位置について理解を深めた A さん。しかし、Google は技術者の会社です。ここで、その主力製品の持つ技術的要素にまで踏み込んで理解を深めておいた方が面接官の心象も良いでしょうし、そうしたスキルを身につけた方が入社後も活躍できそうです。ポイントは、

● ユーザー設定
● 矛盾した要求
● 発明の要素（今回は、分割、局所的、非対称性）

です。

世界最大の広告会社となっている Google の広告ビジネスを支えている根幹である Google 検索。その人気を支える一面が、Google 利用者の UX（ユーザー体験）に直結する「Google の検索結果画面」です。発明3画面で、これを中段に据えます。

ではユーザーは？ それは、キーワードを入力することで、ある特定の分野について知りたいことがあり、その選択肢を求めている人でしょう。上段に記入します。

検索する人には、たいてい1つの**矛盾し**

た**要求**があります。それは、「選択肢はなるべく多くから選びたいが、1つ1つの選択肢にはあまり時間をかけたくない」という要求です。前者の要求には**情報量が多い方がい**いですし、後者の要求のためには**情報量が少ない方が良く**、矛盾しています。それを解決するのが発明です。Google の検索結果は、まず、カテゴリを Web ／画像／動画というように分割することで、表示できる潜在的な情報量は多くしつつ、実際に見せる情報量は少なくしています。

そんな工夫を、Google の検索画面から他にも見つけてみましょう。ヒントは、非対称性、局所的です。

結果表示された内容を見ると、**文字の大きさに大小があり**、**色もカラフルに使われて**います。また、太字やサムネイル画像など、**局所的な強調**もなされています。これらの非対称性が視線を「必要な部分だけ読ませる」ように誘導しています。これらが発明の要素として意図的に加えられているものであることは、Google での検索結果をテキストエディタに書式の無い形で貼り付けてみると良く分かります。

これらを3画面のメモにまとめると、以下になります。

Google 検索の成長を支えた発明品である検索結果画面。それをけん引してきた使い手と、その要素技術が3段にまとまりました。ここでも先の3画面同様、上段にあるのは Google に影響を与えつつ自由にはできない外部の需要。下段にあるのは Google 自身が選択して行っている行動に分かれています。

● 発明3画面をかく助けにもなる空間3画面（参考）

発明3画面で、発明のポイントを探すには少し慣れが必要です。

そこで、発明品として設定した空間を対象空間として、それより大きな空間に何があるか？　それより小さな空間に何があるか？と

使い手	特定のキーワードで表される分野に知りたいことがある人
発明品	Google検索 結果画面
要素	・ ・ ・

使い手	特定のキーワードで表される分野に知りたいことがある人
発明品	Google検索 結果画面
要素	・カテゴリ分割(Web/画像/動画) ・大きさや色の異なる文字 ・局所的な強調(太字や画像)

大空間	・Googleを使っているユーザー ・インターネット上のWebページ ・Android端末
対象空間	Google検索画面
小空間	・キーワード入力欄 ・検索結果の文章 ・マウスポインタ

いう視点で見る習慣をつけてみましょう。

たとえば今回のようにGoogle検索画面を基準空間とした場合には、前ページのような空間3画面をかくことができます。

上段の空間を中段の内容を中心に（たいていは使う人まで）広げていくうちに、中段の発明によって利便性を得る「課題解決の受益者」が含まれることが多いです。

今回なら、Googleを表示しているディスプレイを中心に空間を広げていくと、まず端末全体が入り、次にそれに触れる端末利用者が入ります。

同様に下段の内容は、中段の内容の一部から空間を狭めて探す中で、「中段の課題解決の要素」を探す練習になります。今回であれば、「検索結果の文章」に発明のタネが多く含まれていました。（そして実は逆方向に見れば、中段の「Google検索結果」は、下段の「検索結果の文章（の非対称化）」による「課題解決の受益者」という関係性が保たれています）。

以上のように、中段の空間を基準として、「より大きな空間」を意識することは、「課題解決の受益者（使い手）」探しに役立ち、「よ

り小さな空間」を意識することは、「発明の要素」を探す訓練になります。

この空間3画面がしっくりくるようであれば、最も練習しやすい縦3画面です。

慣れておくことで、次のシステム3画面を使いこなすことにもつながります。

● Googleの仕組みをシステムとして捉えた縦3画面（チャレンジ）

先ほど中段に据えた、「Google検索結果画面」はGoogle検索というサービスのうち、目に見える一部分にすぎません。

Googleのような技術（テック）系の企業研究においては、より技術寄りの視点で企業

上位システム	・クラウド上のシステム ・Android OS ・Chromeブラウザ
システム	YouTube画面
下位システム	・視聴履歴システム ・サーバーへのリクエストと応答システム ・結果表示アルゴリズム

を把握しておくことは有用です。「システム視点」を用いて、このGoogle検索を支えている上位システムや下位システムを書き出しておくと、目の前のサービスに関して重層的な見方ができるようになります。

上位システム＞システム＞下位システムの縦3画面で捉えてみると、本ページの図のようになります。

いかがでしょうか？　こちらのほうが、Google検索を、見たい視点の粒度にあわせて、より俯瞰してみたり、詳細に見たりすることにあっているかと思います。システム視点に慣れることが9画面法のマスターの肝ですので、ぜひ自分でも様々なシステムの「上位システム」と「下位システム」をかいてみて下さい。

以上、説明した4＋1種の縦3画面が、企業研究に使いやすい5種ですが、補助的に残り2つも視野を広げ、企業をより深く知るのに利用できます。

引き続き、残りの縦3画面でもGoogleを記述してみます。

● Google をビジネスの「Who ／ What ／ How」「Why ／ What ／ How」として捉えた縦3画面

「システム視点」というものは慣れないと難しいものです。

先ほどの例では想像がしやすい「システムと名の付く、ネットワーク上でデータをやり取りする一まとまり」をベースに上位システムや下位システムを記述しました。

しかし、9画面法におけるシステムとはもう少し広い意味であり、「利用者」であるとか「利用シーン」もまた、「より上位のシステム」の構成要素です。

そこで、上位システムをイメージする際に使い勝手がいいのが、「Who ／ What ／ How」や「Why ／ What ／ How」という問いかけです。

Google の検索を軸にしたサービスを中段におき、Who ／ What ／ How3画面で捉えなおせば、以下のようにメモをかけます。

ビジネスとして勝ち残っているのを示す際には上記のように（お金や時間を払う相手として）選ばれる理由として「最も」が多用されます。

この Who を問うておくことで、製品3画面で述べた「広告業界」の存在に気づけます。

一方で、Google がなぜ存在しているか？と、背景となる Why や、実現している How を考えることも視野を広げたり、要素について理解を深める助けになります。たとえば以下のような形です。

Why を通じて、Google 検索というサービスは単体で存在するのではなく、その背後には、個人では集めたり、評価しきれないほどの「インターネット上の選択肢（主に Web ページや画像）」が存在してこそのサービスであることに気づけます。

Who	・情報を得たい人（時間を払う） ・情報を有利に渡したい人（お金を払う）
What	検索を軸にしたサービス群
How	・最も広い選択肢の確保 ・最も妥当に感じられる選択肢を短時間で呈示するアルゴリズム ・最も快適な検索体験（UX）

Why	世の中には個人では集めたり、評価したりしきれないほどの選択肢（Webページ）が存在する
What	検索を軸にしたサービス群
How	・選択肢となるデータの収集 ・選択肢間の評価アルゴリズム ・快適な検索結果UI

■ まとめ

第2章、お疲れさまでした。

ここまでシステムすなわち「価値を出すための一まとまり」を意識して「視点を上中下3段階持つ」ことを以下7種の3画面を通じて、練習してきました。

❶ 空間3画面
❷ システム3画面
❸ 発明品3画面
❹ 製品／商品3画面
❺ 企業3画面
❻ ビジネス3画面
❼ ロジカル3画面

第1章の時系列と異なり、あまり慣れていない感覚ではなかったでしょうか?

習得前には、視点の粒度、という感覚をあまり持たず、単なる箇条書きや、ブレストで出た付箋紙を「似た分野同士」で集めていませんでしたでしょうか?

少なくとも、私はそうでした。
そして同様に、考えを話しているうちに視点が勝手に俯瞰的になったり、細部にこだわった話になってしまったり。もちろん思うように考えは伝わりません。

ところが、9画面法を常用し、「視点の上中下」を意識できるようになってから、驚くほど相手に考えを伝達できるようになりました。第2章で紹介した縦3画面をまずは1つ。そして徐々に使える縦3画面が増えるほど、その効果が実感できることでしょう。

しかし、縦3画面によるこの「システムをベースにした視点の上中下」の意識はあくまで9画面法に向けてのステップ。第3章で、縦3画面を2つ並べての6画面法、そして3つ並べての9画面法でさらに活きてきます。

詳しくは第3章で述べますが、視点の上中下を意識できることで、2列×3段での「Apple to Apple な比較」ができるようになります。比較ができるのですから差分を意識できます。その差分を3列目に延長(外挿)することで、「内容は重層的で高度なのに、整理されて伝達しやすい」知的創造を行うことが可能になります。

そのためには、しっかりとこの第2章で、少なくとも1つ、「この縦3画面は、この本を見なくても自分で縦3画面をかける」ようになっていてください。

それでは第3章でお待ちしています。

企業起点の3画面は、登場する内容が3C分析（企業 Company、競合 Competitor、顧客 Customer）と似ています。ここで、企業＋競合全て＝業界全体です。また、ある業界の顧客全体と、業界全体が提供する製品（やサービス）全体を組みあわせたものは、「その業界が提供する製品・サービスを顧客が利用するシーン全て」となります。このように、3C分析の内容を互いに包含するよう組みあわせれば、9画面法の縦のシステム軸と合致します。改めて縦3画面にすれば以下のようになります。

建設的で共創的に課題解決の方法を議論しあうには、問題の粒度が揃っていることが大事です。3C分析をしておくことで、「自社のことを話しているのか？」「業界全体の話をしているのか？」「顧客まで含めた全体のことを話しているのか？」と問題の粒度をいつのまにか意識しながら議論できる点が優れたツールと言えます。

そして、気の利いたファシリテーターなら、ここに「過去、現在、未来」のシナリオもかくはず。9画面法を身につけたら、そんな視座で3C分析のワークショップにも参加し、活かしてください。

その業界製品の利用シーン全て	企業＋全競合＋全顧客
その業界全体が提供する製品全体	企業＋全競合
その企業が提供する製品全体	企業

第3章

9画面

時間軸×空間（システム）軸に
思考を拡張する

6画面・9画面を学ぶ目的と効果
時間軸×システム軸を組みあわせる意味

第3章では、ここまでにご紹介した時間軸と空間軸を組みあわせた「9画面法」を扱います。

それぞれの軸の見出しとなっている「時間」「システム」は、そもそも連続的なものです。それを、あるサイズや時間を基準にして3つに区切ることで、威力を発揮することをご紹介しました。

そして9画面は、そのハイブリッド。つまり、3つに分ける効果と、それぞれの軸をとることの強みが掛けあわさります。

そのため、4本の線で9つのマスに分けるというシンプルな手法にもかかわらず、汎用性が高くなっています。

9画面を使う意味と効果は、次の3つです。

まず1つめに、**共通の規格になった枠で情報を整理できる**ことです。

時間軸、システム軸それぞれの方向については、粒度がそろえられていることで、**情報を簡単に整理でき、他の人とかみあった話がしやすくなります。

さらに、9マスになると「ナナメ方向」の視点が増えます。これにより、情報の抜け漏れや**考えの盲点を簡単に見つける**ことができるのです。

2つめに、3つの要素が並んでいることで、**全体を俯瞰しながら、アイデアや仮説、情報の精度をブラッシュアップする**ことができます。他の2つの内容を見ながら、情報をより詳細にしたり、内容を深めたりすることができます。縦3画面、横3画面と同じ理屈です。

そして3つめに、**軸のとりかたが科学的である**ということです。

まずは軸の単位。9画面は、3次元空間を表すシステム軸と、時間を表す時間軸がクロスしています。これにより、物理の授業で描くグラフをイメージすればわかるように、世の中のあらゆる事象を切り取ることが可能になっているのです。

次に、ある基準を決め、上段と下段ではさみうちにする考え方。これにより、手法に再現性がうまれています。

この単位のとりかた、再現性の高さこそ、科学的であり、トリーズの9画面法の強みの本質なのです。

9画面のかき方

この第3章ではこれまでの3画面の内容をふまえ、いよいよ9画面の登場です。といっても、むしろ3画面よりもかきなれているかもしれません。

1人用、最も手軽にしてポピュラーなかきかた

A4の白紙を1枚横に置き、昔懐かしい「○×ゲーム」でかいたように、横2本、縦2本の線を引くだけで9画面が誕生します。

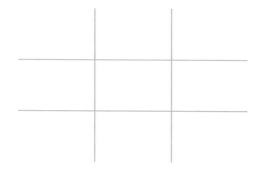

ここから先、第2章での縦3画面を、横に2列、3列と並べていきます。お手元にこの「9画面をかいた紙」を置いたうえでお読みいただくと理解が捗ります。さらに自分で描きながら読めば、使いこなすまでの最短距離です。

PC上にかく場合

私は手書きでかいた9画面をPC上でかき替えます。そのとき、右上のように9つの枠にすることで「9画面にかいている」ということを意識しやすくなります。この場合、文字は黒、枠は淡い色がよいでしょう。

しかし、この形式は、9画面法になれていないと少し圧迫感を感じます。そこで、最近利用しているのが右下のデザインです。

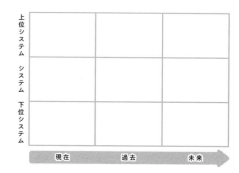

複数人で共同作業する場合

この場合はふせんがやはり一番です。

このとき、できれば3色用意してください。

筆者は、

・黄＝過去
・緑＝現在
・青＝未来

といったように3色を使い分けるよう指示して配ります。

A4用紙を9枚用意したら、各用紙に「過去・上位システム」などラベルを書き、紙を9画面の1マスに見立てて並べます。そこに各自が、A4用紙の上にふせんを貼ります。

用紙を並べているうちに、各自の書いた内容が、より上位のシステム側だったり、逆に下位システムであったことが分かります。

その場合はふせんを貼り直しましょう。なお、過去→現在→未来を間違えることは滅多にありません（万が一、間違った場合は、該当する色のふせんに書き直した方がよいです）。

オンラインで共同作業する場合

コロナ下でリモートワークが定着し、Office365や、Googleドキュメントを使える人が増えました。当初の執筆時より、まさに環境（上位システム）が変わりました。

ですので、こうしたOnline上でのスプレッドシートや、スライドソフトを用いてのワークがおすすめです。なお、授業の場合、スマートフォンから受けている学生もおり、2021年時点では、前者の方がおすすめです。

東京大学でも、他短大でも、オンライン授業でGoogleスプレッドシートを用いてワークを行いました。従来、せっかく書いてもらったものをオンライン化するのは大変なのですが、各自が入力してくれているので、次の授業でもよいものを参考例として出せて助かりました。

現時点の著者の場合

筆者はWindowsユーザーですので、手描きからPowerPoint上に清書していました。

が、最近、One NoteのTabキーと改行キーで手軽に表が生成できること、書きこんだ内容を検索しやすいことからOne Note上で2次下書き。その上で、必要なものをPowerPoint上に清書するようになりました。

また、今回の原稿書きでは「9画面と文章」を併記して書く場合が増えました。

執筆当初は、PowerPointのノートの部分に記載していましたが、途中よりWordに移行。9画面は[挿入]→[表]→[3×3]を選択することで描画するようになりました。

少し手間ですが、4×4の表を作り、そのうちの1列、1段をラベル用に加えておくと、繰り返しコピー＆ペーストして利用することができます。

それ以外に9画面をかくときは、デジタルペーパーに記入するようにしています。

はじめから枠が記載されているのもよいですが、かいた内容をコピー＆ペーストできること。そして、何より、2000枚を超える過去の9画面メモが持ち歩けるのが魅力です。

観察・発明6画面／9画面
3→6→9つの画面で発明的創造力向上！

第2章では、創造性を向上させるための「発明品を起点とする縦3画面」をご紹介しました。この3画面を時間軸での「Before／After」として2つ横に並べた「発明観察6画面」を作成すると、さらに創造性が高まります。

いま、創造性に対しての需要が高まっていますが、「ただ何か新しいこと」は独創的とは言われることはあっても、創造的とは言われません。

その独創的な方法が、**何かの課題を新しい方法で解決した**ときに「創造的」と言われるのです。つまり創造性には課題解決力が必須です。

そんな課題解決力を学ぶには、「過去の課題解決をまねぶ」ことが有効です。

そしてその身近な「解決済みの課題」から

「課題解決（発明）の要素」を見つけ出し、観察する方法こそ、発明6画面なのです。

実際に、小学生が夏休みの自由研究を行っ

たときの様子を例にしながら説明します。

最初に観察を行う「発明の要素」としては「非対称性」が発見しやすく、おすすめです。

⑤（使う人が）不便なこと	⑥便利になったこと
④比較する対象	①観察対象
③部分の観察	②部分の観察

過去（解決前） → **現在（解決後）**

不便が解消される前の状態　　　　　不便が解消された後の状態

まずは、発明6画面を準備しましょう。手元の白紙にカタカナの「キ」の字に3本線をかいて6マスに分けてください。そして第2章で行ったように

- 上段を課題解決の効果
- 中段で観察対象
- 下段を課題解決の要素

とラベルをつけ、横軸はBefore／Afterを比較するようなメモを作ります。

では、右下の6画面に次の順番で埋めていってみましょう。

① 身のまわりで「非対称な部分を含んだ発明品（便利な日用品）」を見つけたら、それが今回の観察対象。右列中段に記入します。今回は「非対称なハサミ」です。

② ①のうち「非対称になっている部分」を観察し、右列下段に記入します。

③ ②の部分から、非対称性を差し引くと対称になる部分を左列下段に記入します。

④ その結果、元の観察対象と比較される対象を左列中段に記入。

今回ならこれは「持ち手が対称なハサミ」となります。この①と④の両者で、「⑤不便だったこと」と「⑥便利になったこと」を上段に記入します。

これで「発明6画面」は完成です。まずはこの6画面をささっとかけるようになりましょう。これまで「非対称なものに感じていた違和感」が、「お宝を見つけたワクワク感」に変わるはずです。

6画面化に慣れてきたら、この6画面の内容を**発明観察文**として1文にまとめてみましょう。基本フォーマットは、「**（観察対象とその部分）**は、**（便利の内容）**ように／ために、**（大きさ／形／向き）**が非対称になっている」です。

この発明観察のアウトプットを続けることが創造性の向上につながります。

6画面作成は、東京大学や科学館などでの親子ワークショップで紹介し、大変好評です。実際、夏休みの理科の自由研究としても提出実績があります。慣れてくれば、人工の発明品だけでなく、昆虫や植物の一部にある非対称性に対しても考えられるようになります。ぜひ身近なものから挑戦してみてください。

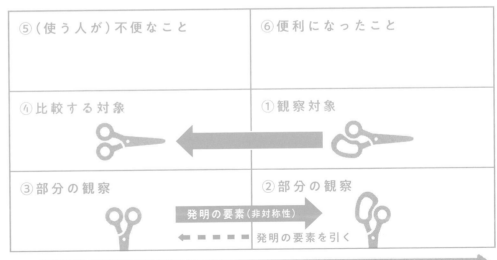

⑤（使う人が）不便なこと	⑥便利になったこと
④比較する対象	①観察対象
③部分の観察	②部分の観察 発明の要素（非対称性） 発明の要素を引く

過去（解決前）　　　現在（解決後）

「発明」の科学的観察6画面

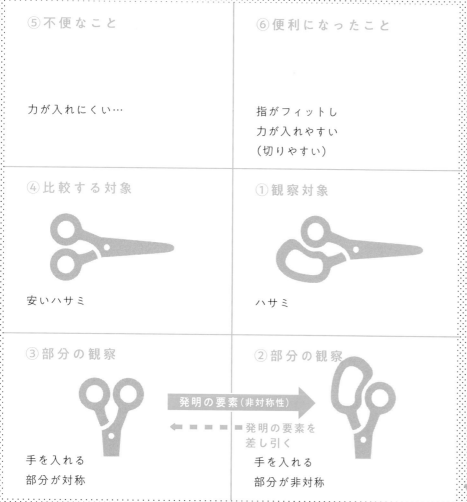

⑤不便なこと

力が入れにくい…

⑥便利になったこと

指がフィットし
力が入れやすい
（切りやすい）

④比較する対象

安いハサミ

①観察対象

ハサミ

③部分の観察

手を入れる
部分が対称

発明の要素（非対称性）→

← 発明の要素を
差し引く

②部分の観察

手を入れる
部分が非対称

上位システム（環境・前提・背景）

システム（主題）

下位システム（具体的要素）

システム軸

過去（解決前）　　　　　　過去（解決後）

時間軸

使う側（モノ＋人）の視点
満たしているニーズは？

発明観察文

はさみの持ち手は
力が入れやすいように、
大きさが非対称になっている

科学の基本・Creativity

創る側の視点（再現性・創造性）
それを実現している構造や
部分的な要素（シーズ）は？

発明の進化の歴史（トレンド）

発明の要素が見つかると、「道具の進化の法則」が見つかります。

前ページの図①にたどり着く前のハサミを並べ、ハサミの持ち手部分、少し拡大して並べてみましょう。

わざわざ作られた年代を調べなくても、非対称性に着目すれば、どちらが昔でどちらが今に近いかが分かります。「より、力が入れやすい」形を求めて非対称になっています。

実は、発明には法則があります。「どこかを非対称にして便利になったものは、もっと非対称にするともっと便利になる」という法則です。TRIZではこれを「進化トレンド」と言います。

たとえば、レンズには以下のような形がありますが（右端もレンズになります：コンタクトレンズなど）、

「どの順で非対称性が高い」のかと、「どの順で生まれたか？」は一致しています。他にも、トラックのサイドミラーなど、周囲で非対称の増大が観察できます。新幹線の先頭形状のように一見左右対称でも、前後の非対称性が増している場合もあります。

人工物でなくても生物の進化も非対称性が増大しているのを観察することができます（シオマネキやヤドカリのような左右非対称や、カブトムシやトンボの前翅と後翅のような前後の非対称）。

発明9画面

「Before → After → 予測」 × 「使い手／発明品／発明の要素」を用いると、発明を「予測」することができます。

1つは、**「ハサミの持ち手がさらに非対称になるだろう」**ということ。対称な箇所を見つけてそれを非対称にします。

前ページの9画面の左2つを比べると、持ち手が変わり、非対称性が増しています。持ち手をさらに非対称にすれば、より手にフィットするハサミになりそうです。

	（過去1）	（過去2）	（現在）
使い手	力が入れにくい	力が入れやすい	さらに力が入れやすい
商品			
部分	同じ楕円	楕円崩して非対称に	大きさ含めさらに非対称

そしてもう1つは、「ハサミの他の部分が非対称になるだろう」ことです。

ハサミはてこの一種で「力点・支点・作用点」があります。力点である持ち手を非対称にすることで進化していたことから、次は支点や作用点を非対称にすると有効であることが予測できます。

調べてみると、レイメイ藤井の「スウィングカット」というハサミは、支点が非対称になっており、より軽い力で切ることができます。予測はあっていたようです。

粒度を揃えて比較するというあたりまえと9画面法

観察・発明6画面、および9画面はいかがでしたでしょうか？

本書で何度も強調しているとおり、9画面法で行っていることは何も新しいことではありません。人に伝わる形でアイデアがうかぶ状態を仕組み化しているだけです。

たとえば、ヒトとネコを比べるというのはおかしな比較ではありません。しかし、「ヒトの生活環境」と「ネコの細胞」を比べるという言葉は不自然です。自然なのは以下のような比較でしょう。

①ヒトの生活環境と、ネコの生活環境
②ヒトと、ネコ
③ヒトの細胞と、ネコの細胞

そしてこの比較によって、①と③には共通点が多いことに気づくと思います。比較する際に粒度をそろえることによって、共通点が見えてくるのです。それをルーティン化してくれるのが、この6画面です。

ヒトの生活環境	ネコの生活環境
ヒト	ネコ
ヒトの細胞	ネコの細胞

そして、共通点が多いほど相違点が際立ちます。人とネコ、見た目は大きく違いますが、細胞レベルでは共通点は多いです。だからこそ細胞の中の遺伝子が異なる点が際立ちます。

ビジネスの現場では話の粒度が揃っていないことがままあります。顧客ニーズと自社の技術シーズを、粒度が違うものとして意識せずに話をするのは、まるで「人の生活環境」と「ネコの細胞」を一緒くたにして話すよう

なものです。

腕のいいコンサルタントに前々から持っていた疑問をぶつけたことがあります。「MECE（排他的かつ網羅的）に分けることって効果あるの？ MECEに分け切れる状況は珍しいと思うのだけど？」と。すると彼は言いました。

「あぁ、『MECEに分けましょう』というのは方便です。クライアントが並べた課題を、本人たちにMECEに分けてもらうことで、課題の粒度感を意識し、揃えてもらうのです。」

なるほど、と得心しました。

世の中のブレストもそうです。書かれた付箋を「テーマが類似したもの」を集めます。そこまでは良いのですが、そこにはやはり「ニーズ」と「シーズ」が混ざっています。

腕のいいファシリテーターがいれば、「課題はピンクのふせん」「解決策は青色」「中間や気づきは黄色」というように粒度が分けられているはずです。

力が入れにくい	力が入れやすい ＝軽い力で切れる	さらに軽い力で切れる
左右対称	力点が非対称	支点が非対称 作用点も非対称

ヒット商品分析6画面／9画面
ヒット商品のパターンをつかもう！

過去と現在を比較する、という方法は分析の際に有効な方法です。「ヒット商品を起点とする縦3画面（第2章107ページ）」もまた、過去と現在（従来と新規）で比較することが有効です。

まず、この縦3画面を2列並べて6画面にすると、その商品のヒットの要因が「ニーズの変化」なのか「シーズの変化」なのかを分析したり、その内容を共有したりすることができます。

108ページでポケトルの紹介として書いた文章は、右の6画面にコンパクトにまとめることができます。

このとき、比較対象として何を選ぶかによって、この6画面の書きやすさと他者への伝えやすさが変わります。

たとえば、ハンディファンと扇風機の比較

を書いてみましょう。すると、右下の6画面のようになります。

扇風機は比較する相手としてはメジャーですが、比較した内容としては少し一足飛びで

	従来（過去）	新規（現在）	
	長時間の外出時に **複数回飲める** 水分を手元に置きたい	短い外出や自宅内で **1回分** の水分を手元に置きたい	ニーズ
	従来の水筒	ポケトル	商品
	350ml 以上のマグボトル 500ml のペットボトル	**120ml** のマグボトル	シーズ

分かりにくいですね。

そこで、両者の中間になる「USB卓上扇風機」を比較対象とすると、次ページのようになります。

変化の差分を小さくすることで、分かりや

	従来（過去）	新規（現在）	
	家の中での涼風	**散歩中の涼風 暑い職場での涼風 外出からのクールダウン**	ニーズ（想定顧客利用場面）
	扇風機	ハンディファン	商品
	コンセントからの給電 タイマー機能 同じ大きさの3枚羽根	**USB 充電・長時間 ミスト機能 静音化 （大小交互の羽根）**	シーズ

すくなりました。

　また、比較対象を次々に設定することで、ヒット商品の異なる側面を見いだせます。ここではUber Eatsと宅配で一番メジャーな宅配ピザを比較した6画面を作ってみましょう。

　両者を3段で比較することで、各々の特徴が浮かびあがってきます。
　宅配ピザと比較すると、Uber Eatsの利用シーンのなかでも「複数人でちょっとしたパーティを開く」という形での利用に特徴があることが分かりやすくなります。
　同様に、寿司屋の出前と比較するとどうなるでしょうか？　試しにかいてみましょう。

Uber Eatsのまた異なる側面が見えるはずです。

　さらに異なる立場として、「宅配者の視点」からみた6画面をかいてみましょう。具体的には、「ピザ宅配バイト」を比較対象としてみます。私は右下のようにかいてみました。

　このように、3画面を2列並べた6画面にして比較することで、ヒット商品に対してその特徴を引き出しやすくなります。

　この6画面を用いての創造性向上は、以下の3段階に分かれます。

①気になるヒット商品を見つけて6画面をかき、中段右側に記入。
②対象のニーズを上段右側に、そのニーズを叶えたシーズを下段右側に記入し、右側3画面が完成。
③そのヒット商品（サービス）と比較したいかつてのヒット商品（サービス）を左列中段に記入。同様に、そのニーズを上段に、シーズを下段に記入する。

	従来（過去）	新規（現在）	
ニーズ（想定顧客利用場面）	PC作業中の涼風 暑い職場での涼風	散歩中の涼風 外出からのクールダウン	
商品	USB卓上扇風機	ハンディファン	
シーズ（要素技術・特徴）	USB給電 静音化	USB充電・長時間バッテリー 静音化（大小交互の羽根）ミスト機能	

	従来（過去）	新規（現在）	
ニーズ（想定顧客利用場面）	専業主婦→共働き 来客の際に手料理よりも割高でも宅配需要、シェア	独居世帯の増加 気兼ねないパーティ 多様な選択肢	
商品	宅配ピザ／寿司	Uber Eats	
シーズ（要素技術・特徴）	●○円以上、宅配料無料 ●チェーンで宅配地域分割 ●宅配者を店が雇用	●購入者と店、運搬者の3者マッチングアルゴリズム ●メニューも宅配担当者も単発の雇用契約	

	従来（過去）	新規（現在）	
ニーズ（想定顧客利用場面）	●二輪運転免許のみで専門スキルはほぼ不要 ●専用バイクで初期投資不要	スマホから一気通貫 スキマ時間での副業ニーズ 自転車で運動も兼ねる	
商品	ピザ宅配バイト	Uber Eats	
シーズ（要素技術・特徴）	●専用バイク ●メニューの記憶と料金授受 ●店との雇用契約／シフト	●購入者と店、運搬者の3者マッチングアルゴリズム ●クレジット決済付アプリで運搬者は運搬に専念可能	

ニーズシーズ3画面×3列＝ ヒット商品の歴史9画面

　ハンディファンの比較対象として扇風機に比べて、USB卓上扇風機はマイナーなのも事実。そこで、縦3画面を3列並べます。するとヒット商品の歴史が右図のように一覧できます。見慣れるまでは情報量を多く感じますが、9画面法に慣れたころにはちょうどよくなります。

　なお、他の人と共有するときには、上段を「共通の（普遍的な）欲求」としてまとめれば見やすくなります。

家の中での涼風	PC作業中の涼風 暑い職場での涼風 外出からのクールダウン	散歩中の涼風 暑い職場での涼風 外出からのクールダウン	ニーズ
扇風機	USB卓上扇風機	ハンディファン	商品
コンセント給電 タイマー機能 同じ3枚羽根	USB給電 静音化	USB充電・ 長時間バッテリー 静音化 （大小交互の羽根） ミスト機能	シーズ
従来1(過去1)	従来2(過去2)	新規(現在)	

（暑すぎるのを）涼しくしてほしい！			欲求
扇風機	USB卓上扇風機	ハンディファン	商品
コンセント給電 タイマー機能 同じ3枚羽根	USB給電 静音化	USB充電・ 長時間バッテリー 静音化 （大小交互の羽根） ミスト機能	シーズ
従来1(過去1)	従来2(過去2)	新規(現在)	

どうやら自分は他の人よりも「兵站」という分野に関して「普通に」考えられるのが才能のようです。

私は高校でも大学でも、さして頭が良かった方ではありません。成績は平均点の少し上、くらいでした。

大学では3つ委員会を再興したのですが、凄腕と言われた3つ上の先輩から「とんでもない体力」と驚かれ、カタンでは日本チャンピオンになり、今も3人の子持ち共働きなのに、本まで出して驚かれています。

「努力は才能に勝てない」とよく言われます。同時に、「努力できるのも才能」という言葉もセットだったりします。

私はここに、次のフレーズも付け加えたいと思っています。

「努力を努力と感じなくなったら才能」

9画面法の習得も、最初は「4本の線をかいてみる」というのは、努力かもしれません。

でも、続けているうちに、それがあたりまえになり、努力と感じなくなったときこそ、あなたに「9画面の才能が芽生えた」ときだと思います。

そして私がなぜこんなに「兵站力」を世の中に伝えたいのか？　それは、3人の子供たちを含む次世代の為です。

昨今、凶悪な事件が増えてきました。

秋葉原で起きた惨殺事件、相模原で起きた施設での事件、新幹線の中の惨殺事件……。共通しているのは「人生に絶望している」ということです。

何より気になるのは「年間3万人にも及ぶ自殺者」です。20代30代の死因のトップと聞きます。

実は既に私は、高校時代の級友を3人亡くしています。真偽は分かりませんが、どうやらそのうち2人が自死だったらしいと聞いています。彼らのことを思うと、胸が痛いです。

少し暗い話になってしまいましたが、苦しいときでさえ力になる。そして力に余裕があるときには「もっと人に与える力になる」それが兵站の良さです。

苦しいときほど、私たちの視野はとても狭くなっています。そんなときに視野を広げてくれるのが、9画面法です。たった4本の線を引くだけで、新しい8個の世界が見えてきます。それはマッチ売りの少女にマッチが見せた幻影とは異なり「本当に存在する世界」を切り取った9つの窓です。

ぜひ、「9画面法」が多くの人の「才能」となり、窮地を救うと共に、日本に、世界に新しい「セカイ」をひろげる道具になってほしいと願ってやみません。

鳥居形の7画面でビジネスの先を読む 「分析鳥居」「ブレス鳥居」

「**愚**者は経験から学び、賢者は歴史から学ぶ」と言われます。

ビジネスアイデアを考える創造性を磨くには、ビジネスの歴史を見ることが大切です。

その際、漫然とビジネスを思い浮かべるのではなく、「これが手に入るなら喜んでお金を払う！」という**理由（Why）**＝普遍的な

「これが手に入るなら喜んでお金を払う！」普遍的欲求		
2つ前のビジネス	1つ前のビジネス	題材のビジネス
実現手段	実現手段	実現手段

欲求と、それを実現する**手段（How）**に着目することでその後の創造性にもつながる分析図ができあがります。

それがこの「1 ＋ 2 × 3 ＝ 7マス」でつくる「分析鳥居」です。

たとえば、馬車鉄道からはじまった都市部の交通手段は、その後路面電車になり、さらに地下鉄と変遷しているのは、ロンドンでも東京でも共通。

ここに「普遍的欲求（Why）」と「実現手段（How）」の軸を加えた分析鳥居で整理すると以下のようになります。

まず、題材となるビジネス（地下鉄）を右列中段に書き入れてスタート。地下鉄にお金を払っている人の普遍的欲求は「都市部で早く移動したい！」です。上段に書き入れます。

そしてこの欲求は、地下鉄の前にはバス、

さらにその前には馬車が、その欲求をかなえていました。これを順に中段（中列にバス、左列に馬車）に書き入れていきます。

これら3者に対し、駆動力という視点や、実現に至った要素技術で特徴的なものを下段に並べると表のようになり、分析鳥居の完成です。

②都市部で早く移動したい！		
④馬車鉄道	③路面電車	①地下鉄
⑤馬 木の車輪	⑥エンジン レール 道路舗装	⑦モーター 鉄の車輪 掘削技術

情報を並べた上で改めて歴史を俯瞰します。「都市部で早く移動したい！」という欲求に対しては、かつて「駅馬車」というものがありました。長い間、人間が制御できる動力としては馬が最も適しており、車輪も木の車輪程度。それを用いた移動手段でした。日本では、牛車や駕籠が活躍しました。

その後、動力としてエンジンが発明されると、車輪もゴムタイヤとなる自動車が発明されました。その普及に伴い、道路が舗装され、都市部での移動は馬車に代わって乗合バスが担うようになりました。

しかし、自動車が量産され、マイカーが増えると都市は渋滞します。おそらく地下にバスを通すというアイデアはあったのでしょうが、実現には技術が必要です。たとえばトンネルを掘る掘削技術。

また、地下に排ガスが溜まっては迷惑ですから、モーターによる電車が実現することで地下鉄は各都市で次々に実現化しました。

このように、既に存在しているビジネスについて、「共通の欲求」という視点と「要素技術」という視点を時系列順にして意識することが、創造性に繋がります。

同様に、電子顕微鏡を考えてみましょう。これは「より小さなものを（詳しく）見た

い！」という普遍的な欲求をかなえる商品であり、その前は顕微鏡、さらにその前は虫眼鏡でした。それらは発明鳥居下段に示したような要素技術によって実現されています。

最初はガラスレンズによる虫眼鏡。ついで、研磨技術の発展や、カバーグラスの発明で観察物により近づけ、現在の顕微鏡が実現。そしてさらに、電子銃とその跳ね返りを信号処理して表示する技術ができたことで、電子顕微鏡ができました。

サービスを対象とした分析鳥居

分析鳥居が対象にできるのは必ずしも有形物だけではありません。提供価値と構成要素があるのであれば、無形である「サービス」も対象にできます。

たとえば、最近日本発で唯一のユニコーン企業（時価1兆円越え）となったメルカリは、「いらないものを処分して換金したい！」と「中古でもいいから安く購入したい！」という2つの普遍的欲求をマッチングしてかなえているサービスです。10年前にはヤフオク、その前にはバザーがその役を担っていました。そのことも、単にこれらを並べるだけでなく、下の図の通り、その構成要素を並べることで見えてくることがあります。

微小物の構造を知りたい		
虫眼鏡	顕微鏡	電子顕微鏡
ガラスレンズ 研磨技術低	レンズ 研磨技術高 カバーグラス	電子銃 信号処理 表示技術

いらないものを処分し換金したい ＆中古でいいから安く買いたい			提供価値（What）
バザー	ヤフオク	メルカリ	
公民館 歩きまわる	インターネット Yahoo! 検索	スマホ アプリ内検索	構成要素（How）

ヤフオク以前にも同様の「パソコン通信で
バザーを行う」ビジネスが立ち上がっていま
した。しかし、インターネットと検索エンジ
ンほどの力がありませんでした。ビジネスの
「提供価値（What）」は良くても、「実現手段
（How）」が伴わず大きなビジネスにはなり
ませんでした。同様に、メルカリ以前にも
「ヤフオクが提供している価値」を「携帯電
話上のインターネットという実現手段
（How）」を通じて実現するビジネスは試み
られていました。

しかしスマートフォンという手段を得るこ
とでメルカリがそのビジネスを実現すること
ができました。

90分でアイデア共創 ブレス鳥居

実はこの鳥居形の7マス、9画面法の簡略
版として「ブレス鳥居」という名で開発しま
した。

この方法は、9画面法のことをあまり説明
しなくても、その場で1人でも複数人でも
アイデア出しのできる、手軽な方法です。

まずは次ページの図のように4本の線で
「鳥居形」をかき、7つの画面を作ります。
そこに以下の項目を書き入れていきます。

まず、現時点で昔からビジネスや商品とし
て成り立っているものを中央の①マスに書き
入れます。

その裏にある、「これだったら（今も昔も）
間違いなくお金を払う！」という普遍的ニー
ズ（欲求）を考え、上段（②）に記入します。

②と①を鑑みながら、重要な構成要素を③
下段に書きます（前節では「実現手段」と呼
びましたが、実際には「システムの構成要
素」とした方が、幅広くアイデアが出ます）。

続いて、②の欲求を①が出る前にかなえて
いた商品やサービスを④左列中段に記入しま
す。そして、③同様に、その構成要素を⑤に

記入します。

⑤と③を見比べて、それらの構成要素がど
のように進化していくか考え、⑥未来の構成
要素として記入しましょう。

この⑥と②を組みあわせたアイデアは、
シーズとニーズがマッチングするヒット商品
になる可能性は高いと言えます。ここで少し
手を止めて、ぜひ1つ考えてみてください。

たとえば、前節でも取り上げた電子顕微鏡
の次を考えてみましょう。

電子顕微鏡は「より微小物の構造を知りた
い」という普遍的な欲求から始まっています。

ここで、電子顕微鏡は信号処理を構成要素
として持っていましたが、それはおそらく
AIによる処理に代わっていくでしょう。

また、表示技術に関しても、VR技術と融

微小物の構造を知りたい		
顕微鏡	電子顕微鏡	立体顕微鏡
レンズ 研磨技術高 カバーグラス	電子銃 信号処理 表示技術	電子銃 AI処理 VR技術

合しそうです。これらが従来の電子銃と組み
あわさると、「立体顕微鏡」というアイデア
が出てきました。

　また、現在「エステ」というビジネスがあ
ります。エステは顧客の「美しくありたい！」
という普遍的な欲求に根差しています。この
欲求をかなえていたのは主に化粧品でした。
　そこで両者の構成要素を比べてみると、化
粧品は化学物質に対し、エステは超音波振動
も用います。また、化粧品が身体の局所的な
変化を想定しているのに対し、エステでは身
体の全体的な流れを変えることを想定して施
術します。
　ここに構成要素の技術進化を加味します。
身体の遺伝子レベルの理解が進んでいること、
また腸内フローラに関しても解析が進み、医
学的な利用が始まっています。

　これを「欲求」と組みあわせると「腸育エ
ステ」というビジネスには勝算が高いように
思われます。

　なお、複数人でアイデア出しを行う場にお
いては、現在あるサービスではなく、「普遍
的な欲求」から始めるのも盛り上がります。
　以前私が主催で行った社内ワークショップ
では、この欲求として「家族（特に配偶者）
の機嫌を知りたい！」という項目が最多得票
を得ました。
　解決すれば成功間違い無しかも？　ぜひ
チャレンジを。

美しくありたい！		
化粧品	エステ	腸育サロン
局所的理解 化学物質	身体の全体 的流れ理解 超音波振動	遺伝子レベル の理解 腸内フローラ

WORK　実践：鳥居ライティング

■鳥居ライティングの目的

　複数メンバーと 60 分程度で「新しい提供価値とその具体案」を出す

■用意するもの

- A4 用紙　7 枚以上（A3 用紙なら 3 枚以上）
- ふせん：1 人につき 10 枚以上　（なるべく黄色、緑色、青色の 3 色を用意。A3 用紙を利用する場合は 3 色必須）

■準備、決めておくこと

- A4 用紙 7 枚を横向きに図のように①〜⑦まで 3 段 3 列に並べる（A3 用紙 3 枚なら 3 段）。
- まず、「未来」を何年後に置くかを定める。たとえば 5 年後（2020 年なら 2025 年）。
- そうした場合、「過去」はその 2 倍遡った時点とする（上記の例なら 10 年前の 2010 年）。
- その内容にあわせて、①〜⑦の用紙にラベルを書く（前もって印刷してあるのが望ましいが、手分けして書いてもよい）。

■アイデア出しの手順

▽手順①：ニーズの決定

- 参加者のなかで「これだったら（今も昔も）間違いなくお金を払う！」というニーズを決める。またはファシリテーターが、今回のブレストで決めたい内容を宣言する。
- その内容を①ニーズの紙に大きく書く（もしくはふせんに書いて貼る）。

▽手順②：現在の提供物

- ①のニーズに対して、現時点で提供されているサービスや製品について、思いつくものを各自がふせんに書き入れる（最初の 1 分間で 3 枚を書いた後、もう 1 分で詳しくするのが目安）。そして、各自がそれぞれ②の紙に貼っていく。その際、同じものは重ね、似たものは近くに貼る。用紙が足りなくなったら、A4 用紙を追加する（③以降でも同様に各自がふせんに書き、その後で貼る）。

▽手順③：現在の手段・要素

- ②で挙がった内容に対し、実現のためにどのような手段・要素技術が用いられているかを各自記入する。このとき、他の人が書いた②に対して書いてもよい（これも目安は 1 分間で 3 枚）。各自③の用紙にふせんを貼っていく。
- ②のなかで、明らかに「提供物」よりも「手段・要素」であるものも③に移しておく。

▽手順④：過去の提供物

- ①のニーズに対して定めた過去の時点

（この例では 2010 年）で提供されて
いた状態について、手順②に準じた形
で書き、④の用紙に貼っていく。

▽手順⑤：過去の手段・要素
● ④の内容に対して、手順③のように、
その実現手段をふせんに各自書き、⑤
の用紙に貼っていく。

▽手順⑥：未来の手段・要素
● ⑤過去の実現手段・③現在の実現手段
を眺めながら、⑤や③で挙がった内容
が未来（この例では 2025 年）ではど
のように進化したり、置き換えられて
いるかを記入する。
● 目安として、⑤、③で共通のものは⑥
でも残っていることが多く、⑤→③で
変化しているものはさらに変化する可
能性が高い（この下段「要素」につい
ては、後述する「理想性は向上する」
という原則が働きます）。

▽手順⑦：未来の提供物
いよいよ、今回のブレストの目的で
あった、これから作るべきもののアイデ
アです。①〜⑥までの内容から未来の提
供物について考えてみましょう。
● 単に①のニーズや②だけで考えるので
はなく、④→②の流れや⑥の内容から
から「ニーズをかなえる未来の提供
物」について考える。
● ⑦も⑧も、誰かが 1 人発言を始めるよ
りは、最初に各自が付箋 3 枚分の項
目を書いてから始めたほうがよいで
しょう。

▽手順⑧：アイデアブラッシュアップ
● ⑦までで終わるのではなく、⑦で出た
提供物のアイデアについ
て、どんな手段・要素が
必要になるかを考えるこ
とで、新たな未来に作る
べき要素（⑥）のアイデ
アが浮かびます。それに
連鎖して、⑦の未来の提
供物にもフィードバック
をかけていく。
こうして広がったアイデ
アを基に、ニーズからどれ
だけの必然性があるか？

未来の手段・要素からみて提供物を作成
することがどれだけの実現性や参入障壁
があるか？　を考慮して、やるべきアイ
デアを絞っていきます。やるべきことを
どう絞っていくかについては、ビジネス
書で各種紹介されているので、状況にあ
うものを参照してください。

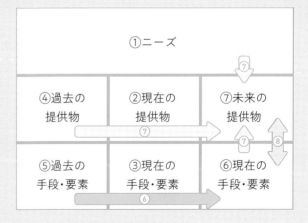

ヒット商品推測9画面

■ テレビ番組の将来推測

横 3画面の問題05でかいた「テレビ番組の将来推測」ですが、実は、右ページの9画面をかいたうえで回答していました。

まず、従来、テレビ番組でのヒットといえばドラマでした。その背後に映像関連の仕事への志望者が多数おり、労働集約型で制作されていました。また、ドラマでどの役者が共演するのかは視聴者の興味の的。そんな役者たちが扮している登場人物が「実在している」かのような、リアリティが重視されていました。

そんなドラマは、シーンやカットと言われる時間方向の分割を用いて撮影されます。そして1クール12回構成が基本で、1話ずつ放映されます。CGについてはリアリティを増すための色変換（カラーコレクション）や、特撮での特殊効果などで用いられていました。

しかし、2020年の新型コロナウイルスの世界的な蔓延により、直接の共演はタブー。こうした従来型の番組制作は難しく、NHKの大河ドラマを筆頭に多くのドラマが放映延期を余儀なくされました。感染状況がめまぐるしく変わるため、何ヶ月の延期になるか読めず、編成しやすさがニーズになっているようです。また、在宅を余儀なくされ、外との繋がりニーズも増えました。

そこで2020年に増えたのがクイズ番組。特に双方向型のもの。私の長男も大好きな『東大王』などは、リアルに対戦できる形にしたところ、高視聴率を記録。Twitterでのトレンドでもトップになったそうです。

こうした番組では、テレビ画面をタイル状に4〜6分割しての構成が多くなります。また、ドラマと異なり1回完結です。グラフィックス技術はタイル型の画面合成利用が目立ちました。dボタンによる設問やTwitter投稿を拾っての番組も増えました。

さて、そのような状況から、ニーズとシーズの発展を推測したうえで、「将来のヒット番組」がどうなるか、推測してみましょう。

まず、ニーズとして、現実で行える行動が減っていることもあり、TV番組に対して、「自身の影響が反映される」という**自己実現型のニーズが増加する**のではないかと予想。特に共演については、受動的な形から、リクエストする能動型になるかもしれません。従来の放映側独占から、視聴者も巻き込んだ形にニーズがあると推測します。

そして、巣ごもりの間に視聴者の「YouTube慣れ」が加速しました。番組の放映を待つよりも、自身が見たいものを検索して手に入れる「すぐに結果を知りたい」映像消費需要が伸びたと考えられます。

その結果として、次のヒットは「マルチシナリオ型ショートドラマ」と予測します。

それを支えるシーズとして、「時間分割」と「空間分割」があります。といっても、TVの画面そのものをタイル状に分割するよりは、「地上波とYouTube」という形で分割するのが現実的です。そして、すぐに結末を知りたいニーズを満たすため、12回構成よりも短い1〜3回完結構成に。その分、様々な登場人物にスポットを当てるマルチ視点型、マルチシナリオ型に移行。

また、一部キャストをリアルな俳優から、バーチャルな俳優に変更していくことも可能でしょう。参考として、一般的なドラマよりもCGによる合成が多かった仮面ライダーシリーズなどの特撮は放映が続いています。スーツを着たアクターが動きだけを記録して、そこに俳優の3Dデータを貼りつけてのドラマ化なども行われるかもしれません。

以上のように、9画面をかくことで、2つのヒット商品（サービス）から3つめのヒット商品を考えることができます。

	従来	新規	推測
ニーズ	ニーズ：想定状況 ● 映像関連の志望者 ● 役者の共演が話題 ● リアリティ重視	ニーズ：想定状況 ● 外界とつながり志望 ● 直接の共演はタブー ● 編成しやすさ重視	ニーズ：想定状況 ● 自己実現志望 ● 共演への関与 ● YouTube重視
商品	ヒット商品 （サービス） ドラマ（特撮）	ヒット商品 （サービス） 双方向型クイズ番組	ヒット商品 （サービス） マルチシナリオ型 ショートドラマ
シーズ	シーズ：要素技術・特徴 ● 時間分割（カット） ● 1クール12回構成 ● CG合成、色変換、 　特殊効果	シーズ：要素技術・特徴 ● 空間分割（タイル） ● 1回完結 ● 画面合成＋dボタン／ 　Twitterでの介入	シーズ：要素技術・特徴 ● 時空間での分割 ● 1〜3回完結× 　マルチシナリオ ● 一部キャストの動きを 　事前シミュレート可能

企画メモ9画面

横 3画面「事実→抽象化→具体化」と、縦3画面「Who ／ What ／ How」を組みあわせれば、「企画メモ9画面」になります。

この9画面を用いると、世の中で既にヒットした商品やビジネスを起点にして企画を起こすことが容易になります。

まず左列中段（事実-What）にヒット商品を事実として書き、その上段にWhoとして、その顧客（とそのニーズ）を書き入れます。そして下段にはそのHowとして構成要素を記入します。今回は「百マス計算」を題材にします。

するとWhoは「計算を速くしたい小学校低学年」の子であり、そのHowとして、以下の3つが特徴になります。

● 10 × 10 のマス
● 計算機号
● 1 ～ 10 の数字

ではこの内容を一段抽象化して「百マス○○」を作っていきます。

顧客を一段抽象化すれば「計算を速くしたい子」。要素は中列下段のように、

● 2 次元のマス
● 計算指令
● 計算される数

としました。

ここまでくれば、「具体的な課題」さえあれば、アイデアが湧きます。

たとえば当時、私の娘は中学受験生でした。計算をさせてみると、時々ひどい間違いをしていました。概算して答えのあたりをつけておけば、まずしない間違いでした。

そう、**概算する癖があまりついていなかった**のです。そうであればそれはどちらかといえば親の責任。さっそく、「概算に慣れさせたい」という具体的な課題に対して、先ほどの抽象化した解決策を用いていきました。

右列に対して、上段（Who）には、「受験をする娘」。その方法として中段（What）の「百マス概算」です。下段に方法（How）として、6 × 6 のマス、「概算せよ」の指令。そして計算される数として、「0.9 ～ 1.1」×「0.01 ～ 1000」を並べた6マスとすれば次のようになります。

ここまでさっと9画面法でデザインし、具体的に作ったのが次ページのようなExcelでした。

顧客とニーズ	顧客とニーズ	顧客とニーズ
計算を速くしたい小学校低学年	計算を速くしたい子	(中学)受験をする娘
百マス計算	百マス○○	百マス概算
構成要素	構成要素	構成要素
●10×10のマス ●計算記号＋－× ●1~10の数字	●2次元のマス ●計算指令 ●計算される数	●6×6のマス ●概算 ●0.01～999

システム軸

Who（顧客）

What

How（構成要素）

事実　　　　　　　　　抽象化　　　　　　　　具体化

時間軸

ルーティン化すればむしろ実現されているのは朗報

一生懸命考えたアイデアが、すでに他の人に実現されていた、というのはなんだか悔しいもの。しかし、ルーティン化してあっという間に思いついたアイデアなら悔しいどころか「もう既に実現してくれていてありがたい」という感謝の気持ちになります。

実はこの項でも没になったアイデアが1つ。

それは「百マス最小公倍数」です。娘に「最小公倍数について素早く出せるようにしたい！」と考えました。

計算記号の代わりに「GCM（最大公約数）」「LCM（最小公倍数）」と書けば、ほぼ一丁上がりです。

思いついた後で検索してみると、同じことを考えている人は既におり、百マスならぬ「百八マス」による最大公約数と最小公倍数のトレーニングドリルが公開されておりました。12×9にしたり、3マス毎に数字を再掲したり工夫の跡が。敬意をこめてURLをご紹介しておきます（https://kaminodrill.sakura.ne.jp/page_311.php）。

9画面で企画を何度も練りなおす

9画面にすることで、企画のメモのルーティン化とともに、「何度も考えを練りなおす」ことがしやすくなります。その実例は「企画9画面」（p.231）をご覧ください。

概算	0.99	0.98	0.096	999	0.99	3.14
1.08	1	10	0.1	1000	0.01	3
103	100	1000	10	100000	1	300
0.109	0.1	1	0.01	100	0.001	0.3
11	10	100	1	10000	0.1	30
0.21	0.2	2	0.02	20	0.002	0.6
3.14	3	30	0.3	3000	0.03	9

計算を速くしたい 小学校低学年	計算を速くしたい 子	（中学） 受験をする娘	Who（顧客）
百マス計算	百マス○○	百八マスLCM 百八マスGCM	What
構成要素 ●10×10のマス ●計算記号＋－× ●1~10の数字	構成要素 ●2次元のマス ●計算指令 ●計算される数	構成要素 ●12×9のマス ●LCM（最小公倍数） ●1~60の数字	How（構成要素）

システム軸

事実　　　　　　　　　抽象化　　　　　　　　　具体化

時間軸

企業メモ9画面

企業メモ9画面、今回は、東京大学の授業としても実施した、企業メモで説明していきます。

企業研究は就職活動や転職活動の際に必須なのは言うまでもないことでしょう。それだけでなく、営業活動にとっても「自分が売りたいもの」だけでなく、「相手が欲しいもの」を知るために重要です。これは営業職でなくても新規事業やR&Dでも共同研究の営業をする際にも大事です。また、株式投資の際に、その企業の主力商品と株価だけでなくその企業が置かれた環境や持っている要素技術を把握しておくことは役に立ちます。

情報としては『事業概要』の他にも、各社決算期には株主総会向け、そして投資家向けの資料を使います。ここに自社の提供価値と見込みについてストレートに書いてあります。

そう、企業にとって「お客様は神様」という言葉がありますが、株主や投資家もまた「大事なお客様」なのです。

歴史	現状	将来
企業HPの沿革やWikipedia等で調査	IR資料等から企業の現在地を把握	中期計画や投資先のニュースで把握
企業の過去（沿革、前身）	企業の現在	企業の未来（予定、投資）

では、実際に、企業メモ9画面を、NTTドコモを例に作成していきます。簡易的には企業のホームページを利用する方法もありますが、企業が発表する投資家向けの資料（IR情報）に端的にまとまっています（ホームページを閲覧する一般の人よりも、投資家の方が時間に敏感だからでしょう）。

ここでは、NTTドコモのホームページに公開（2019年6月現在）されている、『NTTドコモの事業概要と2020年代の持続的成長に向けて』を題材にします（以下、この資料を『事業概要』と呼びます）。

まず、対象企業の（現在の）提供価値（主力商品・サービス）を、真ん中（中段）に書いていきます。

『事業概要』を見ると、3ページ下部に、同社の事業内容、主なサービス、そして2017年度の営業収益が載っています。
まずは、なんといっても携帯電話サービスでしょう。au、ソフトバンクと並ぶ携帯電話3巨頭の一角です。
また、2017年度営業収益によれば8割が通信事業であるとのことですので、2つめとして「光など通信事業」と書いておきます。

そして残りの2割のうち、動画配信は通信事業と方向性がかぶるので、金融・決済サービスを選んでおきます。

上段には、企業を取り巻く環境、「カキコ（株主・競合・顧客）」を記入します。
2019年当時、NTTドコモの人株主と言えば当然NTTが過半数を占めます。その企業の行う活動は株主として（創業家など）大きな存在がある場合、その影響を受けます。

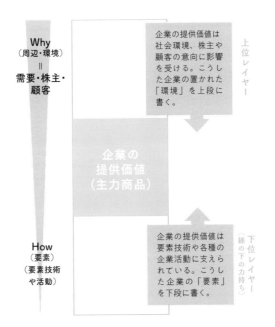

Why
（周辺・環境）
＝
需要・株主・顧客

企業の提供価値は社会環境、株主や顧客の意向に影響を受ける。こうした企業の置かれた「環境」を上段に書く。

上位レイヤー

企業の
提供価値
（主力商品）

How
（要素）
（要素技術や活動）

企業の提供価値は要素技術や各種の企業活動に支えられている。こうした企業の「要素」を下段に書く。

下位レイヤー（縁の下の力持ち）

そして、競合。
NTTドコモの場合『事業概要』によれば、少し前まではau、ソフトバンクの2社、そして格安スマホ（MVNO）。そして現在はさらに、それら事業者の「第2ブランド」までもが競合となってきていることが書かれていたので書き入れておきます。
企業活動における売り上げも利益も、需要があってこそです。企業はその企業がおかれた環境によって提供価値が左右されます。

顧客については、『事業概要』によればNTTドコモはまだ法人相手よりは一般消費者向けのようです。なお、特にB2Cにおいては、20世紀後半のように、世の中に流す情報を一企業が左右できた時代と異なり、消費者側もインターネットで取捨選択して選べるようになり、利益があげにくくなりました。
一消費者である自分がよく知る企業でも、徐々にB2Cから撤退し、B2Bに移行して売り上げを拡大している企業もありますから（NECや富士通、日立など）、勝手なイメージではなくきちんと企業が発表する投資家向け資料を見て把握しておくとよいでしょう。

下段（下位レイヤー）として、「（企業の）提供価値を支える要素」を書いていきます。

中段に書いた「提供価値」を実現するのに企業が用いている要素について列挙していきます。

中段にある、どれか1つの価値だけでなく、なるべく複数の提供価値に対して活用されている要素を選ぶ方がよいでしょう。

これもまた『事業概要』から書き抜いてきてもよいですし、対象企業についてある程度の知識があるのであれば、自身で考えて列挙しても構いません。

たとえば今回であれば、私は、
- 携帯電話サービスおよび通信事業全体に関係している「基地局（4G：第四世代）」
- 携帯電話サービスかつ決済事業の実現のキーである「電話番号」
- これらの事業を営業したり、管理をしたりする顧客との接点になっている（何店舗もある）ドコモショップ

を挙げました。

この下段の構成要素に関しては、まず自分用のメモとして一旦、思いつくものを全て列挙します。その後、伝えやすさを考えて3点程度にまとめるのが、よいメモにつながります。

以上でNTTドコモの「現在」を表す3画面メモができあがりました。それでは、できあがった3画面でのメモと、そのような形では分けていない文章を比べてみましょう。

次の文章は、なるべく情報量を右側の3画面と変わらないように書いたものです。

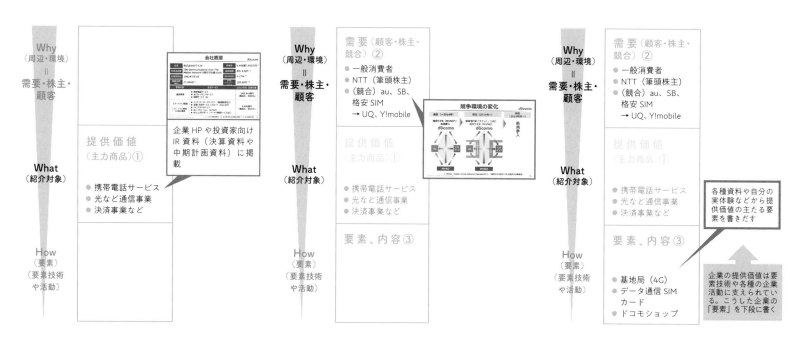

一読して、関連性のある者同士を近くして、文章である分、頭に入りやすいように書きました。

こうした文章は、左のメモよりも「情報を知る」というInputの為には適しています。読者のなかには、右側の文章だけで、頭の中に前ページの図のような「情報の粒度」が描けるかもしれません。

しかし、多くの人にとっては、書かれている情報のうち、どの内容はNTTドコモにとって、あまり制御しにくい外部要因（前図では上段にあたるもの）なのか？ また、情報の粒度として、最後の通信事業や決済事業はどこにあたる（前図での中段と下段の区別）のか？ が、すぐには分かりません。

そんなとき、左側のように2本の横線で区切られていると情報の粒度がクリアになり、そこから思考がしやすくなります。

特に情報がこの量だけでなく、同様の3画面が、過去と未来の3つずつ増えた9画面分になってくると、この効果はさらに大きくなります。

この「9画面を用いた企業メモ」については、引き続き扱います。

NTT ドコモの現在

NTTドコモは名前の通り、NTTが筆頭株主となっている、携帯電話サービスで有名な会社である。

主に一般消費者が持つスマホに対し、データ通信Simカードを提供しているが、UQやY!mobileなどの格安SIM提供会社に押されつつある。
現在の基地局は4Gであるが、同等の基地局を持つau、Softbankとは常にライバルである。

同社は他にも、光などの通信事業も行っているほか、決済事業も1つの柱となってきている。

企業メモ「過去（左列）」の記入

　では続いて「過去列」について取り掛かりましょう。時系列で比較すると見えてくるものがあります。

　沿革を見ると、NTTドコモの発祥は、NTTの前身である日本電信電話公社（電電公社）における無線呼出の事業部が、エヌ・ティ・ティ移動通信企画株式会社として分離されたことが分かります。

　この経緯で、現在もNTTが筆頭株主であることが自然であることが見て取れます。

　また設立の背景から、過去の提供価値（主力商品）としては、自動車電話やポケットベル（以下ポケベル）といった移動通信事業であることも分かります。

　これらを左列中段に書き入れておきます（なお、私はこうした発祥の事業を「会社の本籍地」と呼んでいます）。社名の由来はこうした情報が濃縮されたものであることが多いです。

Do Communications Over The **Mo**bile Network（移動通信網で実現する、積極的で豊かなコミュニケーション）

企業メモ9画面（例：NTTドコモ）

環境（株主・顧客）
⑤
- 国（電電公社）
- 企業＋一般消費者
- 企業

需要（顧客・株主・競合）
②
- NTT（筆頭株主）
- 一般消費者
- （競合）au、SB、格安SIM

環
⑦
- NT
- dポ
- 法人

提供価値（発祥、主力商品）
④
- 日本電信電話公社
  ➡ NTT移動通信企画（株）
- 移動通信事業
  （自動車、電話、ポケベル）

> 沿革から、分析対象の会社の母体の会社や、創業期を支えた事業についてが分かる（ので左列に書き込む）

提供
⑧
- 新し
  文化
- HEA
- bey

要素、内容
⑥
- 基地局（3G）
- 電話番号（ポケベル等）
- iモード

要素、内容
③
- 基地局（4G）
- 電話番号（主にスマホ）
- ドコモショップ

⑨
- 5G
- IoT
- 法人

過去（沿革・前身）　　　　現在

続いて、左列上段も、中列（現在）と対比しながら書き入れていきます。同様にカキコ（株主、競合、顧客）を考えます。

まず株主の視点。発足時点での親会社はNTTの前身である電電公社でした。いわば、国が株主のような立場です。

競合は、当時、ポケベルとしてはDDIポケット、また各種PHS会社が競合会社でした。そのように記入します。

最後に、顧客について。自動車電話をつけているような車は、個人のマイカーというよりは社用車。もしくは消防車や救急車のような公的な車でした。

無線呼出（ポケベル）も元々は、企業が外回りをしている従業員（主に営業）に連絡をつけるために持たせていたものでした。

つまり、エヌ・ティ・ティ移動通信企画の顧客は企業（B2B）でした。

しかし、徐々にポケットベルの利用が安くなるにつれ、企業ではなく一般消費者が買うようになりました。ついには女子高生が「連絡先用ではなく、メッセージそのものを送るツール」として活用をしました。

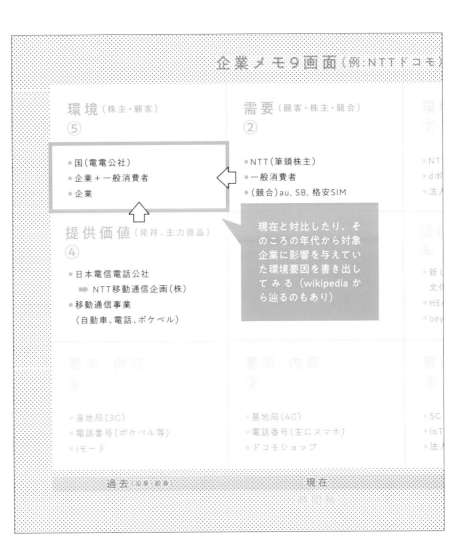

企業メモ9画面（例：ＮＴＴドコモ）

環境（株主・顧客）⑤
※国（電電公社）
●企業＋一般消費者
●企業

需要（顧客・株主・競合）②
※NTT（筆頭株主）
●一般消費者
●（競合）au, SB, 格安SIM

現在と対比したり、そのころの年代から対象企業に影響を与えていた環境要因を書き出してみる（wikipediaから辿るのもあり）

提供価値（発祥、主力商品）④
※日本電信電話公社
　➡ NTT移動通信企画（株）
●移動通信事業
　（自動車、電話、ポケベル）

要素・内容⑥
※基地局（3G）
●電話番号（ポケベル等）
※iモード

要素・内容③
※基地局（4G）
●電話番号（主にスマホ）
※ドコモショップ

環境⑦
※NT
●dボ
※法人

提供⑧
※新U
文化
※HEA
※bey

要素・内容⑨
※5G
※IoT
※法人

過去（沿革・前身）　　　現在

左列下段にうつります。左列中段（上隣）の価値を提供していた要素や技術、企業活動を、右隣（中列下段）とも対比しながら埋めていきます。

まず基地局はこのころからありました。まだ第一世代や第三世代（3G）の狭い帯域とはいえ、やはりほぼ日本全国をカバーするまで基地局を建設したことは他社が成し遂げ難い差別化ポイントだといえます。電話番号についても、ポケベルが対象とはいえ、この当時から管理していました。最後に、ドコモショップに対応するものも以前からありましたが、この当時、PHSやDDIポケットよりも、ドコモの携帯を選ぶ訴求力となっていたのは、日本におけるインターネットのはしりである「iモード」でした。下段についてはこのiモードを記入しておきます。

さて、ここでiモードを記入して気づくのは、右隣の中列下段に書き入れた内容。過去におけるiモードは、今ではインターネットやブラウザが該当するものになるでしょう。

ですから、「インターネット」や「ブラウザ」と記入するのも一手です。ただ、このインターネットやブラウザよりもNTTドコモが提供している重要要素といえば、データ通信であり、そのキーとなっているのがSIM

カードです。

そう考えると、NTTドコモのスマホを使っている人は、電話番号があることよりも、SIMカードを購入するためにNTTドコモと契約しています。そこで、現在の要素を司る

中列下段に書いていた「電話番号」の部分を「データ通信（SIM）」に書きかえました。

従来のメモと異なり、こうした対比構造が多く出てくるところが3×3の9画面でメモしていくことのポイントです。

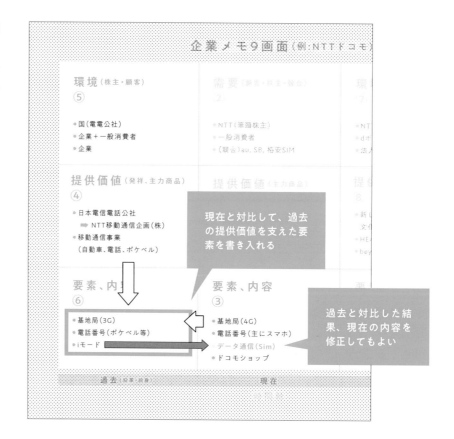

こうして過去列が揃ったところで、未来を司る右列の記入に移ります。

これまでの2列は「事実の記録」でしたが、未来についてはまだ確定していない未定事項をメモしていきます。

はじめに右列中段、未来の提供価値について書き入れていきます。

まず参照すべきは最近、企業ホームページに掲げられているMVV宣言。
● Mission（企業としての使命）
● Vision（その企業が描く未来）
● Value（その企業が重視する価値観）
これがあれば要約して記入します。

NTTドコモ社の場合は、「企業理念・ビジョン」の項目に掲げてあります。

そこからの言葉を抽出すると、企業理念として「新しいコミュニケーション文化の世界を創造」とあります。

また、ビジョンとして、HEARTの5文字に代表される「スマートイノベーションへの挑戦」を行う予定とのことです。これも記入。

株主総会などで発表される中期計画での目標も、「その企業が未来に提供する予定価値」の参考になります。NTTドコモで言えば、中期計画の中で取り上げられている「beyond宣言」がそれにあたるでしょう。

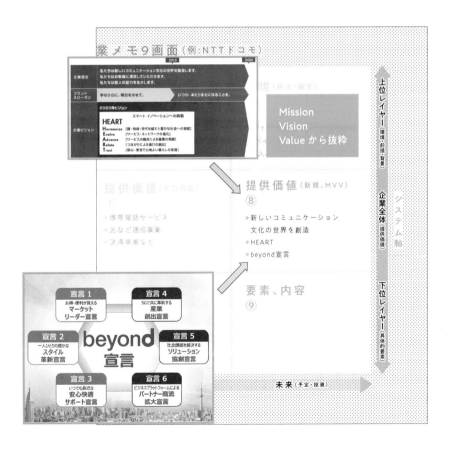

161

右列上段「未来環境」の記入

続いて、未来を司る右列の上段を書き入れていきましょう。

前述の通り、右列に関しては「推測」であるという点を念頭に置いてかいていきます。

たとえば、株主構成ですが、NTTは特に資金繰りに困っているわけでもないですし、いまのところさらなる民営化圧力もないですから、おそらくこの先もNTTが筆頭株主という状態は、すぐには変わらないであろうと予測します。

そこで右列上段にもそのように書き入れていきます。

また、これから企業メモ9画面の右列の残りを埋めていくにあたり、中列（現在）を埋める際に用いたものと同じ『事業概要』を参照します。そのなかから企業（今回ならNTTドコモ）があくまで「未来の予定」と宣言している内容であることを念頭に置いて書き入れていきます。

『事業概要』に戻るとその10ページには「dポイントクラブ会員数　7800万人」（日本人の6割以上が会員）ということが「2021年度目標として」書かれています。その成否はともかくとして、持っている顧客目標として公表しているわけですから、右列上段に書い

ておきます。同様に法人パートナー5000社。かなりB2B側にも寄せていくことを想定していると思われます。

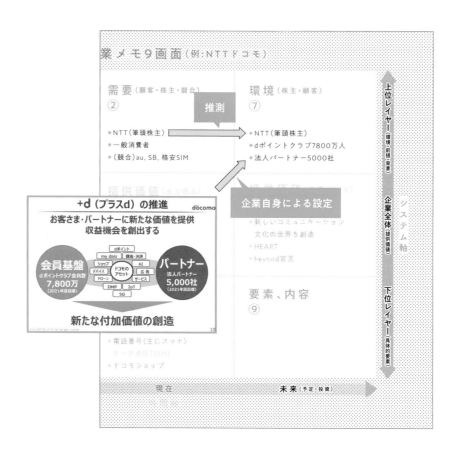

右列下段「未来要素」の記入

中段で掲げる企業価値は「過去活動の実績や、何にいくら投資するか?」によって実現性を予測することができます。

従来の企業活動の個々の要素には組織ですから継続性があります。そしてそこで使われている技術も継続的に進化しています。

そこで下段を左から見ていくと、これまでも基地局を整備し続けていますから、5Gのインフラも敷設することはほぼ間違いないでしょう。少なくとも右列上段で宣言している顧客の2021年度目標よりは実現性が高そうです。

なお、高額な投資をするからにはモノとしての購入だけでなく、それを今後扱う人の教育や業務フローの構築など「価値を生むための企業活動」がその方向に向かっていきます。『事業概要』でも5Gインフラに1兆円投資すると宣言していますから、同社の企業活動の中心になることは推測できます。

また、電話番号→SIMカードと辿ってきた流れですが、どちらも「個人を識別して必要な内容を通信する宛先」としての機能でした。そして、電話番号がかつて「家単位」「企業での課や係単位」だったのがスマホ

(SIMカード)では「個人単位」に変わったことを考えると、徐々に対象が細かくなっています。これと、世の中の技術の進化を考えあわせると、SIMカードよりももっと小さくウェアラブルな機器。IoT(Internet of Things)と呼ばれるようなものが企業活動を支える要素になっていきそうです。

また、右列の中で、法人パートナーを重視していくことが述べられていくことや、中列中段にメモした現在の事業(提供価値)で決済事業を挙げていたことから、法人に対してのサービスが同社の企業活動の柱になっていくのではないかと推測し、「法人サービス(決済?)」とメモしておきます。

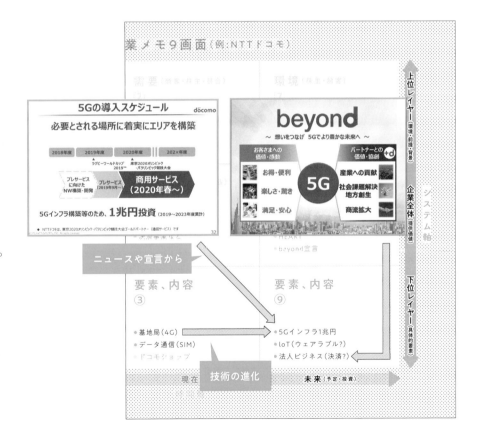

前ページまでで企業メモの9画面がすべて埋まりました。企業メモは原則的に中列→左列→右列と埋めていきましたが、説明の際には、時系列に従って左列→中列→右列と説明していくのがセオリーです。

では、実例としてNTTドコモについて改めてメモを軸に説明してみます。

企業メモ全体を眺める

NTTドコモは、今のNTTの前身にあたる日本電信電話公社の移動通信事業の子会社として誕生しました。株主は電電公社イコール国でした。初期のヒット商品としてはポケットベル。当初の主な顧客は企業でしたが、価格が手ごろになるにつれ、女子高生がポケベル上の数字をメッセンジャーとして使い一般消費者にもヒット。その後、携帯電話にiモードを搭載することにより、競合他社に大きく差を付けました（ここまで左列）。

続いて中列です。

現在（2019年）のNTTドコモは、株式の過半数を所有するNTTの子会社です。

主な事業は、携帯電話サービス、光ファイバーなどの通信ビジネス、法人向けの決済事業などです。

基地局は3G回線から4G回線へ。携帯電話サービスの要素としては通話の提供よりもデータ通信の提供が主です。ドコモショップを通じてSimカードを販売し月額使用料ビジネスです。競合相手としてはau、ソフトバンク、そして最近では格安でSIMカードを提供している業者もあります。

最後に右列です。

そんなNTTドコモは自身の未来の提供価値として

● 新しいコミュニケーション文化の世界を創造
● HEART
● beyond宣言

などを掲げており、実際、次世代の通信インフラの5Gに1兆円を投資。またIoT技術にも投資しています。これは株主が安定的にNTTであり続ける見込みがあるからこそでしょう（実際は2020年12月、NTTの完全子会社化されました）。

法人パートナー5000社を目標。それを通じてdポイントクラブと呼ぶ利用者も7800万人が目標になっています。歴史上スマホでの競合他社に比して企業との取引実績に歴史があることを活かして法人ビジネスにも軸足を置く予定のようです。

システム軸から企業メモを眺める

次は、段ごとに見てみましょう。

9画面法の上段は「考察する対象よりもより大きな空間・システムを考える場所」です。これを企業に当てはめた場合は、その企業の顧客や株主、そして競合他社など、「企業を取り巻く環境」についてメモしました。

中段は「考察対象自身のサイズを考える場所」として企業全体としての提供価値をメモしてきました。同社の事業分野や掲げているMVV（Mission、Vision、Value）などをメモしました。

そして下段は、「考察対象より小さな空間を考える場所」として中段の内容を構成する主な要素をメモしました。

眺めてみると、その企業の過去・現在・未来について粒度の揃った視点でメモができていることを感じていただけるはずです。

企業メモ9画面（例：NTTドコモ）

環境（株主・顧客）⑤	需要（顧客・株主・競合）②	環境（株主・顧客）⑦
● 国（電電公社） ● 企業＋一般消費者 ● 企業	● NTT（筆頭株主） ● 一般消費者 ● （競合）au, ソフトバンク, 格安SIM	● NTT（筆頭株主） ● dポイントクラブ7800万人 ● 法人パートナー5000社
提供価値（発祥、主力商品）④	提供価値（主力商品）①	提供価値（新規、MVV）⑧

● 日本電信電話公社
  ➡ NTT移動通信企画（株）
● 移動通信事業
  （自動車、電話、ポケベル）
	● 携帯電話サービス
	● 光など通信事業
	● 決済事業など
		● 新しいコミュニケーション
		  文化の世界を創造
		● HEART
		● beyond宣言

要素、内容⑥	要素、内容③	要素、内容⑨
● 基地局（3G） ● 電話番号（ポケベル等） ● iモード	● 基地局（4G） ● データ通信（SIM） ● ドコモショップ	● 5Gインフラ1兆円 ● IoT（ウェアラブル?） ● 法人ビジネス（決済?）

上位レイヤー（環境・前提・背景）

企業全体（提供価値）

下位レイヤー（具体的要素）

システム軸

過去（沿革・前身）　　　現在　　　未来（予定・投資）

時間軸

WORK　自分なりの企業メモ9画面をかいてみよう

練習問題

それでは、自分が興味を持った企業について、同様に企業メモを作ってみましょう。行い方のポイントを再掲すると、

(1) まず中列（企業の現在）をラベルに従い書く。特に投資家向けに公開された情報（IR）が端的にまとまっていてよい。

(2) 次に左列（企業の過去）を中列と対比しながら書く。企業のWebページには「沿革」として草創期の情報がある。そこに掲載されている商品名などでWeb検索して補足してもよい。

(3) 最後に右列（企業の未来）について左列→中列からの推測も含めながら書く（特に上段）。(1) 同様IRが参考になる。中段は企業の掲げる理念やMision。高額な投資予定は下段に忘れずに書き込む。

となります。

　次ページから解答例として、実際に東大生が作ってくれた例を掲載しておきますので、まだイメージがつかみ切れていないかたは参考にしてみて下さい。

システム軸

上位レイヤー（環境・前提・背景）

企業全体（提供価値）

下位レイヤー（具体的要素）

過去（沿革・前身）　　　現在　　　未来（推測）

時間軸

この講義を受けて、実際に東大生が作ってくれた企業9画面をいくつか掲載します。

[対象：ホクト]

	過去(沿革・前進)	現在	未来(予定・投資)
環境・背景・前提	キノコを食べる人	健康志向の消費者	ダイエットしたい人
企業全体	きのこ	薬理効果の研究	やせる成分のあるきのこ
具体的要素	菌を増やす技術	海外の販路 新品種の開発	痩せる成分やその効果を生み出す技術

[対象：スクウェア・エニックス]

	過去(沿革・前進)	現在	未来(予定・投資)
環境・背景・前提	コンシューマ	コンシューマ	コンシューマ ゲームハード会社
企業全体	ゲームソフト	ゲーム 出版	ハードのいらないゲーム
具体的要素	シナリオ 開発	ゲームソフト オンラインコンテンツ（まんが、雑誌）	オンライン処理 サーバー

[対象：任天堂]

	過去(沿革・前進)	現在	未来(予定・投資)
環境・背景・前提	一般消費者	● 一般消費者 ● 銀行	予想通りであった 外国にも株主がいるか確認したい
企業全体	ゲーム　スイッチ DS、Wii	ゲーム機器 ゲームソフト	ゲーム以外にも展開してほしいと思う
具体的要素	シナリオ 開発	ゲームソフト オンラインコンテンツ（まんが、雑誌）	確かにプログラミングや回路技術が必要だと思った

[対象：旭化成]

	過去(沿革・前進)	現在	未来(予定・投資)
環境・背景・前提	● 一般家庭 ● 企業	● 一般家庭 ● 企業	● 企業 ● 国
企業全体	日本窒素肥料 →旭絹織株式会社 サランラップ、ジップブロック	マテリアル（苛性ソーダ等） 住宅（ヘーベルハウス等） ヘルスケア（骨粗鬆症治療剤）	● 多様性を生かした新事業創出 ● 海外知的財産戦略 ● 不正防止への取り組み
具体的要素	野口遵が延岡市で世界初のカザレー式アンモニアの合成化に成功	● コンプライアンスの徹底 ● 社員の個の尊重 ● 社会との共生 ● レスポンシブル・ケアの推進	● 研究開発費 901億円 ● 産官学連携

さて、企業メモで「環境」を書き込んでおくのはなぜでしょうか？　ここで9画面でのメモを作っていくにあたり「上位レイヤー」を意識する利点をまず説明しておきます。

たとえば、あなたがX社の営業だったとして、今までは顧客層が似ている業界トップA社のシェアを奪うための会議が主だったとしましょう。

しかし最近、顧客に違いがあった業界2位のB社のシェアを奪うための会議が多くなり、上司の発言にもこれまでの発言と妙に整合性のとれない話が増えてきたら、どう思うでしょうか。
「A社には敵わないからB社をターゲットにする？」
「うちの会社がこの先に業態転換をする？」
「そもそも上司の判断基準が変わった？」

となると、この先の未来にターゲットとして考えるべき相手が、このままB社なのか、やはり以前のA社に戻るのか、それともさらに別のC社になるのか……。と、狙うべきターゲットに迷いが出てしまいます。となると、すこし時間がかかる（でも後で仕事が楽になるような）仕込みをしておくにも二の足を踏んでしまい、どんどん仕事が回らなくなる……。なんてことが起きかねません。

でももし、上司とざっくばらんに飲む機会があり、こっそりと実はA社と合併予定があるという「上位レイヤーの話」が分かれば、上司の行動には一貫性があり、ここしばらくの最重点課題がB社であると絞ることができます。

このように「上位レイヤー」が分かったことで大いに見通しが良くなったという経験は今までにビジネスでも生活でもあるのではないでしょうか？
企業に関してメモをするのに企業が置かれていた環境をもとにメモしておくことは先を予測するのに不可欠です。

【企業メモ9画面　図版の出典元】
https://www.nttdocomo.co.jp/corporate/about/philosophy_vision/index.html

https://www.nttdocomo.co.jp/corporate/about/philosophy_vision/strategy/

空間9画面、システム9画面
保険の仕組みと天気予報

こ こまで、いくつものパターンで、「横3画面」×「縦3画面」にすることで効果を出す例を見てきました。

自分が置かれている環境（上位システム）を把握することによって、未来のことを予測し、その上で具体策を考えるのが特徴です。

そして第2章で述べた通り、縦3画面には「上段はより大きな空間が関係」し、「下段はより小さな空間が関係する」という共通点があります。

世の中には生命保険に損害保険、火災保険と保険には様々な種類がありますが、保険の基本はどれも同じです。それは、個々人の人生には交通事故にあったり、大病を患ったりと予測不能なイベントはあれど、「十分多い人数の保険加入者数を集めれば、確率的な予測ができる」ということ。そしてそうなれば、合理的な保険料の設定によって、保険会社を安定的に運営できる、ということです。

「保険で多い人数集める」のと、「大きな空間を想定する」のは「より多くの要素を含むようにする」という点で同じです。実は「より大きな空間を設定」するほど、個々人の力では変化は難しく「大まかな予測がしやすい」ことがあります。

たとえば、地球の全体という「地球上でもっとも大きな空間」でみれば、「地球は24時間で1周自転している」というのはほぼ不変です。また、ある地点に吹く風は東西南北どの方向からも来ますが、日本の緯度のあたりの上空全部を見ると、偏西風と呼ばれる「常に西から東に吹く風」が吹いています。

このように、大きな空間を想定するほど予測しやすくなることに恩恵にあずかっている身近なものが**天気予報**です。

明日の天気を予想するのに、「1年前や2年前の同じ日が晴れだったか雨だったか？」と考えるのはあてずっぽうよりはましですが、あくまで参考程度にすぎません。

実際の天気予報では、高気圧や低気圧（台風）の配置といった上空の様子を計測することによって予測します。

ある地点で雨が降っている／降っていないという結果は、山沿いなのか平地なのかなど、場所によってばらつきが出ます。しかし、低気圧や、それに伴う前線がどのように動くかということは予想ができます。

その予想を元に、自分が行動する範囲（中空間）での天気（特に降水確率）が予報されます。

そしてその予報をもとに、「自分の手が届く周囲1m」という狭い範囲（小空間）に傘を存在させるか？を決定します。

天気予報9画面

高気圧	前線近づく	低気圧通過
晴れ	**曇り**	**雨**
降水確率0％	降水確率20％	降水確率80％
傘不要	傘不要	傘が必要

大空間

対象空間

小空間

システム軸

過去（朝）　　　　現在（昼）　　　　未来（夜）

時間軸

未来予測9画面
9画面法の真価

さあいよいよ、第2部の3章を経て9画面法の一番の真価を伝えられる段階になりました。

9画面法が最も役立つのが「未来を予測」するときです。実際、現時点で、インターネットで「TRIZ 9画面法」と検索すると出てくる例のほとんどが、この「9画面法で未来を予測する」ものです。

そして、この9画面法による未来予測は、今後、さらに重宝されることでしょう。

■ 非線形な変化を予測するために「補助線」をいれる

いままで、世の中の変化は、前年比5％程度の、「**直線的に予測できること（線形的な変化）**」が大半でした。

グラフでいえば、グラフのように2つの点があったら、その次がほぼ②の近辺と予測

して外れない世の中でした。

しかし、コンピュータにおいて「半導体の集積度は1年半で2倍になる」というムーアの法則や、「1週間ごとに感染者が倍々に増えていった」新型コロナウイルスのように、「**直線的には予測できない（指数関数的な）変化**」が社会全体を揺るがすようになりました。ここ数年の、梅雨の季節に起きる豪雨による被害もその一例です。

このような状況下では、従来手法では予測できません。そこで、必要なのが「**予測のための補助線**」なのです。

直接、考察の対象にしている範囲（システム）は、変化が読めなくても、その上位システムと下位システムには動きが読みやすい点があります。

上位システムは、「大きすぎるがゆえに、誰も恣意的には制御できない」ため、過去と現在からの延長で予想できる部分が多いです。

たとえば、人口の推移。正確な値はまだしも、この先、日本人の総人口は減少し、高齢者の割合が増えることは確実です。

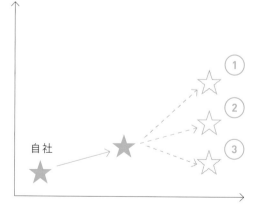

未来予測9画面

	過去→確定済	現在（事中）	未来（事後）	
上位システム（Why・背景・顧客）	過去の上位システム	現在の上位システム	未来の上位システム	
システム（What・提供価値）	過去のシステム	現在のシステム	未来のシステム	システム軸
下位システム（How・要素・根拠）	過去の下位システム	現在の下位システム	未来の下位システム	

時間軸

そして下位システムは、小さいがゆえに「**理想性の向上**」が続きます。理想性の向上とは、「小さい方がよいものは、0を目指してどんどん小さくなり、大きい方が良いものは、どんどん大きくなる」ことです。

小さい方がよい携帯電話の部品はどんどん小さくなる一方で、「見える画面（視野角）」は大きい方がよいので、TVの大画面化やVRなどが進んでいきます。

この方向性は変わらないので、部品はどんどん小さくなり、見える画面はどんどん大きく、リアルになっていくでしょう。

未来予測で大切なのは調査と予測

では、そうした予測はどのようにして記入していけばよいのでしょうか？

基本的には、「**調査**」と「**予測**」の2通りの方法があります。双方行うことをおすすめします。

上位システムの未来を予測することは、関係する要素が多い分、正確に予想することは難しいように思えます。

しかし、政府の資料や民間の研究機関による予測が公開されていることが少なくありま

せん。まずは調査からはじめてみましょう。

上位システムとして多くの場合において必ず押さえておいた方がよいのが「人口動態」です。年金制度の破綻問題や、昨今では保険医療制度の持続性に関わる問題という社会保障の文脈でニュースでも取り上げられていると思います。

20世紀半ばにはきれいにピラミッド型をしていた人口ピラミッドは、団塊の世代の登場と、その年齢が上がることと、死亡率の低下、少子化の進行に従って「中ぶくれ型」になってきました。

そして、団塊の世代が後期高齢者になる2025年以降、徐々に壺のような形になってきます。

細かいズレはあっても、今までの人口が右肩上がりであるという前提から、徐々に人口が年間に鳥取県1つ分減っていくという方向性へ。前代未聞の事態に直面していく、という「上位システム」についてはあまり変わらないでしょう。

自業界に特化したようなレポートは有料なことが多いですが、本当に意味のあるレポートであれば自社の企画部門が購入している場

合も多いでしょう。また、一般的なレポートは公開されているものも多いです。

予測は、これまでも行ってきた通り、左列と中列からの延長（外挿）を考えます。その際には、PEST分析（247ページ）も有効です。

下位システムについては、要素技術それぞれの業界のレポートを入手することが1つ。または、そうした要素に対して製品9画面や、発明品9画面をかくことも1手です。

また、トリーズのツールの中には、TRIZ-prediction（予言）と呼ばれるものがあります。その中の「**技術の進化トレンド**」は、先に挙げた「**理想性の向上**」をより具体的に表しており、参考になります。

未来予測9画面を記入する

未来予測はおおむね上記の順番でかき、語る順は左列→中列→右列の順になります。ここでは、「独自性と伝達性を両立した自己紹介の重要性」について、9画面で示してみます。

● 左列で過去を語る

20世紀においては、実体を持った**アナログな製品が価値の中心**でした。インターネッ

トもあまり普及しておらず、こうした製品は実物を見る機会に乏しいため、買う側は「それまでの信用（ブランド）」と値段を頼りにしていました。

需要供給曲線や MADE IN　JAPAN ブランドが存在し、基本的には「一番人気は一番よいが、一番高い」という不文律がありました。途上国で安定生産に至るには時間がかかり、日本メーカーの独壇場でした。

● 中列で現在、何が変わったかを
　考える

しかし 21 世紀、IT 産業が主役となり、デジタルなコンテンツに価値の中心が移動しました。

さらに Google という検索エンジン＋広告ビジネスの融合体がその中心になった結果、多くのコンテンツに広告がつき、ユーザーの支払いは基本的に無料になりました。

IT の性質上、製品＝完ぺきではないものがリリースされることが主です。また、知的労働者の激増により、「使われて、不具合の報告や要望が届く」ものほど、良くなるようになりました。

その結果、「一番人気のモノが、一番よくて、一番安い（無料）」状況になりました。

それを十分に生かしているのが、GAFA。

特に Google と Facebook は、無料にもかかわらず、最も多くのコンテンツを持ち、新しいサービスを試し、UI も改善しています。

実はインターネットの前にも、TV 番組がその役割を果たしていました。本やラジオに比べ、TV は単位時間当たりの情報量は大きいです。広告が入ることによって、本よりもよりリッチなコンテンツを得られます。

● 右列で未来の予測をする

いまでも、Google 検索結果の「2 ページ目以降」は、1 ページ目に比べれば存在しないも同然といわれます。

この傾向は一時的なモノではなく、この方向により近くなっていきます。さらに、コロナ禍で、オンラインコンテンツに接する人が増加。フィードバックがかかりやすくなっています。

すると、|何かの 1 番になれば、周囲全てが味方になる（逆に 2 番手は見向きもされない）」という状態になりそうです。ICT と AI の活用と同じくらい、自身の独自性や創造性を「きちんと誰かに No.1 のものとして認知される」ことが大事になってくるでしょう。

もちろん、スポーツや勉学など「誰もがその価値を知る分野での No.1」になれれば文

句なし。ですが、当然それは狭き門で、勝者もいれば敗者もいます。

それよりは、まだあまり多くの人が価値を見出していなかった（が実は価値がある）分野を創って No.1 になるのが現実的です。

頭のいい大学の先生方は以前からそれを行っていました。新しい学会の創設です。結果として学会が次々と誕生し、現在では 1 万以上の学会があるそうです。

● 予測を立てたうえで動いてみる

以上が未来予測でした。では、そうして立てた予測に対して、どのように実行すればよいでしょうか？

先ほどの件、学会でなくても個人でもできます。筆者で言えば、トリーズという分野がその 1 つ。筆者よりも課題解決の先達はたくさんいますが、「発明原理を身近な例で普段使いするようにする」ことで No.1 になりました。この本も、トリーズのなかでさらに、発明原理よりも価値がまだあまり見出されていなかった「9 画面法」に関して No.1 になるべく書いています。

ぜひ、Why と How を付け加えた「9 画面で 30 秒自己紹介」を使って「新しい価値ある分野での No.1」を創造していただければと思います。

未来予測9画面
① まず、考察するテーマ名を書く

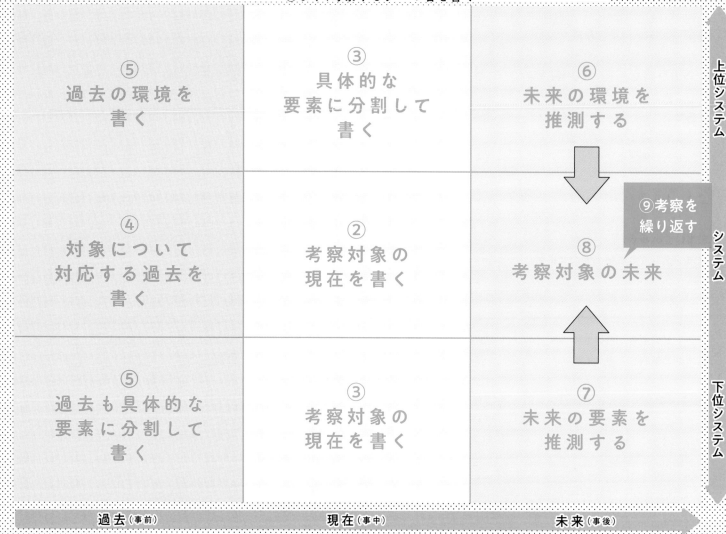

⑤ 過去の環境を書く

③ 具体的な要素に分割して書く

⑥ 未来の環境を推測する

④ 対象について対応する過去を書く

② 考察対象の現在を書く

⑧ 考察対象の未来

⑨ 考察を繰り返す

⑤ 過去も具体的な要素に分割して書く

③ 考察対象の現在を書く

⑦ 未来の要素を推測する

上位システム

システム

下位システム

システム軸

過去（事前）　　　現在（事中）　　　未来（事後）

時間軸

未来予測9画面

20世紀の環境	21世紀の環境	環境の変化予測
●アナログ＝複製・流通コスト高い ●製品＝完全なモノ 　生産の熟練には時間かかる ●周知にも大金が必要 →ブランドが判断材料	●デジタル＝複製・流通コスト安い ●製品＝不完全でもリリース 　使われる→経験たまる→よくなる ●一番人気のものには広告がつく	●AIにより知的労働リソースは無尽蔵 ●Withコロナにより、コンテンツへのフィードバック者も増加 ●一番人気のモノには「味方がつく」
従来	**主張（現状認識）**	**提案**
1番人気は、 1番よいが、 1番高い	1番人気が、 1番よくて、 1番安い（無料）	●何かの1番になれば、周囲全てが味方に ●2番手は見向きもされない
構成要素	**構成要素**	**構成要素**
●需要－供給曲線 ●アナログな「ものづくり」技術 ●例：MADE IN JAPANブランド	●実はTV番組も端緒 ●帯域は本＜ラジオ放送＜＜TV →時間あたりのコンテンツ予算も ●例：GAFA	●独自性、創造性 ●ICT、AIの活用＋No.1を狙う戦略 ●例：学会やTRIZ

上位システム　システム　下位システム

システム軸

過去（事前）　現在（事中）　未来（事後）

時間軸

自己紹介9画面
30秒で人生を豊かにしよう！

こ こでは、魅力的な自己紹介を行うための自己紹介9画面をご紹介します。第1章の「達成→贈与→目標」で説明した内容の「完全版」となります。

第1章では、横3画面を用いて「達成→贈与→目標」で相手に伝わりやすい30秒自己紹介を行う方法をご紹介しました。

しかし、オンライン上で多くの人と出会うことが容易になった現在、「後で検索したい」と思われる独自性が無いと今後につながりません。次につながる自己紹介を作るには、1つの壁があるのです。

それが「**独自性と伝達性を両立する**」という壁です。

他の人と区別して、個人として覚えてもらうには、キャラ立ち、つまり独自性が大事になります。

一方で、多くの人に分かってもらうには、平易であることも必要です。

独自性を持ちながら、平易である。これらを両立することを考えるにはちょっとしたテクニックが必要になります。

そこで、9画面の出番です。

第1章で練習した「**達成→贈与→目標**」の各項目に、第2章のロジカル3画面「**Why ／ What ／ How**」を組みあわせることで、**独自性と伝達性を両立した自己紹介**が可能になります。

なお、この自己紹介9画面では、ほぼ3列を独立に考えられるので、ロジカル3画面を覚えた相手に、3×3の9画面に何となく慣れてもらう際に有効です。

ぜひこの章での練習を通じて魅力的な30秒自己紹介を創造し、自己紹介される相手と、自分の双方にとって素敵な時間を作っていきましょう。

しっかり伝わる「目標」を作る

30秒自己紹介「達成→贈与→目標」の3項目のうち、最も大事なもの、それは「**目標**」の項目です。

自己紹介をする場は、お互いに情報を与えあう場です。そのとき、自分が「どのような情報を受け取りたいか？」を伝えておくことが、その後の時間の価値を左右します。

ですから、自己紹介で最も大事なのは自分の「目標」を相手に伝えることです。同様に自己紹介9画面も、右列の「目標」からかきはじめます。紹介とは逆順、「目標→贈与→達成」の順に作っていきます。

はじめに、「**今後の目標**」を中段に記入します。

　自分が何かしら目指していること。特に他の人からの情報・アドバイスなどが欲しいものがよいです。岡目八目、自分に一番必要なものは、自分でない人が知っているものです。

　たとえば私であれば、「誰もが課題解決を相手が喜ぶ形で教えられる」ことです。

　続いて、上段の「**Why目標**」。なぜ、その目標を立てているか？の理由を書きます。

　すぐに思いつけない場合には、その目標によって「笑顔になる人」を想像してみましょう。それを記入します。

　私なら「すべての技術者＆日本の次世代」と記入しました。

　最後に下段「**How目標**」。その目標の為に努力したり、募ったりしたい要素を記入します。これにより目標が具体的になります。

　私は右のような3点を記入しました。

　ここまで終わったら、この上中下の3段を見渡しながら、今後の目標を40文字以内でまとめていきます。この**40文字というのは人間が一目で把握できるギリギリの文字数**であり、**約10秒で言える範囲**です。

　私は、次のように40字化しました。

「誰もが、自分の課題解決を**次世代**が喜ぶ形で教えられる**定常的な学び舎作り**が目標です」

　「次世代」と「学び舎」の要素が入ることで独自性が増しつつ、伝達性も兼ね備えています。

　そういったものは、具体例をいくつかみるとイメージがわきます。そして、以下のように「Why（目標の理由）」と「How（具体性)」があると伝わりやすくなります。私の30秒自己紹介講座の教え子たちの例を示しましょう。

● 世の中の多くの人の幸せのために、<u>身のまわりの音環境を整える価値</u>について研究を深めていきたいです。

● <u>英語をまた勉強しようと思います</u>。一緒にもう1言語学びたい。**自分が飽きないのと、将来子供に教えられる**。面白かった言語など教えてください。

● **遊ぶ人に面白いと思ってもらえるゲームを作るために**、<u>ゲームの画面をディレクションするアートディレクター</u>になりたい。

Why達成	Why贈与	Why目標 （笑顔にしたい人） 全ての技術者＆ 日本の次世代	Why
What達成	What贈与	What目標 課題解決を相手が喜ぶ 形で教えられるよう になることが目標です	What
How達成	How贈与	How目標 （実現に向け募りたいこと） ● 一緒に行う仲間 ● さらなる活動の場 ● 定常的な学び舎	How
達成	贈与	目標	

贈与について ブラッシュアップする

続いて、贈与についても Why と How で挟むことで伝わりやすくなります。

先ほどと同様に、まず中段に自分が贈与できることを記入しましょう。

私なら、「創造性を身につける方法を教えられます」と書きました。

次に、上段に「なぜそれに価値があるか？」を考えて記入します。

私は「創造性を学びたいが才能も機会も時間もないと考えている人が多い」としました。

最後に、下段（How）に、その贈与をどう具体的に提供できるかを書いていきます。

そして、そこから40字でまとめれば、「世代も学力も超え、身近な発明観察を通じて創造性を身につける方法を教えられます」となります。

贈与も「Why（喜ばれる前提・理由）」と「How（具体性）」があると伝わりやすくなります。

● イラストを描いたり写真加工をしたりできます。人の話を聞くのが好きなので、表現したい人の話を聞いて手伝えます。

● 英語ができないので、英語に苦手意識を持った人に、安心感を与えながら一緒に勉強していくことができます。

● 多分野の知識を活かして、一緒にゲームを作る仲間と、自分のアイデアをまとめて、絵として提示することができると思いますし、やりたいと思っています。

達成をWhyとHowで ブラッシュアップする

最後に「達成」も同様にブラッシュアップしていきます。

これまで同様、「達成したこと」を中段に記入します。

過去に自分がやったこと、成し遂げたことの中で、相手から「すごい！」「Good Job！」と思ってもらえるような、とっておきの成果や行動を中段に書きましょう。

Why 達成	Why 贈与 創造性を学びたいが、才能も機会も時間もないと考えている人が多い	Why 目標 全ての技術者＆日本の次世代	Why
What 達成	What 贈与 創造性を身につける方法を教えられます	What 目標 課題解決を相手が喜ぶ形で教えられるようになることが目標です	What
How 達成	How 贈与 ●トレードオフの発見 ●特許から抽出された発明の共通要素 ●身近な発明品の観察	How 目標 ● 一緒に行う仲間 ● さらなる活動の場 ● 定常的な学び者	How
達成	贈与	目標	

できれば、先ほど書き、紹介時には次に続くメリット、提供価値と関連するものが望ましいですが、その関係性よりも**相手が聞いたときのインパクトを重視して下さい。**

次に、下段。その成果や行動を支えた構成要素や、証明する要素として何があったかを下段に列挙してみましょう。

具体的に成し遂げるのに必要だった物品を書いてもいいですし、成果を表す数値（○○ダウンロード）や金額（○万円）、順位（○○で1位）を羅列するもよいでしょう。

最後に上段には、成し遂げた意義やその時の仲間、環境などを書き入れてみましょう。

成し遂げたことが大きいほど、自分の行動以外の多くのことが存在してくれたことに気づかされます。

私は右図のように記入しました。

達成したことの要素まで考えていくと、第一章でも述べた「No.1、資格、1000」という要素がでてくることの助けになります。また、Whyを問うことで、その際の協力者まで思い浮かび、「どこで行われたか？」をつけ加えることができます。

上段と下段を見ながら、何を語るべきか、

中段の内容を **40文字以内**にブラッシュアップしましょう。下段から1つ「**具体的に1位と感じる数字**」を選ぶと通じやすくなります。

40文字にまとめると、「東大や科学館で磁石と鉄球を用い、身近な発明の観察法を1000組以上の親子に教えました」となります。

自己紹介9画面で さらに詳しい話ができる

最後に次ページに、40文字ずつになった内容で中段を更新しておきます。

このような9画面を普段から持っておけば、「30秒自己紹介で興味を持って話しかけてくれた人」と一段内容を深めた話をする際に役立ちます。

	Why	What	How
Why	Why達成 ●夏休みの親子向けイベントに出典 ●ソニー、東京大学科学館	Why 贈与 創造性を学びたいが、才能も機会も時間もないと考えている人が多い	Why目標 全ての技術者&日本の次世代
What	What達成 東大や科学館で磁石と鉄球を用い、身近な発明の観察法を1000組以上の親子に教えました	What 贈与 創造性を身につける方法を教えられます	What目標 課題解決を相手が喜ぶ形で教えられるようになることが目標です
How	How達成 ●磁石、鉄球、ストロー ●7イベント、10日 ●#4 非対称性原理	How 贈与 ●トレードオフの発見 ●特許から抽出された発明の共通要素 ●身近な発明品の観察	How目標 ●一緒に行う仲間 ●さらなる活動の場 ●定常的な学び舎
	達成	贈与	目標

自己紹介9画面

Why 達成	**Why 贈与**	**Why 目標** （笑顔にしたい人） 全ての技術者＆日本の次世代
●夏休みの親子向け 　イベントに出展 ●ソニー、東大、科学館	創造性を学びたいが、才能も機会 も時間もないと考えている人が多 い	
What 達成	**What 贈与**	**What 目標**
東大や科学館で磁石と鉄球を用 い、身近な発明の観察法を1000組 以上の親子に教えました	創造性を身につける方法を教えら れます	課題解決を相手が喜ぶ形で教えら れるようになることが目標です
How 達成	**How 贈与**	**How 目標** （実現に向け募りたいこと）
●磁石、鉄球、ストロー ●7イベント、10日 ●#4 非対称性原理	●トレードオフの発見 ●特許から抽出された 　発明の共通要素 ●身近な発明品の観察	●一緒に行う仲間 ●さらなる活動の場 ●定常的な学び舎

上位システム（Why・背景・顧客）

システム（What・提供価値）

下位システム（How・要素・根拠）

システム軸

達成　　　　　　　　　　　贈与　　　　　　　　　　　目標

時間軸

達成→贈与→目標のコンボ例

まず、第一章でお伝えしたコツ、「**優勝、資格、100**」のある「**達成**」はそれが Why（なぜすごいか）と How（具体性）を兼ねているので印象が強く与えられます。

そして、その強い達成から始められると「達成→贈与→目標」のコンボが強いです。

以下にいくつか例を挙げます。

例：
（達成）大昔、電話応対コンクールで優勝しました。その縁で後輩5人を私の司会で嫁がせました。またその縁で吹奏楽の演奏会の司会を3年やってます。
（贈与）お客様から笑いを取りながら、音楽を紹介する司会ができます。しかもかみません。
（目標）ボイストレーニングを積んで、その場に居る皆さんが Happy になる古手川祐子さんのような司会者になりたいです。

例：
（達成）2級建築士の資格を持っていて、ゲームの背景を作る仕事を3年やった後、今は3D アニメーターとして働いているの

で、専門性の高い2つの分野の知識があり描かかけます。
（贈与）多分野の知識を活かして、一緒にゲームを作る仲間と、自分のアイデアをまとめて、絵として提示することができると思いますし、やりたいと思っています。
（目標）遊ぶ人に面白いと思ってもらえるゲームを作るために、ゲームの画面をディレクションするアートディレクターになりたいです。

例：
（達成）複数の人と人が対面して遊ぶボードゲームを、この10年で100タイトル以上遊びました。
（贈与）未経験者から経験者まで、好みにあわせたゲームをピックアップしておススメできます。
（目標）沢山の人とボードゲームで遊ぶイベントを開催して、知らない人同士がつながり、何か新しい面白いことが生まれるきっかけを作りたいです。

例：
（達成）妻から婚約指輪のお返しにジム代をもらったので、週2回のトレーニングと炭水化物を一切取らずに18kg 痩せました。
（贈与）無料で筋トレの仕方と、某パーソナ

ルトレーニングジムの食事法を伝えられます。

達成→贈与→目標もまた Why→How→What

実は、先に上げたような「コンボになっている達成→贈与→目標」はそれ自身がまた、「Why → How → What」になっています。

そう、サイモン・シネック氏が人動かす順として提唱している順番です。

達成＝その人の言葉に妥当性を感じられる理由（Why）
贈与＝その人をどのように（How）利用すればよいか？
目標＝その人はどんな価値（What）を目指しているか

いかがでしょうか？　以上で第2部第3章でご紹介する7種の9画面全てをご紹介しました。では、最後に締めの実践トレーニングに移りましょう。

9画面の実践トレーニング
キャリアの未来として企業を考える

では、3たび、Google を様々な**9画面**で表していくワークをはじめましょう。

状況設定としては、第1章と同様です。次のキャリアのことを考えて「Google を選択肢に考えている A さん」になって下さい。その際にかいた横3画面を、縦軸も加えて9画面にすることでより広い視野でいて具体的な点も見落とさない企業研究をしていきます。

「歴史→現状→将来」×「環境／企業／企業活動」企業9画面

ではまず企業9画面をかいていきます。

まずは第1章のワークでかいた内容を中段に置きました。そして、中列に第2章のワークで用いた部分を記入してあり、9画面中、5つが埋まっています。

そして、今回は筆者の方で以前に Google 社の特許を検索した経験から、カーナビゲーションに関しての特許が多く申請されていた点から、「自動運転を軸とした移動サービス」が企業活動の要素になりそうなことを右下のマスに記入しておきました。

また、これらから予想されるサービス。そして Google の投資行為としては最も有名な「あのルール」についても枠を用意しました。

これらの枠に対して自分なりに考えたり調べたりして記入してみましょう。

Googleの9画面の企業

⑥ 当時の環境	④ 企業の環境	⑨ 将来の環境
株主(創業者)： 競合： 顧客：＿＿＿ユーザー	株主：Alphabet社 競合：Apple、Facebook、Amazon 顧客：Androidユーザーなど	株主：＿＿＿＿＿ 競合：(G)AFA、＿＿＿＿＿＿＿ 顧客：＋＿＿＿＿ユーザー
① 企業の歴史（沿革）	② 企業の現在	③ 企業の将来（MVV）
最も、読みたいWebページを検索 してくれる検索サイト	世界最大の広告企業 Google社（Alphabet社）	世界中の情報を整理し、世界中の 人々がアクセスできて使えるように すること
⑦ 当時の企業活動	⑤ 企業活動	⑧ 将来の企業活動
● ● ●	● 検索を軸としたサービス群 ● 膨大なサーバと電力削減 ● 世界中のデータを集める	● 自動運転を軸とした 　移動サービス(MaaS) ● ＿＿＿効率化サービス ● ＿＿％ルール

環境　企業　企業活動

システム軸

歴史　現状　将来

時間軸

では記入例を一緒に見ていきましょう。

その前に1つ。現時点では③の文言にある「情報」は、インターネット上にある情報として感じている人が多いことを念頭に置いておいてください。

では、右図を見ながら、9画面を順に埋めていきます。

まず、①〜⑤を見ながら埋めやすいのは左列上段⑥当時の環境、①②を見比べながら④と対になる内容を書いていきます。この時点では株主は創業者にあたるので、①にあった「ラリー・ペイジ、サーゲイ・ブリン」を上段に移動。競合として「Yahoo!、goo、Alta Vista」などの当時存在した検索エンジン、顧客としては現在と異なり「PCユーザー」を記入しました。

続いて、やはり左列から下段⑦当時の企業活動。同様に①②を見比べながら⑤と対になる内容を書いていけば、「検索サービス」、次いで「検索エンジン（PageRank）の向上」、「データ収集技術（クローリング）」という内容が見えてきます。

なお、この時、GoogleのようなWeb上でのサービスの場合、3点挙げるときには、「Input（データ）、処理、Output（見せ方）」

の3点を意識すると、バランスよく要素をピックアップできます（Web業界の方には、MVCモデル（Model、View、Control）の視点も有効です）。

ではこの書きこんだ⑦と⑤を対比し、中段の①〜③も参照しながら右列下段の⑧将来の企業活動を書いていくと、1つめは（特許の情報から）自動運転を軸とした移動サービス（MaaS：Mobility as a Service）が想像されます。そして2030年には世界が電気自動車中心になることを考えれば、電力削減技術を用いて、サーバーにとどまらず電気自動車をはじめとした他の機器の電力効率化サービスを想像して**「電力効率化サービス」**と記入しました。

そしてGoogleの投資的行動として一番有名な**「20％ルール」**。現在も健在のようですから、将来においても期待を込めて記入しておきます。

では最後に⑨将来の環境について。同じ上段の⑥→④を見ながら、株主に関してはおそらくAlphabet社だと思われます。一方、競合に関してはGAFAに加え、最近は中国資本のBAT（Baidu、Aribaba、Tencent）の伸びが大きく、3社ともインターネット企業ですから競合になりうるでしょう。さらに先ほ

ど書いた⑧の要素を鑑みれば、自動車会社も協力関係とともに競合会社になる可能性があります。そして顧客としても自動車ユーザーが大きく含まれるでしょう。

以上のように①〜⑨のすべてに記入して見渡すといかがでしょうか？

当初の横3画面の時より、各段の情報の粒度がそろっています。そしてそれが時間軸別に整理されていることで、Googleの歴史、現在、将来についてその環境と企業活動まで含めて把握しやすくなっています。

③が同じ文言でも、9画面をかく前には「なんとなくインターネット上の情報」に見えていたものが、自動車をはじめとした「リアルな世界まで含んだ情報」であるように見え方が変わっていませんか？　⑩

③の状態でGoogleのことを考えるのと、⑩を前提にGoogleのことを考えるのでは、見えてくる情報が異なってきます。どちらの方が就職活動で有利かは、言うまでもありませんね。

なお、筆者がかいたのは一例です。異なっていても自分なりに「他人に説明できる」内容であれば正解です。

Googleの企業9画面

⑥ 当時の環境

株主(創業者)：ラリー・ペイジ、
サーゲイ・ブリン
競合：Yahoo、Goo、Altavista
顧客：PCユーザー

④ 企業の環境

株主：Alphabet社
競合：Apple、Facebook、Amazon
顧客：Androidユーザーなど

⑨ 将来の環境

株主：Alphabet社？
競合：(G)AFA、BAT、自動車会社？
顧客：＋自動車ユーザー

① 企業の歴史（沿革）

最も、読みたいWebページを検索
してくれる検索サイト

② 企業の現在

世界最大の広告企業
Google社（Alphabet社）

③ 企業の将来（MVV）

世界中の情報を整理し、世界中の
人々がアクセスできて使えるように
すること

⑦ 当時の企業活動

- 検索サービス
- 検索エンジン(PageRank)の向上
- データ収集技術

⑤ 企業活動

- 検索を軸としたサービス群
- 膨大なサーバと電力削減
- 世界中のデータを集める

⑧ 将来の企業活動

- 自動運転を軸とした
  移動サービス(MaaS)
- 電力効率化サービス
- 20％ルール

環境

企業

企業活動

システム軸

歴史　　　現状　　　将来

時間軸

たとえば、⑧に関して、Google ドキュメントや Google ブックスの活動を引き合いに出して「データ化サービス」を収益の柱にする可能性もあります。

ぜひ、自己流の Google 企業 9 画面を作ってみたり、他社の企業 9 画面も作ってみたりしましょう。

「Before→After→予測」×「使い手／発明品／発明の要素」観察・発明 9 画面

「Google に就職希望の A さん」になりきって、さらに Google のことを細かい粒度でみていきましょう。

Google は技術の会社ですから、技術視点で観察している応募者の好感度は高いでしょう。そして Google に限らず、いま、各企業で「必要だが不足感が高い」のが創造性を持った社員。そこで大事になるのが「発明 9 画面」の視点です。

ここでは第 2 章「使い手／発明品／発明の要素」での縦 3 画面を中列として開始。考える順序は、左列 Before 側を考えて埋めてから、中列の内容と見比べたうえで、右列を予測します。

この時、④ Before 発明品としては、②

After 発明品としてどんな発明の要素に着目したかで、その引き算をした結果になります。今回は、Google 検索結果画面のうち、「文字の大きさを非対称にした」や「表示内容を分割した」を**引き算**した、Google プロトタイプともいえる、全く飾りのない**プレーンテキスト状態を Before として想定**します。

このように、**差分**を作ることで、その先が予測できます。発明 9 画面で示したように、**発明の要素（発明原理）は繰り返す**からです。ですから、⑤予測された発明品には、さらに非対称性や分割を活かした画面となった「Google 検索結果改」を設定しておきます。といってもこれでは具体性がありませんから、⑨予測発明要素を目指して 9 画面を埋め、より具体的な内容を予測してみましょう。

Googleの観察・発明9画面

⑦Before使い手	①After使い手 特定のキーワードで表される分野に知りたいことがある人	⑧予測使い手
④Before発明品 Googleプロトタイプ （書式のないプレーンテキスト）	②After発明品 Google検索結果画面 （非対称や分割を活用）	⑤予測された 発明品 Google検索結果改 （さらに非対称性や分割を活かした画面）
⑥Before発明要素 ・ ・ ・	③After発明要素 ● カテゴリ分割（Web/画像/動画） ● 大きさや色の異なる文字 ● 局所的な強調（太字や画像）	⑨予測発明要素 ・ ・ ・

使い手　発明品　発明の要素　システム軸

Before　　After　　予測

時間軸

まず⑥下段左列から埋めます。上隣りの「プロトタイプ」であることを想定して、右隣りの内容と対比的に記入すれば、「Web検索のみ」「プレーンテキスト」「強調無し」というキーワードが浮かぶので記入します。

その上で、上段の「使い手」を考えてみましょう。おそらくそんな初期の（飾りのない）プレーンテキストなGoogleプロトタイプを使いこなす使い手は、**UNIXなど文字情報でのInternet利用者で思考にも慣れているユーザー**であったと想像して記入します。

こうしてそろった上段の左列、中列を用いて右列を予想してみます。徐々にユーザーとしてのすそ野を幅広く広げていく方向に変わるとすると、**キーワード入れただけで、手軽に答えを知りたい人**というユーザー像が予測できます。上段右列に記入します。

これら8マスを見比べつつ、下段の左列、中列を見比べれば、**「画面の別枠表示」**、**「複数カテゴリ（画面）への呈示」**、**「時間方向の分割や強調」**が予測できます。

なお、予測と言いつつ、右列の「発明の要素」のうちはじめの2つは、現在の検索結果画面で、「Webページ検索結果のなかに画像検索結果の一部が出ている」のを見ての後出しじゃんけんのように見えるかもしれません。

しかし、実はこの「Google検索結果改」については、前著『トリーズの発明原理』を上梓した年（2014年時点）には予測していました。その時点ではまだそのような検索画面にはなっておらず、研修資料上に同様の図を作ってアイデア例として掲載したところ、しばらくしてGoogleでも実装されており、予想の正しさが立証されました（思いついた時点で特許申請していればと、もったいないことをしました（笑））。

さて、なぜ予想を当てることができたのか？　そのポイントは、設問部で述べた「差分」と「発明の要素（発明原理）は繰り返す」ことにあります。この「繰り返し」を適切に導けるように差分を作れるのが、観察・発明9画面の威力なのです。

Googleの観察・発明9画面

⑦Before使い手	①After使い手	⑧予測使い手
Unixなど文字情報でのInternet利用者で思考に慣れている	特定のキーリードで表される分野に知りたいことがある人	キーワード入れただけで、手軽に答えを知りたい人
④Before発明品	②After発明品	⑤予測された発明品
Googleプロトタイプ（プレーンテキスト）	Google検索結果画面（非対称や分割を活用）	Google検索結果改（さらに非対称性や分割を活かした画面）
⑥Before発明要素	③After発明要素	⑨予測発明要素
●Web検索のみ ●プレーンテキスト ●強調無し	●カテゴリ分割（Web/画像/動画） ●大きさや色の異なる文字 ●局所的な強調（太字や画像）	●画面の別枠表示 ●複数カテゴリ（画面）への呈示 ●時間方向の分割や強調

使い手　発明品　発明の要素 → システム軸

Before　After　予測 → 時間軸

では引き続いて、Google での就職活動を控えた A さんになったつもりで「主力商品」に関しても掘り下げていきましょう。「製品レベル」に関して、ユーザーが Google を利用する起点となる画面を考察対象（中段）に置いて 9 画面を考えてみましょう。

ここではまず、第 2 章での「製品 3 画面」ワーク内容を左列に置きました。

その上で、中心には Google の新規商品となっている「YouTube 画面」を置きました。

また、将来のシーズの推測として「Deep Leaning 技術（TensorFlow）」、および特許検索からの推測されるシーズとして「自動運転技術」を記入しておきます。

先ほどの企業 9 画面や発明 9 画面も参照しつつ、ここからこの 9 画面を完成させてみて下さい。

まずは、企業 9 画面での創業者の時と同様に、②④の並びに揃える形で⑤のレベルを揃えます。2 つあるうち、超カーナビ画面の

方を残して、自動運転技術は、⑨推測シーズの方に下ろします。こうして**考えの粒度を揃えられる**ところが 9 画面法の威力の源です。

次に、①②④の情報を用いて、左右対比しながら、⑥新規ニーズを埋めていきます。

何か答えや選択肢を求めていた Google 検索利用者に比べると、YouTube 利用者は「暇つぶし」がニーズとして存在し、その結果「次の動画をわざわざ選ぶのは面倒」というニーズ思い浮かびます。また、頻繁に広告がでているのをみると、やはり広告業界からのニーズは強いままでしょう。

そんな①〜⑥を見渡しながら、⑦新規シーズを書いていきます。

PageRank に対比して、「わざわざ選ぶのは面倒」というニーズから、新しく出てきているシーズが「履歴を用いての推測技術」と言えます。

また、表示アルゴリズムも YouTube 上で次々に工夫されています。

そして、従来の Ad Sense による広告強制挿入に対比して、要素技術として進化を感じるのが「強制広告の入れ方とスキップのされ方」です。少し前まで「どの広告も 5 秒でスキップできる」形だったのが、今は 15 秒必ず見させられたり、2 つ連続で広告が入っ

たりします。

以上で、左 2 列が揃いました。右列に関しては特許を調べることでシーズとしての重要性を推測⑨することができます。今回は、Deep Leaning および自動運転技術に力を入れていることが分かったとして記入してある状態です。

ここで、右上⑧推測ニーズを推測してみましょう。⑦の内容を鑑みて、同じ上段の①⑤の粒度と揃えてニーズを記入すれば、「移動したい」「運転するのは面倒」「広告、自動車業界他」という内容が導かれます。

となると、Google の主力商品の 1 つとして、今後⑨カーナビ画面（自動運転ナビ含む）が想像されるので記入します。ただ、そもそもなるべく「面倒くささ」を減らすにはおそらく「画面を見ること」からも解放された何らかの「画面レスなカーナビ UI」が有望ではないかとさらに推測をブラッシュアップできます。

さらに、この⑧⑨に、⑥に記載した「強制広告とスキップ」技術から推測を伸ばせば「運転者への注意喚起タイミングや技術」という「新しいシーズ技術」も導かれます（⑩）。

以上のように、9 画面法は「9 マスが埋

Googleの商品企画9画面

① 従来／ニーズ ● 答えや選択肢を知りたい ● 選択肢を有利に誘導したい ● 広告業界	**⑥ 新規ニーズ** ● ● ●	**⑧ 推測ニーズ** ● ● ●
② 従来／商品 Google検索画面	**④ 新規／商品** YouTube画面	**⑤ 推測商品** 超カーナビ画面
③ 従来シーズ ● PageRank ● 表示アルゴリズム（YouTube） ● Ad Sense（広告強制挿入）	**⑦ 新規シーズ** ● ● ●	**⑨ 推測シーズ** ● ● ●

ニーズ　商品　シーズ　システム軸

従来　　新規　　推測　→　時間軸

まった状態」はゴールではなく、むしろ埋まってからが、各画面間要素によるブラッシュアップのスタートと言えます。

　さてここで改めてこの商品企画9画面の上下段を隠して、中段のみにしてみましょう。
　Google 検索画面→YouTube 画面→超カーナビ画面（画面なし）

　画面あり→画面あり→画面なし　と非連続な推測が登場しています。中段だけだと一見突飛な意見に見えます。しかし、9画面での上下段を見てからであれば「面倒」「運転」というキーワードを通じて受け入れられる結論になっているのが重要なポイントです。
　この「仮説発想の非連続性」と「伝達容易性」という両立しにくかった2つの要素を両立できているのが9画面法（特にこの商品企画9画面）の威力です。
　就職活動中のAさんだけでなく、普段の商品企画、そして営業にも活用できます。

Googleの商品企画9画面

① 従来／ニーズ	⑥ 新規ニーズ	⑧ 推測ニーズ
● 答えや選択肢を知りたい ● 選択肢を有利に誘導したい ● 広告業界	● 暇つぶし ● 次の動画をわざわざ 　選ぶのは面倒 ● 広告業界	● 移動したい ● 運転するのは面倒 ● 広告、自動車業界他
② 従来／商品	④ 新規／商品	⑤ 推測商品
Google検索画面	YouTube画面	超カーナビ画面
③ 従来シーズ	⑦ 新規シーズ	⑨ 推測シーズ（⑩）
● PageRank ● 表示アルゴリズム（YouTube） ● Ad Sense（広告強制挿入）	● 履歴からの推測 ● 画面構成 ● 強制広告とスキップ	● Deep Learning ● 自動運転技術 ● 運転者への注意喚起タイミング

ニーズ

商品

シーズ

システム軸

従来　　　新規　　　推測

時間軸

再掲となりますが、OS とは「Operation System」の略です。

「上位システム/システム/下位システム」
×「過去→現在→未来」
システム9画面

　さて、ここまで企業9画面や、商品企画9画面で、Google の主力が、Google 検索画面→ YouTube 画面→ Google カーナビと遷移すると予測しました。

　ここまで、ビジネスの全体像よりの9画面をかいてきました。

　ここで、少しチャレンジになりますが、第2章で学んだ「システム視点」で考えれば、どのような視点で見えてくるでしょうか？耳慣れない単語がエンジニアとも話が進みやすくなります。Google に就職を目指す A さんにとって有力なアピールポイントになるでしょう。

　では、また中列に第2章での縦3画面（システム3画面）を設定。

　中段には、これまでの9画面で予想された「Google 検索→ YouTube → Google カーナビ」をシステムの過去→現在→未来として設定します（①〜⑤）。

　この状態をヒントに、残りの⑥〜⑨を埋めてみましょう。

Googleのシステム9画面

⑦ 過去の 上位システム	② 現在の 上位システム	⑧ 未来の 上位システム
・ ・ ・	● クラウド上のシステム ● Android OS ● Chromeブラウザ	・ ・ ・
④ 過去の システム	① 現在の システム	⑤ 未来の システム
最も、読みたいWebページを検索 してくれる検索サイト	YouTube画面（システム）	超カーナビ画面システム
⑥ 過去の 下位システム	③ 現在の 下位システム	⑨ 未来の 下位システム
・ ・ ・	● 視聴履歴システム ● サーバーへのリクエストと 　応答システム ● 結果表示アルゴリズム	・ ・ ・

上位システム　システム　下位システム　システム軸

過去→確定済　　　現在（事中）　　　未来（事後）

時間軸

システム視点で「上位システム＞システム＞下位システム」の9画面で捉えてみると、右のようになります。

では、これまで同様に、⑥〜⑨を作ってみましょう。

まず、④①を見比べながら、③と対比する形で⑥過去の下位システムを埋めます。

視聴履歴システムに対応するのは、キーワード入力を過去の履歴から補完してくれる補完システムで、サーバーへのリクエストと応答システムはWebアプリの定番なので変更なし。結果表示アルゴリズムが必要なのは一旦同じとしました。システムの粒度があまり変わらないので、サブシステムの括る範囲は似たものになります。

次に、⑦過去の上位システムも同様に④①を見ながら②と対比的に埋めていきます。

今はクラウド上ですが、過去は「サーバー上」と言われていました（がクラウドでもよいです）。Android OSにあたるのはWindows OSと入れました（Mac OSでもUNIXでも構いません）。無理に個別のブラウザ名を入れず、Webブラウザという形でシステムを記述しても構いません。

では続いて⑧未来の上位システムから想像してみましょう。①⑤の並びを見ながら、左隣の②と対比しながら書いていきます。（自動運転付きの）超カーナビ画面を支えるより大きなシステムとしては、やはり（Googleの）クラウド上のシステムと、AndroidOS（の後継）に加えて、GPS（Global Positioning System）や、高度道路交通システム（ITS：Intelligent Transport Systems）といったものが思い浮かびます。それらを記入しておきます。

最後に、⑨未来の下位システムを記述していきます。

①〜⑧を参考にしつつ、左隣③の視聴履歴システムから、おそらく「運転履歴システム」がサブシステムとして存在することが予想できます。そして、サーバーとのリクエストと応答についての機能も残るでしょう。

結果表示アルゴリズムにあたるのは、自動運転技術になっていると思われます。

いかがでしょうか？　システム9画面を用いると、Googleによるサービス実装を階層化して表示しやすいことは感じられるでしょうか？　今回は、分かりやすいよう「システム」という名称をなるべく使用しましたが、（ある目的のために）関連しあう要素の

ひとまとまりであれば、システムです。

どちらにせよ、インターネットの登場以降、価値の創出に「互いにデータをやり取りするシステム」との接続は不可欠となりました。Aさんでなくてもこうした「システムと名の付くものとのつきあい」は避けられないものになっていることでしょう。

企画を考えるときにも、自分が想定している「価値を出すためのひとまとまり（＝システム）」の単位。そしてそれが「一段下ではどのようなサブシステム（下位システム）構成されているか？」や、「一段上ではどのようなスーパーシステムの一部になっているか？」といった粒度を想定しておくことは有効です。

9画面法は別名「システムアプローチ」と言われるほどシステム論の考え方に根付いています。

第2章のシステムの説明を読み、システムという「ある価値を出すための関係性のある一まとまり」という感覚をつかむほど、このシステム9画面の使い勝手がよくなります。

Googleのシステム9画面

⑦ 過去の上位システム	② 現在の上位システム	⑧ 未来の上位システム
● サーバー上のシステム ● Windows OS ● Webブラウザ	● クラウド上のシステム ● Android OS ● Chromeブラウザ	● クラウド上のシステム ● Android OS(の後継) ● GPSやITS
④ 過去のシステム	① 現在のシステム	⑤ 未来のシステム
Google検索画面(システム)	YouTube画面(システム)	超カーナビ画面システム
⑥ 過去の下位システム	③ 現在の下位システム	⑨ 未来の下位システム
● キーワード補完システム ● サーバーへのリクエストと 　応答システム ● 結果表示アルゴリズム	● 視聴履歴システム ● サーバーへのリクエストと 　応答システム ● 結果表示アルゴリズム	● 運転履歴蓄積システム ● サーバーへのリクエストと 　応答システム ● 自動運転システム

上位システム　システム　下位システム

システム軸

過去→確定済　　　現在(事中)　　　未来(事後)

時間軸

「事実→抽象化→具体化」× 「Who／What／How」 ビジネス9画面

　ここまで、Googleについて様々な9画面法を通じて学んで来たら、アイデアを出す準備は万端。

　次は、「事実→抽象化→具体化」×「Who／What／How」のビジネス9画面で新しいビジネスを考えてみましょう。

　たとえば、「学ぶ先の検索サイト」というのは今後も需要があり、様々なサービスが立ち上がっています。そのなかで、「不登校児に対しての教育」も1つのジャンルであり、今試行錯誤が様々に試みられている場です。

　ここでは、この「不登校児への教育マッチングサイト」に、9画面で整理したGoogleの内容を一段抽象化した上で、具体化して転用してみましょう。

　なお、できれば9画面をかく前に「自分なりに不登校児への教育マッチングサイト」として想像した内容をどこかに書き留めておくと、9画面法の効果がより理解できます。というのも、実際、私自身が今回の9画面を書いてみて、書き始める前のイメージよりも、よりよいアイデアが生まれたからです。

　Googleの事実をWho／What／Howの形で抽出した内容（第2章）を左列に配置してスタートです。

　まずは中段を書き入れていきます。

　今回、自分が具体化したいのは、「不登校児に対しての教育マッチングの場」ですから、それを中段右（④）に書き入れます。その方向を意識して、Google（検索）を抽象化すれば、中央（⑤）に「情報提供者と需要者のマッチングサービス」という抽象化が行えます。

　まずは、残りのマスについてどんな内容を入れることができるか、考えてみてください。

Googleのビジネス9画面

②Who／事実	⑥Who／抽象化	⑦Who／具体化
● インターネットから 　Webページを検索する人 ● 自商品をアピールしたい人	● ●	● ●
①What／事実	⑤What／抽象化	④What／具体化
Google検索	情報提供者と需要者のマッチング サービス	不登校児に対しての教育マッチング の場
③How／事実	⑧How／抽象化	⑨How／具体化
● 検索画面UI ● PageRank 　（リンク、被リンクからのランク付け） ● Webページクローリング	● ● ●	● ● ●

Who　What　How　システム軸

事実　　　　　　抽象化　　　　　　具体化

時間軸

それでは、⑥〜⑨を埋めてみましょう。

中段を軸にして、まず上段を「抽象化→具体化」していきます。

私は⑥のマスに周囲の②、⑤（と①）を見ながら抽象化して、
- 情報を得たい人（時間を払う人）
- お金を払ってでも提供価値を印象づけたい人

を記入しました。続いて⑦のマスにも周囲の④⑤⑥を眺めながら具体化を行えば
- 教わりたい不登校児を持つ親
- お金を払ってでも教えたい人

が思い浮かびました。後者については、この9画面をかく前には思いついていなかったので私自身、発見でした。

続いてこの上段中段を使って、下段を抽象化→具体化していきます。

①〜⑥を見渡しながら、③の内容を一段抽象化していけば、
- （よくできた）検索画面 UI は、「快適な検索体験（ユーザーエクスペリエンス）の提供」
- PageRank は、「各ページの評価関係をベースにしたアルゴリズム」
- Web ページクローリングは、「広い選択肢を機械的に確保」

となるので、⑧に記入します。

こうしてできあがった⑧を眺めながら①〜⑦の内容を加味して⑨で「How の具体化」を行っていきます。今回私にできあがったアイデアは⑨の内容の通りです。

- 笑顔の検索結果や、Before/After 呈示など
  やはり、単に「マッチングされた候補情報」が出てくるだけでは、ユーザー体験として好ましいものとは言えません。Google の様々な「付属情報の表示デザイン」をうまく取り入れて付随情報を入れていきたい。教え手が教えた子の笑顔や、実際に教え子が変化した内容を呈示するなど。

- 利用者間の評価（師弟）関係をベースとしたアルゴリズム
  しかし、付随情報があっても元の検索結果が今一つでは困ります。そこで、自己申告だけでなく、このサービスへの登録者同士の評価や、師弟関係など、互いの評価関係をマッチングのアルゴリズムに活かすことが理想です。

- 教わりたい／教えられる人のリストが自動で広がる仕組み、評価の流入
  最後に、「広い選択肢を機械的に確保」か

ら、登録者に対して、「評価の入力」を自動的に促す仕掛けや、本人の SNS の情報を登録してもらい、その師弟関係、友人関係の情報を利用させてもらうなど、「いかにしてデータを集めるか」に心を砕くべきかも気づくことができました。

一度、Google の情報をこうして抽象化しておけば、他の需要にもすぐに適用できます。

就職活動中の A さんに限らず、普段の企画会議にも役立ちます。

また、自身が扱う自社の製品について、その価値を抽象化しておけば、顧客の求めている需要に対して具体化してアイデアを出す際に何度も役立ちます。

ぜひこのビジネス企画 9 画面を自分のものにしてください。

以上、Google を用いての 9 画面ワークでした。

Googleのビジネス9画面

②Who／事実	⑥Who／抽象化	⑦Who／具体化
• インターネットから Webページを検索する人 • 自商品をアピールしたい人	• 情報を得たい人（時間を払う） • お金を払ってでも提供価値を印象付けたい。	• 教わりたい不登校児をもつ親 • お金を払ってでも教えたい人
①What／事実	⑤What／抽象化	④What／具体化
Google検索	情報提供者と需要者のマッチングサービス	不登校児に対しての教育マッチングの場
③How／事実	⑧How／抽象化	⑨How／具体化
• 検索画面UI • PageRank（リンク、被リンクからのランク付け） • Webページクローリング	• 最も快適な検索体験（UX） • 提供物同士の評価関係をベースにしたアルゴリズム • 最も広い選択肢を機械的に確保	• 笑顔の検索結果や、Before/After呈示など • 利用者間の評価（師弟）関係をベースとしたアルゴリズム • 教わりたい／教えられる人のリストが自動で広がる仕組み。評価の流入

システム軸 Who What How

事実 抽象化 具体化

時間軸

9画面法での記入順について

限られた紙面での説明構成上、第2章で用いた縦3画面をベースに9画面をかいていますが、以下の順でかくことも多いです。

① 中心マスに記載後、左隣のマスに記載

② その中段2マスを起点に、その上段と下段を、それぞれ対比しながら記載

③ その結果埋まった左列中列6マスを見ながら、右列3マスを記載

どちらにせよ、9画面法にマスを埋めていく順番のルールはありません。自分なりの方法で慣れていっていただければと思います。

なお、最後に繰り返しになりますが、筆者は現在の会社が好きなので、現時点ではGoogleへの転職は考えていませんので誤解なきようお願いします（笑）。研修先としては大いに興味あります。

ノータイム、ノー準備で
コンサルティング

いかがでしたでしょうか？　第2部を読む前に比べて「Googleという巨人の肩に乗る」力が身についてきたでしょうか。

これら9画面法をマスターすれば、世の中の成功例を見つけるたびに、その価値を「他者に贈与できる共通フォーマット」で作成できます。コンサルティングにも最適です。

それこそ、相談相手が「最近、○○社が（成功例として）気になるんだよね」と一言呟いたときに「いいですね！　ちょっと○○について一緒に考えてみます？」とここまでに説明した9画面をかき始めれば、ノータイム、ノー準備でコンサルティングが開始できます。

相手に聞きながらの共同作業になり、相手の知識を可視化できて感謝されます。こちらも相手の知っている範囲が分かりますから、アイデアを伝えるのもスムーズです。

しかも、成果物が9マスに分かれており、「依頼主に固有の情報」なのか「公知の情報から作った情報」なのかが一目瞭然です。前者を削り、後者を最新情報で更新すれば、他者にも役立つ情報になります。

巨人の肩をどんどん借りよう

巨人は、Googleだけではありません。GAFAは現時点での4巨人ですし、現時点でMicroSoftや、NETFLIXなども肩を並べる相手。さらに中国企業のBAT（Baidu、Aribaba、Tensent）もまた次なる巨人候補です。

しかし、どのような巨人であろうと、9画面法を使えば「肩を拝借」できます。

一旦、この第2部までで、1つでも9画面が使えるようになっていれば黒帯。十分です。まずはその9画面を用いて、一流企業やヒット商品など、様々な「大きなアイデア」を描写してください。

そのうちに、「自分が作った大きなアイデア」も描写できるようになります。

そして9画面法で自分のアイデアを描写しているうちに、気づけば「9画面法でアイデアを創出できる」ようになります。

（1）システム軸（上位システム、下位システム）の視点が身につく

（2）自分なりのオリジナル9画面（オリジナルのラベル）を創造できる

（3）誰かに、9画面法のことを教えることができる

ぜひ、この状態を目指して、繰り返し第2部を読んでください。

次の第3部では、9画面法の2軸をより広い意味で捉え、従来の業務とも連携するような形でご紹介していきます。

第3部

9画面を活かした
コミュニケーション

第3部で得られるもの

第2部では、9画面法の基礎的な使い方を説明しました。個々の例を通して、まずは「自分のために活かす9画面法」として使いこなしてください。

ただ、9画面法は、自分で考えるだけでなく、他者との創造的なコミュニケーションにも適しています。他者には「過去の自分」や「未来の自分」も含みます。十分に使いこなせたと思ったら、人にアイデアを伝えたり、自分のアイデアをブラッシュアップしたりすることを意識してみてください。

第3部では、「応用編」として9画面法の高いポテンシャルを感じてもらいつつ、気軽に使ってもらうことをテーマに、次の3章構成で進みます。

第1章は「伝達」がテーマです。ここでは、9画面法を日常的な伝達に活用することを目的に、コミュニケーションの事前メモとしての使い方を紹介します。

「外的要因と内的要因」について学んだ後、報告・連絡・相談のためのメモ。そしてそこから企画を考えるメモへと進みます。

第2章では、アイデアの発想・ブラッシュアップがテーマです。9画面法を課題解決に使えることを示します。

まず、3C分析やSWOT分析といった戦略コンサルティングの現場で共通ツールとして使われている手法が9画面法に包含されていることを示します。

そして、ソニー内外で何度も相談を受けた「シーズとニーズのマッチング」について、9画面法を用いてのアイデア発想法をご紹介します。

第3章では、9画面法のポテンシャルを知ってもらい、気軽に使ってもらうために、私がこれまでに3000枚以上かいてきた9画面のなかから、選りすぐりの9画面をご紹介します。

第3部で各々の9画面につけられたラベルを見て、ゆくゆくは読者のみなさん自身がその場に適したラベルをつけられ、他者に教えられるようになれば、9画面法の「免許皆伝」と言えるでしょう。

第 3 部 で 得 ら れ る も の

第 1 章の獲得物	第 2 章の獲得物	第 3 章の獲得物
9画面法を日常的な伝達に活用する	9画面法を課題解決やアイデアに活用する	9画面法の実例を見て、応用方法のアイデアを得る
第 1 部のテーマ	第 2 章のテーマ	第 3 章のテーマ
コミュニケーションのための9画面法	課題解決と9画面法	9画面アラカルト
第 1 章の講義内容	第 2 部の講義内容	第 3 部の講義内容
● 外部要因と内部要因 ● 報連相9画面 ● 企画9画面 ● 提案9画面	● 3C分析、SWOT分析 ● アンゾフの戦略マトリクス　ニーズ／シーズマッチング、　発明要素	色々な9画面

獲得物　テーマ　講義内容

第 1 章　　　第 2 章　　　第 3 章

第 1 章

コミュニケーションのための9画面法

コミュニケーションの変化

2020年の新型コロナウイルスの感染拡大で大きく変わったこと。それは、**コミュニケーションのとりかた**です。

2019年まで、人は自分が会話しやすい距離をとる自由がありました。そして移動の自由は交通機関の発達で増大の一途。通勤圏が広がりつつ、オフィスに出社しての仕事が日常でした。

オフィスでは、リアルに会って話すことができ、自分の声だけでなく豊かな表情、そして身振り手振りを加えてコミュニケーションがとれました。見えている・聞こえている以上の情報を受け取ることができたのです。

さらにはその場で図解したり、一緒に飲みに行くこともできました。その場では伝えきれなかった内容、わからなかったことをフォローしやすい環境にあったのです。

しかし、新型コロナウイルスの感染拡大により、環境は一変します。ソーシャルディスタンスは、決して会話しやすい距離ではありません。移動の自由は大幅に制限され、通勤は自粛。テレワークが日常風景になりました。

そのようななかでは、**オンラインのコミュニケーション**が主になります。

いままでのリアルなコミュニケーションとは違い、細かな表情が伝わりにくいどころか、声だけで打ちあわせをする場合も少なくありません。

オンライン会議では、誰かのプレゼンを一方的に見ながらの会話が多くなりました。その場での図解は、全員のITリテラシーがよほど高くないかぎり、理解をサポートするツールではなくなりました。

環境の変化により、以前よりも制約の大きいなかで、コミュニケーションを行う必要が出てきたのです。オンラインはリアルよりも伝えられる情報量が少なく、フォローがききにくい。**プレゼン資料のような下準備がないと、情報が十分に伝わらず、結果、会議がまとまらない**、ということが分かってきたのです。

もちろん、コロナ禍以前から、商談や授業の下準備を行うことは大切だといわれていました。しかし、オンラインによるコミュニケーションが主役となった時代、**前もって伝達したい内容をまとめておくことは必須となった**といえます。オンライン飲み会も、「前もってお題を設定し、各人が写真など用意していないと盛り上がらない」ほどです。

では、どのように伝える準備をするか？
それは、第2部で学んだように、過去／現在／未来と、空間軸で「背景と具体例」を自然と意識することです。そしてそのために、9画面が役立ちます。

コミュニケーションの変化

かつての環境	現在の環境	将来の環境
移動の自由 会話しやすい距離 オフィスワーク	移動の自粛 ソーシャルディスタンス テレワーク	今後も、コミュニケーションの帯域は狭い
かつて	**現在（2021年）**	**これから**
リアルでの コミュニケーション	オンライン経由の コミュニケーション	情報伝達には下準備が必要
手段・要素	手段・要素	手段・要素
● 声と表情 ● 身振り／図解 ● 飲みにいく	● 声のみ ● プレゼン主体 ● オンライン飲み	● 内容メモ ● 過去→現在→未来 ● 背景と具体例

上位システム（環境・前提・背景）
システム（主題）
下位システム（具体的要素）
システム軸

過去　　　現在　　　未来
時間軸

211

コントロールできること、できないこと
外的要因と内的要因

第 3部の話を進める際に重要なキーワードが、「**外的要因**」と「**内的要因**」です。

この内容を理解するためにも、ひとつワークを行ってみてください。

WORK　遅刻の理由と対策を書き出してみよう

会社の始業時間、学校の授業、友だちとのリアルな場での待ちあわせに遅刻したところを想像してみてください。

❶遅刻してしまう理由を、下記に3つ以上書き出してみてください。

❷それぞれの遅刻理由にあわせて、どう対処すべきか、書き出してみてください。

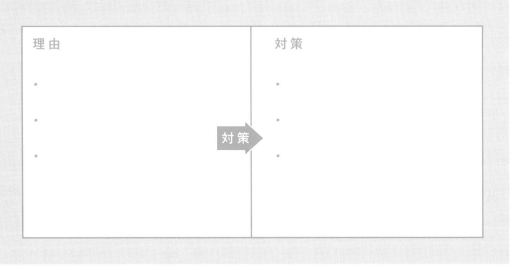

早速のワーク、ありがとうございました。

これまで、この内容で何度も研修や講義をしてきましたが、遅刻をした場合の原因は大きく2つに分かれます。**他責の割合が大きいもの**と、**自責の割合が大きいもの**です。

他責の割合が大きい理由というのは、「電車やバスが遅れた」といったような、**予定通りに出発したものの、待ち合わせ場所までの経路で用いた交通機関で普段と異なる事象が発生した**ものです。

逆に、自責の割合が大きい理由は、「寝坊した」などです。**自分の不摂生などにより、出発時刻自体が遅れた**ものを指します。

ここで行う「分析的アプローチ」では、問題をいくつかの課題に分解し、課題解決をしていきます。

そこで大切になるのが「**外的要因と内的要因に分けて考える**」という視点です。

これがなぜ大切か、それは**この両者で課題解決のアプローチが大きく異なる**からです。

外的要因とは、自分の外部、つまり主に他者による要因であり、**自分でコントロールできる範囲は非常に限定的**になります。そのため、課題解決のアプローチは、望ましくない現象が起こる確率の「予測」。そして影響量を見積もってバッファをとるといった**「受け身」的な対応**が基本となります。

たとえば、電車の遅延という外部要因に関しては、それを改善しようとしても、電車の運行には車両や駅、乗務員に乗客といった非常に大きなシステムが上位に存在し、自身はそのごく一部でしかありません。

自身ができることといえば、遅延を見越して早めに出る、遅延が起きることを前提として、打ちあわせの開始時間に余裕を持っておく、など「バッファをとる」という受け身の解決策が基本となります。

これは、エレベーターの故障といった小さなシステムが対象だとしても、「制御に対しての自身の関与は限定的」であれば、受け身の対応になります。

一方、内的要因は、自身の内部で完結する要因であり、**課題解決において能動的にコントロールできる余地が大きくなります**。
- 寝坊した　→目覚まし時計を強化する
- 乗り換えミス　→事前の下調べをしておく
- 時計があってなかった　→時計をあわせる

といったように、それぞれの課題に応じて、様々な解決策を立てることができます。

内的要因と外的要因を分けることは、課題解決の第一歩として大事な考えかたなのです。

遅刻の原因と対策

要因		対策
● 電車が大幅に遅れた ● エレベーターが故障していた ● 前の打ちあわせが延びた	外的要因	**自分で制御できるのは限定的** 遅延を見越して早めに出る（バッファをとる）
● 寝坊した ● 乗り換えミスをした ● 時計があっていなかった！	内的要因	**自分で制御できる範囲が多い** さまざまな改善策

報連相9画面

この章では、9画面法の「伝える」という部分に着目します。特に、「伝達内容の構造化」に着目してお伝えします。

社会人の基本である「報・連・相」を題材に、「過去→現在→未来」と「Why／How」の観点を組みあわせた「状況予測の9画面」をご紹介しましょう。

この「報告」「連絡」「相談」の3つ、時間があるときに落ち着いて考えれば簡単かもしれません。

しかし、仕事や学業が忙しいなかで、パッと区別をして、その内容を相手に正しく伝えるということは、案外難しいものです。

そこで、状況予測の9画面の出番です。

ここでは、報連相それぞれで意識すべきことを整理し、この整理した内容をもとに、メールの文面を作るプロセスを体験していただきます。

この9画面によって、自身の報連相のレベルがぐっと引きあがることが体感できることでしょう。

そもそも「報告」「連絡」「相談」は何が違うのか？ 報連相 3通りのメール

まずはじめに、「報告」「連絡」「相談」の違いをしっかりと押さえておきましょう。

最初に、「報告」と「連絡」の違いについて、整理してみましょう。

ウェブで調べてみても、この2つの線引きはかなり曖昧です。ですが、多くに共通していることがあります。

それは、**報告**が完了報告や経過の報告など「**過去を共有する**」コミュニケーションを指すことです。既に過去に起こったことですか

ら、説明する際に変更はできません。「報告は完了形」などと書かれています。

一方**連絡**は、基本的に「**現在を共有する**」コミュニケーションとなります。

たとえば「通勤時に乗った電車が人身事故に巻き込まれたため、遅刻することが確定した」ということを、その時点（現在）で伝えるのは「連絡」です。しかし、そのことを翌日に伝えるのは、過去のことなので「報告」となります。

報告と連絡の大きな違いは、**なぜ報告や連絡するか（Why）** を考え、受け取った相手まで発想をひろげると見えてきます。つまり、**「受信した相手に、何かの行動を期待（要請）するか否か？」** がポイントになります。

電車遅延になった際に、その場で連絡する

必要がある場合。それは、連絡を受けた人は、その日のミーティングをリスケジュールする必要があるなど、行動すべきことがある場合です。

一方、翌日報告してもよい状況は、遅延による影響は本人が対応済みで、報告を受ける人が特に行動する必要のない場合です。

最近はプライバシー保護の関係で少なくなりましたが、かつて学校の連絡には、「連絡網」というものがありました。同じクラスの名前と電話番号がトーナメント表のように並んでいて、学校で何かがあった場合に速やかに情報を伝えるための仕組みです。

そして、連絡網で何か連絡された人は、「次の人に受け取った情報を連絡する」という行動を起こす必要があります。一方、これがもし「報告網」という名前だったとしたら、報告を受けて終わり、というイメージになりませんか？

「事務連絡」だったら、受け取ったら何かをしないといけないイメージ。一方、「事務報告」だったら、「何か事務方が行ったことの完了報告だろう」と感じると思います。

逆に、「完了報告」ならその報告を受け取っただけ。「完了連絡」の方は、「その完了の情報をもって自分が何か行動を起こす必要

がある」と感じませんか？

最後に、報連相のうち、残った「相談」。

これは残り2つに比べると、おもに**未来についてを扱う**コミュニケーションです。なので、現時点で見えている悪影響について、**対処を相談する**のが基本です。

逆に言えば、未来を変える予定がない相談（＝いわゆる愚痴）はビジネスの世界ではご法度といえるでしょう。

ビジネスメールは3種類の目的がある

歴史（周知・事実）	現状（新規・変化）	未来（推測・提案）	
受け手の立場 なるべく短時間で確認したい	**受け手の立場** 受け手の立場 なるべく短時間で自身の現状を照らしあわせ、正しく行動したい	**受け手の立場** なるべく短時間で「正しい」判断や応答をしたい	上位システム（Why・背景・受信側）
報告メールの目的 済んだ内容について把握しておいてほしい	**連絡メールの目的** 受け手の現状と照らしあわせ、必要な行動をとってほしい	**相談メールの目的** 相談することで、未来に起きる事象をよりよくしたい	システム（What・提供価値・動詞）
具体的要素 ●簡潔で明瞭な構成	**具体的要素** ●判断のために「前提、背景を含む」事実を提示する ●行動の具体的方法を提示する 参加費用5万円／名	**具体的手段** ●判断や考察のために「前提、背景を含む」事実を提示する ●事実（Before/After）と推測（＋提案）をわけて提示する ●具体的手段にも言及する 請求書を経理へ	下位システム（How・要素・根拠・動作）

※上位システムは、ビジネスにおいては「暗黙の了解」となる（報連相を短時間で行う方法については、『ロジカル・シンキング練習帳―論理的な考え方と書き方の基本を学ぶ51問』（照屋華子・著／東洋経済新報社）がオススメです）

状況設定

立場：Z 社勤務。4 月 1 日に行われるイベント担当の担当者。

状況 1：

- イベント参加者 80 名。
- テキストは外部講師に執筆依頼し、印刷 100 部は業者に発注。当初は納期 7 日で 5 万円の A 社に発注予定だったが、執筆者の遅れで納期 4 日 10 万円の B 社に発注変更。
- Z 社の会計年度は 3 月 31 日〆。請求書は経理に PDF で送る。

場面 1：上司**報告**とスタッフ**連絡**を行う。

- **3 月 31 日**にテキスト到着。**テキストが届いた**ことを上司に**報告**する
- あわせて、このテキストを**翌日のイベント**に使えるようテーブルにセット（18 時より、会場の 3 人掛けテーブルの両端に）する作業をスタッフに**連絡**する。

状況 2：（状況 1 に加えて）

- 3 月 17 日時点では、執筆者から受け取ってチェックを 3 月 21 日に終了し印刷を A 社に発注。
- 納期 7 日で 3 月 28 日納品予定。しかし、執筆者からの原稿に修正箇所が多く、手戻り発生。3 月 24 日時点でも印刷発注できず。
- 請求書は納品日の 3 月 31 日に到着

場面 2：上司へ対応を**相談**。

- 3 月 24 日に前工程で手戻り発生。上司に対応を**相談**。
- テキスト印刷を A 社（納期 7 日 5 万円）から、B 社（納期 4 日 10 万円）への変更について**相談**。
- イベント終了後、4 月 3 日の定例会で報告。

本節で「報告」「連絡」「相談」を行っていく際の状況を設定しておきます。Ｚ社勤務、4月1日のイベント担当者になったつもりで考えてみてください。

上記の設定は、報連相の順を優先し、わざと時系列を乱したり、背景を後出ししたり、細かい要素を入れたりして状況を説明しています。とても分かりにくい文章だったと思います。

これを「時系列」に沿って、背景と具体的要素の粒度を意識して整理してみましょう。

手元で9画面をかいて整理してみてください。

そして、実際に整理したものが、以下の文章と次ページの9画面になります。

整理した状況設定

3月17日時点では、スケジュール通り前工程は3月21日終了予定で進行中。そのため、時間がかかるが安いＡ社に発注予定でした。

しかし、3月24日になり、前工程で外部執筆者とのやりとりに手戻りが発生し遅延。3月26日終了見込みになり、印刷が間にあわないことが判明しました。そこで、上司に印刷会社を変更して対応することを**相談**します。

その後、3月31日に何とかテキストが届き、上司に間にあった旨を**報告**するとともに、スタッフに**連絡**する、ということが行われました。

これを、「報告」「連絡」「相談」の順に練習していきます。

いかがでしょうか？ **9画面で状況を整理することで、全体が整理できて見通しがよくなる**ことが実感できたのではないでしょうか。

これから、報連相それぞれについて、上記の設定のなかで、伝える相手が違う状況を考え、

● 9画面（または3画面）を用いながら内容を整理し
● 何を伝えるかを考えながらメールの文面に書き起こして
みましょう。

報連相9画面の練習が終わるころには、9画面の考え方が身につき、伝達のレベルが格段にアップしていることでしょう。

報連相の状況設定

背景	背景	背景
前工程が3月21日終了予定	前工程が遅延し、3月26日終了見込みに。印刷が間にあわない	4月1日にイベント イベント日程変更困難 人員手配済み
3月17日時点	**3月24日時点**	**3月31日時点**
スケジュール通り進行 （特に対応なし）	当初の印刷会社から別の印刷会社に変更することを「相談」	テキストが到着 上司に「報告」 スタッフに作業「連絡」
具体的要素	具体的要素	具体的手段
●A社に発注予定 ●100部、印刷に7日 　印刷納品3月28日 ●5万円	●3月26日発注→4月2日到着 ●印刷会社をA社→B社へ ●イベント参加者80名 　参加費用5万円／名	●上司は「間にあった」 ●会場にテキストを80人分 　セッティング ●印刷代金5万円→10万円 　請求書を経理へ

上位システム（Why・背景・受信側）

システム（What・提供価値・動詞）

下位システム（How・要素・根拠・動作）

システム軸

時点①（3月17日）	時点②（3月24日）	時点③（3月31日）

時間軸

報告メール

● 身近な人へは簡潔第一！　3画面で Why を忘れずに

第2部第2章で練習した通り、何かを伝える際には「Why と How を意識して添える」とぐっと伝わりやすくなります。

報告メールに関しても、報告するべき内容（What）に対し、**「なぜ（Why）この報告をするのか？」を添えること**が大事です。自分にとっては（当事者ですから）頭に入っていて当然な情報でも、受け取る相手もそうだとは限りません。

また報告において、What と How を意識し、報告の粒度を調整することも大事です。右のような3画面を事前にかくことで、**つい細かいことから報告を始めてしまう、ということを未然に防止**できます。

たとえば、直属の上司に、「4月1日のイベントで使うテキスト100部が、3月31日に印刷会社からの（10万円の）請求書とともに届いたことを報告する」ということを想定してみましょう。主題などを整理し、右の3画面にかきこんでみてください。

つい、「印刷会社からテキストが100部届きました。請求金額は10万円です」と報告したくなる場面です。

しかし、それで本当に十分でしょうか？

これでは、連絡を受け取った相手に「なぜ、テキストが100部届くことが必要なのか？」ということが共有されてない可能性があります。

そこで「なぜ、それを報告するのか？」を考えてみます。そうすることで、「そのテキストを使うイベントが4月1日にある」という**情報を付け加えたほうがよいこと**が見えてきます。

そして、100部や、その請求金額が10万円だったということは細かい要素であり、まずは「4月1日に間にあうタイミングでテキストが届いた」ことが報告として重要なWhatだということがわかります。

また、今回、印刷料金が10万円であることに関して、相手がとくに**行動する必要がない場合には報告からは省いて**しまいます。

まとめると、近しい人への最終的なメールは、以下で十分ということになります。

文面例：
4月1日に使用するテキスト100部が、本日（3月31日）届きました。これより会場セッティングと経理処理を行います。

報告の背景（Why）
報告メールの主題
具体的要素（How）

報告の背景（Why） そのテキストを使うイベントが4月1日にある
報告メールの主題 イベントに間にあうタイミングでテキストが届いた
具体的要素（How） ●会場セッティング ●経理処理（10万円）

● 遠い相手への報告は、報告に「過去」と「未来」を入れる

報告する内容について、直属の上司など、普段から密にやり取りしている相手であれば、**現状の報告のみで簡潔であるほどよいです。**

一方、受け手を想定した際、報告の間隔が空いているのであれば、**報告に「過去」と「未来」を入れておく方がコミュニケーション**として親切です。

今回、事前に説明した設定もふまえると、何をどのように説明するよいでしょうか?

このときには、縦3画面ではなく、過去と未来を前後に3画面ずつつけた9画面をかくと整理しやすくなります。

まずは、過去の状況（左列）を整理します。
以前はスケジュール通りに進行していましたが、前工程の遅延により印刷会社をA社からB社へと変更したのでしたね。
具体的内容は、依頼先の変更や部数、金額などがあるので、下段に整理しておきます。ただし、少し関係性の離れた相手への報告の際は外してよい内容となります。
そのうえで、今回伝える主題は、先ほどの身近な相手への内容と変わりません。同様の内容を記入します。

そして未来についてもあわせて考えます。イベント終了後に総括をし、次回の定例にて報告する必要がありそうです。

これで9画面が埋まります。さらにこれをメール文面にまとめてみましょう。WhatとWhyに注目して整理してください。

例：
〇〇様

4月1日のイベント準備について報告いたします。
テキスト印刷について、前工程の遅延をカバーすべく、予定していた印刷会社をA社からB社へと変更しました。
そのB社からのテキストが、本日月31日に届きました。これより会場セッティングと経理処理を行います。また、イベント終了後に報告いたします。

報告内容の整理

報告前の背景 （前回行動の理由）	報告の背景 （行動してもらう必要性） イベントは4月1日	報告後の背景 （締切の理由）	上位システム（Why・背景・受信側）
以前の状態 （対比、お礼）	報告メールの主題 変更した印刷会社からテキストが届いたら、受け取って会場にセット＆至急請求書処理	次回予告	システム（What・提供価値・動詞）
具体的要素	具体的要素 ●B社より3月31日10時に到着 ●100部を18時より会場の3人掛けテーブルの両端の2席のみにセット ●請求書は経理にPDF送信	具体的手段	下位システム（How・要素・根拠・動作）
過去（既知・事実）	現在（新規・変化）	未来（推測・提案）	

報告内容の整理

報告前の背景 （前回行動の理由）	報告の背景 （行動してもらう必要性）	報告後の背景 （締切の理由）	
前工程の遅延から 想定した印刷会社だと間にあわな いことが判明	イベントは4月1日	4月1日にイベント 次の定例は4月3日	上位システム（Why・背景・受信側）
以前の状態 （対比、お礼）	報告メールの主題	次回予告	システム（What・提供価値・動詞）
スケジュール通り進行 （特に対応なし）	変更した印刷会社からテキストが 届いたら、受け取って会場に セット＆至急請求書処理	イベント終了後に今回の総括	
具体的要素 ●A社→B社 ●100部 ●5万円	具体的要素 ●B社より3月31日10時に到着 ●100部を18時より会場の 　3人掛けテーブルの両端の 　2席のみにセット ●請求書は経理にPDF送信	具体的手段 ●上司は「間にあった」 ●会場にテキストを80人分 　セッティング ●印刷代金5万円→10万円 　請求書を経理へ	下位システム（How・要素・根拠・動作）

システム軸

過去（既知・事実）　　　現在（新規・変化）　　　未来（推測・提案）

時間軸

221

連絡メール

● 担当スタッフへの連絡には、「理由」と「行動の詳細」を入れておこう！

　報告と異なり、受信した相手に**何らかの行動をお願い**する可能性がある場合は、**「連絡」**となります。

　今回は、3月31日、イベントが明日に迫ったタイミングで、関係スタッフに、テキストを受け取って会場にセッティングしたり、請求書処理をお願いしたりすることを連絡する場合を想定してみましょう。

　相手に行動をお願いする際には、Why ／ What ／ How を意識することが大切です。Why と How を意識することで、連絡内容の構造を見通しよくできます。

Why　行動する理由や背景
What　状況の共有と行動のお願い
How　行動する方法の具体性

　そこで、Why ／ What ／ How の縦3画面を利用して整理してみます。

　内容については、報告の場合とほぼ同じ。ただ、**Why と How の具体的要素について、より詳しく書いていく**ことになります。

　まずは、具体的な内容に入るまえに、連絡メールの目的について、縦3画面で考えてみます。

　連絡メールの目的はずばり、「受け手の現状と照らしあわせ、必要な行動をとってもらう」ことです。

　相手は、なるべく短時間で自分の現状を照らしあわせ、正しく行動したいはずなので（受け手の立場）、判断に必要な前提・背景を含む事実を提示することや、行動の具体的方法を提示することが大切です。

　それをふまえたうえで、報告メールの主題を考えてみましょう。

　要件は2つで、会場のセッティングと請求書の集約です。

　そしてその背景には、イベントの開催日や年度会計の時期が迫っていることがあります。

　2つのことを行うための具体的な方法としては、テキストの受け取りと配布、請求書については PDF での送付となります。

　以上をまとめると右の3画面となり、文面は次のようになります。

例：
スタッフ各位
明日4月1日のイベントで用いるテキスト

が印刷会社から届きました。
18時になったら会場の3人掛けテーブルの両端の2席のみにテキストをセッティングしてください。
また、会計年度期限につき、請求書を至急経理担当者に届けてください。

連絡の背景 （行動してもらう必要性）	受け手の立場
イベントが4月1日にある 会計年度が3月31日締め	なるべく短時間で自身の現状を照らしあわせ、正しく行動したい
報告メールの主題	**連絡メールの目的**
印刷会社からテキストが届いたら、受け取って会場にセット＆至急請求書処理	受け手の現状と照らしあわせ、必要な行動をとってほしい
具体的要素 （How）	**具体的手段**
● B社より3月31日10時に到着 ● 100部を18時より会場の3人掛けテーブルの両端の2席のみにセット ● 請求書は経理にPDF送信	● 判断のために「前提、背景を含む」事実を提示する ● 行動の具体的方法を提示する

連絡メールに関しても、相手との関係性に応じて「過去」と「未来」について整理しておき、必要に応じてメール内に記載します。

次は、経理担当者への（業務内容で少し距離のある人）連絡を考えてみましょう。

たとえば今回は、3月31日に、経理担当者に対して、請求書処理をお願いすることを想定します。

決算前のギリギリのタイミングので、必要なことは連絡しておいた方がよいでしょう。

特に、通常なら3月は早めに経費申請をお願いされるにもかかわらず、3月31日の連絡になったことの説明は必要でしょう。

このような場合にも、9画面で整理すれば大丈夫です。順番に考えてみましょう。

基本的な内容は、報告や連絡の際の9画面と変わりません。

ただし、相手が経理の方になるので、請求書の処理についてのHowが変わります。

ここについては、期日が迫っているので、まずは請求書をPDFで経理に先に送り、後ほど原本を郵送することになるでしょう。遅れた理由としては、印刷所の変更による請求書の到着のずれこみとなります。

上記の内容について、先ほどの9画面の一部を変えることで、次のページのように整理ができます。過去と未来の情報を意識して、連絡メールを書いてみましょう。

例：

経理担当者様
いつもお世話になっております。

今回、工程上の遅延をカバーすべく、予定していた印刷会社A社から請求書に記載のB社に変更したものの、納品と請求書の到着が3月31日となりました。

つきましては、急ぎ、PDFにスキャンしてメールにて請求書を送らせていただきますので、処理のほど、よろしくお願いいたします。原本については、後ほど郵送させていただきます。

連絡内容の整理

	過去（既知・事実）	現状（新規・変化）	未来（推測・提案）	
上位システム（Why・背景・受信側）	連絡前の背景 （前回行動の理由）	連絡の背景 （行動してもらう必要性） イベントは4月1日	連絡後の背景 （締切の理由）	
システム（What・提供価値・動詞）	以前の状態 （対比、お礼）	連絡メールの主題 変更した印刷会社からテキストが届いたら、受け取って会場にセット＆至急請求書処理	次回予告	
下位システム（How・要素・根拠・動作）	具体的要素	具体的要素 ●B社より3月31日10時に到着 ●100部を18時より会場の3人掛けテーブルの両端の2席のみにセット ●請求書は経理にPDF送信	具体的手段	

連絡内容の整理

連絡前の背景 （前回行動の理由）	連絡の背景 （行動してもらう必要性）	連絡後の背景 （締切の理由）
前工程の遅延から 想定した印刷会社だと間にあわな いことが判明	イベントは4月1日	4月1日にイベント 次の定例は4月3日
以前の連絡 （対比、お礼）	**連絡メールの主題**	**次回予告**
前工程遅延から、印刷会社を変更	変更した印刷会社からテキストが 届いたら、受け取って会場に セット＆至急請求書処理	イベント終了後に今回の総括
具体的要素 ● A社→B社 ● 100部 ● 料金　5万円→10万円	**具体的要素** ● B社より3月31日10時に到着 ● 100部を18時より会場の 　3人掛けテーブルの両端の 　2席のみセット ● 請求書は経理にPDF送信	**具体的手段** ● 後ほど原本は郵送

上位システム（Why・背景・受信側）
システム（What・提供価値・動詞）
下位システム（How・要素・根拠・動作）

システム軸

過去（既知・事実）　　現在（新規・変化）　　未来（推測・提案）

時間軸

報連相でも「外的要因」と「内的要因」の区別は大事

212ページで説明した通り、状況に変化が起きたときの対処は、「外的要因」と「内的要因」で異なります。そのため、報告・連絡・相談においても、**外的要因と内的要因を意識してメモを組み立てておくことが肝要**となります。

起きた事象の原因が外的要因に近いのか、内的要因に近いのかについては、その時々の状況によるので、**状況によって判断すること**になります。

たとえば、ここまでにあげた例でいえば、「会計年度が3月31日〆」というのは、上場している株式会社であれば、社員だけでなく株主および株式売買にかかわる人など**外部の人が多く関係**します。相当のことがない限り、動かせない**外的要因**になります。

一方で、「印刷会社をA社に頼んでいる」といったように、印刷をどの会社に頼むのか?というのは**大抵自分たちのみで動かせる内的要因**でしょう。もちろん、グループ会社であるとか、例年頼んでいて原稿が先方に預けてあるなど、かかわりの度合いによっては、

動かせない外的要因の場合もあります。

「イベントの日付が4月1日」というのは、参加者を募集するまでは内部での調整次第で延期も可能な場合は内的要因ですが、徐々に関係部署が増えたり、参加者が多くなったりして、変更がほぼ不可能であれば、外的要因となります。

参加者が未定でも、入社式のように、もっと広い「社会通念」で日付が4月1日と定まる外的要因の場合もあるでしょう。

しかし、**外的要因というのも相対的なもの**。2020年のように、新型コロナウイルスの感染拡大というさらに**広い範囲が絡む外的要因があった場合には変更できる**こともあります。

このように、そのレベル感は相対的なものではありますが、状況が、
● 対処可能な「内的要因」なのか?
● 対処が難しい「外的要因」なのか?
ということは、問題が起きたときのためにも、常に把握しておきたいポイントとなるのです。

ですから、報告や相談の際、その相手(先生や上司)の立場になって考えればわかるように、**外的要因/内的要因を意識した内容を伝えることが、相手を思いやった伝達となり**

ます。

実は、ここまでの「報告」や「連絡」でも、Whyを考えるときに、自然と外的要因を抽出してきました。次の相談メールでは、よりこの外的要因/内的要因を意識して、内容の整理とメール文面の作成を進めてみましょう!

相談メール：相談では、「過去→現在→未来」のすべてが大事！

報告や連絡では、過去や未来の列を付加的に使っていましたが、相談をする際には、9画面をフルに使いこなしましょう。

ビジネスにおいて、報告や連絡では済まず、誰かに相談しなければならない状況とは、すなわち「何らかの問題が生じたとき」です。

過去→現在→未来の時間軸で言えば、相談は、**相談不要だった過去**に、**何かしら問題が生じた現在**があり、相談することによって**未来の問題を減じる**ことを目的に行われます。

なお、ビジネス上の相談の場合、未来に対して全くの無策で相談に臨むのは新人ならばともかく、担当者として失格です。

そこで相談する際には、9つの画面で状況をまとめておくと便利です。

- 過去についての事実
- 現在起きている状況
- 未来についての提案

これらについて、先ほど練習した、外的要因／内的要因を意識しながら、相談メールを書くため、9画面を利用してのメモを行っていきます。

● 相談メール9画面（1）：まずは、現在の変化点を3画面でメモする

ここからは、相談メールを書くための9画面を、実際に埋めていきましょう。

まずは、何かしら**問題が生じた現在**について、**中心の列**に書き入れていきます。

今回の場合であれば、**相談の発端は「外部**執筆者の原稿に手戻りが発生した結果、前工程の終了見込みが3月26日」になってしまったことです。

前工程が遅れてしまったのは、外部の執筆者からの手戻り。これは**制御できない外的要因**として、**中列上段**に書いておきます。

またその結果、相談しなければならない**問題点の要点**は、「当初の印刷会社ではイベン

過去の背景（前提）	背景（変化点） 外部執筆者の原稿に 手戻り発生 前工程3月26日終了見込み	提案の背景、波及先	上位システム（Why・背景・受信側）
以前の連絡 （対比、お礼）	相談の主題（課題） 当初の印刷会社ではイベント日に印刷が間にあわない	相談における 提案・仮説	システム（What・提供価値・動詞）
具体的要素	具体的要素 ●3月26日発注→4月2日到着 ●イベント参加者80名 ●参加費用 5万円／名	具体的手段	下位システム（How・要素・根拠・動作）
過去（周知・事実）	現在（新規・変化）	未来（推測・提案）	

ト日に印刷が間にあわない」ことです。これを**中列中段**に書き入れておきます。

そして、具体的にどう間にあわないのか、細かい具体的要素は**中列下段**に。

今回でいえば、3月26日発注だと4月2日納品予定だということ。そして、その影響の大きさを表す具体的な数字として、「イベント参加者80名」「参加費用5万円／名」という具体的内容を書いておきます。

● 相談メール9画面（2）：相談不要だった「過去」の状況をまとめる

続いて、相談の場合には「もともとはどうであったのか？」という、相談不要だった**過去**について併記しておきましょう。**過去を司る左列**を埋めていきます。

この過去の状況をあわせて書いておくことで、問題点がクリアになり、判断しやすくなります。解決策が浮かびやすくなるという効果もあります。

たとえば、今回であれば、前工程が3月26日終了となることがどれくらいのインパクトがある遅れなのかは、それだけでは分かりません。

そこで**左列上段に従前の状況を記入**すると、当初は前工程は3月21日に終了予定。つま

り、差し引き5日の遅れであり、個々の工程の短縮ではなく、抜本的に何かを変えないといけないことが分かります。

一方、**左列中段には対比の項目**として、以前相談（または報告）した状態を書いておきます。今回なら「今まではスケジュール通りに進んでいた」となります。

そして、よい解決策にたどり着くためにも、

左列下段に、過去時点での具体的要素について列挙しておくことが大事です。

今回であれば、「印刷会社A社に発注」「100部、印刷に7日」「印刷納品3月28日」「料金は5万円」といったことを書いておきます。

過去（周知・事実）	現在（新規・変化）	未来（推測・提案）	
過去の背景（前提） 4月1日のイベントに向け前工程は3月21日終了	背景（変化点） 外部執筆者の原稿に手戻り発生 前工程3月26日終了見込み	提案の背景、波及先	上位システム（Why・背景・受信側）
以前の連絡（対比、お礼） スケジュール通りに進んでいた	相談の主題（課題） 当初の印刷会社ではイベント日に印刷が間にあわない	相談における提案・仮説	システム（What・提供価値・動詞）
具体的要素 ●A社→B社 ●100部、印刷に7日 ●印刷納品3月28日 ●5万円	具体的要素 ●3月26日発注→4月2日到着 ●イベント参加者80名 ●参加費用 5万円／名	具体的手段	下位システム（How・要素・根拠・動作）

● 相談メール９画面（３）相談する
「未来への提案」を右列にまとめる

　過去・現在の２列が揃ったら、最後に**未来**についての提案を右列に書いていきます。

　まず、**右列上段**に、提案をするにあたって、**背景となる状況**、特に対策を打つことの難しい外的要因について書き込んでおきます。

　今回であれば、「既にイベント日程を後ろにずらすことが困難であること」「他の人員は手配済みであること」などが挙げられます。

　こうしておくことで、自身の提案を考える際の制約条件を意識できます。この制約条件から考えて、とることができそうな**具体的な対策を右列下段に列挙**していきます。

　たとえば、今回とりうる手段と、それに関する具体的な数字は「印刷会社Ａ社→Ｂ社に変更」「100部、印刷に４日」「印刷納品３月31日」「料金は10万円」のようになります。

　以上のように制約条件（上段）と、具体的対策候補（下段）が決まり、過去（左列）と現在（中列）の状況がそろえば、「テキストが遅れるのにあわせて日程変更するよりも、テキストを多少のコスト高となる

何らかの手段をとってでも早めるのが現実的」という判断をしやすくなります。

　その自分の**判断・提案を右列中段**に書いておきます。

　なお、こうして改めて９つの画面が埋まり、俯瞰したことで、それぞれの画面に書き入れた内容をよりブラッシュアップできそうであれば、どんどんしていきましょう。

その結果として、よりよい提案ができることが少なくありません。

● 相談メール９画面（４）：相談メールを書いてみる

　こうして、９つの画面をすべて埋めたことによって、相談メールを書く準備が整いました。

　９画面を見ながら、文章に起こしてみましょう。

過去の背景（前提）	背景（変化点）	提案の背景、波及先	上位システム（Why・背景・受信側）
4月1日のイベントに向け前工程は3月21日終了	外部執筆者の原稿に手戻り発生 前工程3月26日終了見込み	イベント日程変更困難 人員手配済み	
以前の連絡（対比、お礼） スケジュール通りに進んでいた	相談の主題（課題） 当初の印刷会社ではイベント日に印刷が間にあわない	相談における提案・仮説 印刷会社を変更し印刷期間を縮めてスケジュールを守る	システム（What・提供価値・動詞）
具体的要素 •A社 •100部、印刷に7日印刷納品3月28日 •5万円	具体的要素 •3月26日発注→4月2日到着 •イベント参加者80名 •参加費用 5万円／名	具体的手段 •A社→B社に変更 •100部 印刷に4日 　印刷納品3月30日 •印刷代金5万→10万円	下位システム（How・要素・根拠・動作）
過去（既知・事実）	現在（新規・変化）	未来（推測・提案）	

228　第３部　９画面を活かしたコミュニケーション

まず、要点を冒頭に書いておきます。このとき、9画面の上段中段を中心にみることによって、些末なことにとらわれずに要点を拾うことができます。

今回であれば、

4月1日のイベントに向けて、前工程の遅延をフォローすべく、印刷会社の変更を相談したく、メールさせていただきます。

とすれば、受信者も相談メールであるという心構えができます。

続いて、詳細の説明に移りましょう。

詳細を書くにあたって9つの画面を埋めた順番はマチマチでした。しかし、この内容を他の人に伝える場合には、基本的に左列から時系列に沿って、そして各列では上段から並べていきます。

まず、左列の内容を上段から書き下していきます。具体的要素のうち、5万円については、対比的に後半で触れたほうがよいので一旦省略します。

4月1日のイベントに向けてのテキストについて、執筆が3月21日に終了予定。そこからA社に印刷に出し、3月28日に納品予定でした。

変化点（課題）を述べます。これも上段→中段→下段を基本に。

しかし、外部執筆者の原稿に手戻りが発生、3月26日に終了見込みです。
その結果、当初の印刷会社A社ではイベント当日に印刷が間にあいません（4月2日納品見込み）。現時点でのイベント参加者は80名。参加費用は1人当たり5万円です。

最後にその課題に対しての提案を。右列に書いた内容をもとに文章に起こしていきます。

参加者の数や人員手配済みのことを鑑みると、イベント日程の延期は多くのコスト発生が見込まれ困難です。今回、印刷会社をB社に変更すれば、料金は5万円に上がりますが、印刷納品が3月30日となり、間にあいます。B社に変更してよいか、相談させていただけますでしょうか？

以上のように、「相談の背景」と「具体的要素」が並んでいれば、受信先の相手も、「テキストが遅れるのにあわせて日程変更するよりも、テキストを多少のコスト高となる何らかの手段をとってでも早めた方がよいか否か？」について判断とフィードバックがし

やすくなります。

これが、9画面法を使った、報連相の整理のしかたです。

多くの情報がある状況でも、時間軸とシステム（自分がコントロールできる環境）に沿って整理することで、相手に分かりやすく伝えることができるのです。

相談9画面

過去の背景（前提）	背景（変化点）	提案の背景、波及先
4月1日のイベントに向け前工程は3月21日終了	外部執筆者の原稿に手戻り発生前工程3月26日終了見込み	イベント日程変更困難人員手配済み
以前の連絡（対比、お礼）	**相談の主題**（課題）	**相談における提案・仮説**
スケジュール通りに進んでいた	当初の印刷会社ではイベント日に印刷が間にあわない	印刷会社を変更し印刷期間を縮めてスケジュールを守る
具体的要素	**具体的要素**	**具体的手段**
●A社 ●100部、印刷に7日 　印刷納品3月28日 ●5万円	●3月26日発注→4月2日到着 ●イベント参加者80名 ●参加費用 5万円／名	●A社→B社に変更 ●100部 印刷に4日 　印刷納品3月30日 ●印刷代金5万→10万円

背景（Why）　概要　要素（How）　システム軸

過去（既知・事実）　現在（新規・変化）　未来（推測・提案）

時間軸

企画9画面
複数の9画面を使って考えを深める

2010年代に一世を風靡したビジネスモデルキャンバス（BMC）も、9つのマスに分かれています。第1部でご紹介したように、フォーマット化されていて、ラベルがあり考えやすいという効果があります。

しかし実は、「フォーマット化されていることによって、何度でもBMCを書きなおすことができ、他者とも比較・共創ができる」ということが真の効果です。

これは、9画面法にも当てはまることです。9画面法は3×3になっていることで自然と考えやすいことが1点目のポイントです。このフォーマットに慣れて2枚目、3枚目……とかいていくことで真価を発揮します。他者とも比較・共創できるようになります。

しかし、さらにBMCにない特徴が。ここまで、様々な縦軸や横軸を持った9画面を

ご紹介してきました。そう、9画面法では、第2部の最後の演習でも行っていただいた通り、ラベルを様々に付け替えることで、「同じテーマに様々な視点から考察を加えられる」ことが異なります。

そこで、本節では、以下の3段階で複数の9画面法を活かした例をご紹介します。

① 企画9画面で企画を立てる
② 横軸を変史して企画をブラッシュアップ
③ 企画9画面を再度行い、一手先も考える

1手目：企画9画面で企画を立てる

まず「ビジネス企画9画面」で新しいビジネスを企画してみます。235ページにある9画面をみながら、一緒に企画をうかべるシミュレーションをしてみましょう。

まずは、周囲で成功してきたビジネスを「事実」の題材として選択します。（❶　左列中段）

今回取り上げるのは、「立ち食いソバ」や、「牛丼店」です。これらのビジネスが提供しているのはその名の通りソバと牛丼です。

では、これらのビジネスの顧客（Who）は誰でしょうか？　おそらく、急いでいるビジネスマンや商人（吉野家は築地市場発祥）、また立ち食いソバは駅前と駅のホームに多く、観光客や受験生などが利用しています（❷　左列上段）。

そして彼らが、「早い安い旨い」とうたう牛丼やソバを提供している手段（How）として特徴的なものを左列下段❸に記入します。

これで左列の「事実の整理」が終わりました。次に、これらの左列を一段抽象化した内容を中列に上からかいていきます。

まず顧客（Who）に共通しているのは、「時間がない中、食事をする人」です。別の言い方をすれば、「本来なら食事に充てるべき時間を、別のことに使いたい」人です。中列上段に記入します（❹）。

では、彼らに提供されている価値は何か？ もし、本当に時間がなければ、パンやおにぎりを買って食せば最短です（実際私も時間がないときはそうします）。立ち食いソバや、牛丼店に行くとき。それは「**時間がなくても、温かいものが食べたい**」ときです。ということは、「早い→その後の時間も含めて時間効率がいい」となります。

そんなときに「**早い、安い、温かくておいしい**」という価値を提供しているのが、これらの店の提供価値でしょう。（中列中段に記入）

❻その価値を提供する手段（How）は、中列下段に記入した3点のように一段抽象化しました。

ではこの6マスを活かし、新しいビジネスを具体化してみます。

まず、具体化した顧客（Who）は誰がよいでしょうか？ 今回、従来の立ち食いソバや牛丼店では少数派な「時間がない中学受験生」を顧客として設定してみました。練馬や渋谷、御茶ノ水といった、大手塾が複数大教室を構えている駅前ならパイはありそうです。

次に、そんな顧客にどんな「早い安い、温かくておいしい」価値を提供するか？ 私の家族も小学生の頃、塾帰りに駅で食べる立ち食いそばが楽しみだったとか。また、脳の働きをよくするといわれるDHAが多いマグロは子供たちに大人気。なので、立ち食いで、天ぷらソバとマグロ丼だけを提供する店を考えます。

最後に、❾具体化したHowを、❸、❻を参考にしながら考えていきます。

まず、カウンターですが、小学生にあわせて、低めの立ち食いカウンターを半分設置。親子や背の高い子も想定して普通のハイカウンターや、高さ調整する台も準備しておきましょう。

そして、顧客はメニューを決める時間も惜しいですから、日替わりで一択、ソバの天ぷらはよりDHAたっぷりの青魚。マグロもDHAが高い部位を準備します。頭を使って

疲れているでしょうから、オマケでブドウ糖を配ってもよいでしょう。

そして支払いに関しては、電車で塾通いしている子がターゲットですから、支払いは交通マネーのICカード支払いに一本化。券売機でなくてもタブレットを使って、セルフ支払い。何しろメニュー1品だけですから、タッチするだけ。「シャリーン」という音がしたら、食べ物を受け取る。シンプル会計。

と、まずは企画9画面で第一弾のアイデアを考えました。いかがでしょうか？

企画9画面（1手目）

❷急いでいる 　ビジネスマン、商人 旅行客、受験生	❹食事時間より 　優先すべき時間が 　ある人	❼時間がないなか、 　夕食を食べたい 　（中学）受験生 @練馬、渋谷、御茶ノ水
❶立ち食いソバ 　牛丼店	❺早い安い＆ 　温かくておいしい	❽『塾のソバ／DHA丼』 塾に通う小学生専用の立ち食いソバor マグロ丼
❸具体的要素 ●ハイカウンター ●茹で済ソバ／牛肉煮 ●食券券売機	❻具体的要素 ●ゆったり着座はできない椅子 ●種類を絞って調理済みの食材＋ 　その後使う時間にプラスになるもの ●注文と支払いの自動化	❾具体的要素 ●小学生にあわせた低めのハイカ 　ウンター ●調理済みのDHAたっぷりメ 　ニュー（アジ天）、マグロもDHA 　多い部位、オマケのブドウ糖 ●交通マネー支払いのみ（先払い）

顧客（Who）　システム軸　What　構成要素（How）

事実　　抽象化　　具体化

時間軸

2手目：横軸を変更して企画ブラッシュアップ

第2部第3章で紹介した縦軸と横軸の組みあわせはそれ以外に組みあわせてはならないというわけではありません。むしろ同じ内容を別視点3画面で組みあわせれば新しい創造になり、出したアイデアをブラッシュアップもできます。

たとえば、今度は第1章での「従来→新規→推測」横3画面と、先ほどの「Who／What／How（顧客／提供価値／手段）」縦3画面を組みあわせた9画面で、先ほど考えた『塾のソバ／マグロ丼』ビジネスについて、考察を深めてみましょう。

ここでまず、前ページで考え付いた内容を中列「新規」としてコピーしました。

この新規に対して、対比される「従来」の内容を左列に書き出してみると、

左列上段：従来のWhoは変更なし

左列中段：従来のWhatは「塾弁」という保護者の作った弁当で、提供価値は「塾での栄養補給」で、その要諦は「（塾で）遅くまで勉強できる」点

左列下段：今回の「新規のHow」と対比して書くと、塾の机、一般的な弁当の具、支払無し

となります。

こうして、粒度をそろえて並べることで、推測が働き、アイデアが湧きやすくなります。

最後に右列を埋めていきます。

まず、上段のWhoは変更なし。

次は中段です。こうして他のマスを見渡すと、いきなり天ぷら揚げや、ソバ茹でなど、厨房設備で設備投資する前に、まずはほとんど設備なしにできる「マグロ丼」を弁当形式で提供することで、「塾通いの中学受験生」に十分なパイがあるかの検証ができそうです。それこそタピオカミルクティー屋さんのような厨房設備で。

では、それを実現するHowを考えていきましょう。すると、小学生が買って行きやすい受け渡しカウンターにするほか、小学生にあわせたマグロ丼、また、受験に役立つ小ネタを紙で与えてあげてもよいかもしれません。

また、こうして各マスを見渡しているうちに「どうにかして実質支払無しにできないか？」と考えると、「塾代として一緒に引き落とし」できないかは一考してみる価値がありそうです。

いま、私立中学に通える家は、共働きが多く、受験校選びでも「給食・学食があるか？」は重要なポイント。かくいう我が家も「塾弁」は大きな課題でした。幸い、我が家は義両親が用意してくれましたが、同僚ママさんの塾弁悩みはよく聞いていました。

もし塾と提携して「塾弁ありコース」が作れたら、売り上げも定期的に立ちますし、塾側も値段だけでない差別化ポイントを提供できてWin-Winなのでは、と思います（逆に何でないんでしょうね？）。

こうしたアイデアを出すには、「粒度が整理されつつも、ある程度一覧性と情報量の両立がされている」9画面ならではと思います。

企画9画面（2手目）

中学受験生	時間がないなか、夕食を食べたい（中学）受験生	時間がない（中学）受験生
@練馬、渋谷、お茶の水	@練馬、渋谷、御茶ノ水	@練馬、渋谷、御茶ノ水
塾弁	『塾のソバ/DHA丼』	『塾でマグロ丼』
塾での栄養補給＆遅くまで勉強できる	塾に通う小学生専用の立ち食いソバ＆マグロ丼	提供価値の需要をテスト
具体的要素 ● 塾の机 ● 一般的な弁当の具 ● 支払い無し	具体的要素 ● 小学生にあわせた受け渡しカウンター ● 調理済みのDHAたっぷりメニュー（アジ天）、マグロもDHA多い部位、オマケのブドウ糖 ● 交通マネー支払いのみ（先払い）	具体的要素 ● 小学生にあわせた受け渡しカウンター ● DHAたっぷりマグロ丼＋ブドウ糖＋受験に役立つ小ネタ ● 塾での払い可（提携コース）

顧客（Who）

システム軸

What

構成要素（How）

事実　　　抽象化　　　具体化

時間軸

235

3手目：企画9画面を再度行い、一手先も考える

出したアイデアをもうひとひねりするために「ビジネス企画9画面」をもう一回かけることも可能です。こうすることで、さらに新しい側面を考えられます。

まずは、先ほどのアイデアを左列に置きなおします（❶❷❸）。そして、さらに中列に価値を一段抽象化します。

9画面法は縦横無尽に使ってもよく、少し順番を変えて横方向で使ってみましょう。

❶事実Whoをもう少し抽象化すると、夕食時間というのをより抽象化（❶→❹）して「試験日までの限られた時間をなるべく志望校合格のための学力アップに使いたい人」となります。

それを再度具体化して落とし込めば（❹→❺）、想定顧客は「時間がない中でも学力アップに役立つよう、夕食と知の摂取を測りたい中学受験生」、場所はやはり塾が集まる練馬、渋谷、御茶ノ水でしょう。

そんな顧客層に提供する価値を一段抽象化すれば（❷→❻）、「食事する時間が、学力とのトレードオフではなく、むしろ学力向上につながる」という提供価値が喜ばれそうです。

それを店名として具体的に名付けて思いついたコンセプトが、『東大講師の育脳食堂』（❼）。

ここで下段を用いてHowを考えていきます。（❼→❽→❾）

提供価値から一段「短時間で学びにつながるカウンター」と抽象化（❽）した上で考えます。すると、具体案として（❾）時事ニュースや、科学の楽しさが分かる動画が繰り返し流れるタブレットが置いてある（ただし店に長居しないよう、10分くらいでループする）。

それだけでなく、東大生が楽し気にバイトしているのもよいでしょう。

とはいえ、親としては早く帰ってきてほしいのですから、店員さんとのおしゃべりはNG。ただし、その東大生が、「今日のメニューがいかに脳にいい食材になっているか？」「いかに自分が東大で楽しく大学生活を送っているか？」を書いたペーパーが店には置いてある（帰りの電車で読める）なんていうのがいいかもしれません。Q&Aはラインで登下校時間中にチャットしておくとか。

東大生の中には自分の知力を社会や子供に役立てたい人が少なくないので、「詰め込みではなく、子供の勉強が楽しくなる手伝いを作る場所」という形で価値提供をブランディングすれば、リーズナブルなコストで、運営かつ企画まで自律的にこなしてくれるでしょう（これに関しては、東大生協で学生委員をしていたので断言できます）。

続いて支払い方法について、その狙いを抽象化すれば（❽）注文と支払いの自動化でした。これをさらに推し進めて手間の削減を考えると「月会費制」のサブスクリプションにしてしまえばよいでしょう。週に4回通うとすると月16回。1回あたり500円を切る価格で7000円／月ならば、比較対象が塾代となり、割安感も出ます。

いかがでしょうか？　アイデアの可否よりも、9つのパーツにモジュール化されており、問題の粒度をそろえることで、どんどん考えていけるところが9画面法の魅力です。

企画9画面（3手目）

❶中学受験生	❹試験日までの限られた時間を学力アップに使いたい。そのためには食事時間も、志望校合格につなげたい	❺時間がないなかでも学力アップに役立つ夕食と知の摂取をはかりたい（中学）受験生 ＠練馬、渋谷、御茶ノ水
❷『塾のソバ/DHA丼』 塾に通う小学生専用の立ち食いソバ＆マグロ丼	❻食事する時間が、学力とのトレードオフではなく、むしろ学力向上につながる	❼『東大講師の育脳食堂』 塾に通う小学生専用の立ち食いソバorマグロ丼
❸具体的要素 ●小学生にあわせた低めのハイカウンター ●調理済みのDHAたっぷりメニュー（アジ天）、マグロもDHA多い部位、オマケのブドウ糖 ●交通マネー支払いのみ（先払い）	❽具体的要素 ●短時間で学びにつながるカウンター ●種類を絞って調理済みの食材＋その後使う時間にプラスになるもの ●注文と支払いの自動化、削減	❾具体的要素 ●時事ニュースが繰り返し流れるタブレットが置いてある／東大生が楽しそうにバイト ●調理済みのDHAたっぷりメニュー ●月会費制（サブスクリプション）

顧客（Who）　システム軸　What　構成要素（How）

事実　　抽象化　　具体化

時間軸

提案9画面

9画面法を用いて、「自身の現状認識と主張」を行う際の骨子づくりを行った例をお伝えします。

未来を考えると、「何かの一番」であることが必要、という例になります。

（1）まず左列に、相手が同意できる「従来の考え方」をメモ

20世紀においては、実体を持った**アナログ製品**が価値の中心でした。まだインターネットもなく、**情報の伝達コストは高く**、途上国で**安定生産に至るには時間**がかかりました。**供給側も情報を周知するのに大金**がかかりました。

顧客側も実物を見て判断する情報に乏しく、「それまでの信用（ブランド）」と値段が頼りでした。買ったものを直すのも一苦労ですから、**製品は信頼性の高い完全なものであること**が期待されていました。

その結果、**需要供給曲線**が形成され、基本的には「**一番人気は一番よいが、一番高い**」という不文律がありました。

結果、アナログな「ものづくり」技術を持つ日本メーカーの独壇場で MADE IN JAPAN ブランドが席巻していました。

（2）続いて中列で、相手の現状認識を覆す主張をメモ

21世紀、IT産業が主役となり、**デジタルなコンテンツに価値の中心が移行**します。ITは**複製・流通コストが安い**ので、既に出荷したものの修正も可能。**製品＝完ぺきではない**ものがリリースされることが主になっています。そこに Google という検索エンジン＋広告ビジネスの融合体がその中継点になった結果、多くのコンテンツに広告がつき、ユーザーの支払いは**基本的に無料**になりました。

さらに、知的労働者の激増により、「使われて不具合の報告や要望が届く」ものほど、頻繁に改良することができます。その結果、「**一番人気のモノが、一番よくて、一番安い（無料）**」という従来とは逆の現象がおきています。

実はこれ、インターネット以前にも例が。**TV 番組**です。本やラジオに比べると TV の方が単位時間当たりの情報量は大きく、コンテンツ制作コストも高い。しかし、**広告が入ることによって、本やラジオよりリッチなコンテンツを無料で供給**しています。

同様の特性を十分に生かしたのが、GAFA。特に Google と Facebook は、無料にもかかわらず、広告で収益を上げ、最も多くのコンテンツを持ち、新しいサービスを試し続けています。

（3）右列に自身からの「提案」をメモ

この傾向は一時的なものではありません。さらに、With コロナの状況下で、オンラインコンテンツに接する人が増加。フィードバックがかかりやすくなっています。その結果、**「何かの 1 番になれば、周囲全てが味方に（逆に 2 番手は見向きもされない）」**という状態が生じています。

となると、ICT と AI の活用と同じくらい、自身の独自性、創造性を「きちんと誰かに No.1 のものとして認知されること」が大事になります。

ここで、スポーツや勉学など「誰もがその価値を知る分野での No.1」になれれば文句なし。ですが、当然にしてそれは狭き門。

それよりはここで「まだあまり多くの人が価値を見出していなかった（が実は価値がある）**分野を創って No.1**」になるのが現実的。

実は大学の先生方は以前からそれを行っていました。それが「新しい学会の創設」です。結果として、学会が次々と誕生し、現在では 1 万以上の学会があるそうです。

学会でなくても個人でもできます。例えば、筆者で言えば、TRIZ という分野がその 1 つ。それでも TRIZ 界には筆者よりも課題解決の先達はたくさんいます。ここからさらに「発明原理を身近な例で普段使いするようにする」という分野で No.1 になれました。

この本も、TRIZ の中でさらに発明原理よりも価値がまだあまり見出されていなかった「9 画面法」に関して No.1 になるべく書いています。

しかし、そうして「まだあまり価値を見出されていないもの」ほど、「人に価値を伝える」のは難しい。でもだからこそ、「価値を伝えられた」時には大きな力を発揮します。

ぜひ、Why と How を付け加えた「9 画面で 30 秒自己紹介」を使って「新しい価値ある分野での No.1」を創造していただければと思います。

提案9画面

❺20世紀の環境	❹21世紀の環境	❻環境の変化予測
● アナログ＝複製・流通コスト高い ● 製品＝完全なモノ 　生産の熟練には時間かかる ● 周知にも大金が必要 　→ブランドが判断材料	● デジタル＝複製・流通コスト安い ● 製品＝不完全でもリリース 　使われる→経験たまる→良くなる ● 一番人気のモノには広告がつく	● AIにより知的労働リソースは 　無尽蔵 ● Withコロナにより、コンテンツ 　へのフィードバック者も増加 ● 一番人気のモノには「味方」がつく
❷従来	❶主張（現状認識）	❸提案
1番人気は 1番よいが 1番高い	1番人気が 1番よくて 1番安い（無料）	何かの1番になれば 周囲全てが味方に 2番手は見向きもされない
要素	要素	要素
● 需要―供給曲線 ● アナログな「ものづくり」技術 ● 例：MADE IN JAPANブランド	● 実はTV番組も端緒 　帯域は本＜ラジオ放送＜＜TV 　→時間あたりのコンテンツ予算も ● 例：GAFA	● 独自性、創造性 ● ICT、AIの活用＋No.1を狙う戦略 ● 例：学会やTRIZ

システム（What・提供価値・動詞）　システム軸

下位システム（How・要素・根拠・動作）

従来　　　主張　　　提案

時間軸

第 2 章

コンサルティング手法と
9画面法

9画面法は
コンサルティング手法の
上位概念

本書を執筆するきっかけの1つが、前著で学習してくれていた会社の後輩たちとの知財推進活動とその手法でした。

1年間、発明原理を学んだ後で、彼らから次のようなことをいわれました。
「発明原理で問題を解決する方法は分かりました。しかし、それで分かったのは、**次に問題を設定する方法が必要だ**ということです」と。

そこで、まず9画面法を教えた後、TRIZにはこだわらず、BMC（Business Model Canvas）や、それに続く Value Proposition Canvas、マインドマップ、TRIZの簡易版である USIT なども使ってみました。

その過程で、これらを理解するのに彼らとの共通言語である9画面法を用いると、理解が早いことに気がつきました。
一通り行ったところで、教え子たちと「あれ？　結局全て9画面法でよかったのでは？」という話になりました。

その教え子の1人が、有志での共創空間づくりに関わりました。まず彼らが9画面法なしでプレゼンに挑んだ結果、グループ副社長の所でNG。しかし、9画面法でコンセプトを練り直しリベンジしたところOKとなりました。なんと、数千万円の予算が通ったのです。

この後輩との活動や体験を通して、トリーズの9画面の「アイデアの着想・整理」の部分の強みを感じるようになりました。9画面法のポテンシャルが従来のTRIZ界での扱い以上に大きいことを意識させてくれました。自分のデジタルペーパーに9画面法のフォーマットをデフォルトにし、つねに9画面法で考えるようになるほどに。
常に上位システムを考える癖がつくと、3C分析やSWOT分析といった、戦略コンサルティング手法での定番ツールとして使われている考えも9画面法に包含されていることが分かってきました。

本章では、この知見をお伝えします。まずは、3C分析やSWOT分析やアンゾフの戦略マトリクス、そして戦略コンサルティングファームが良く作る図の狙いを9画面法が包含していることを示します。そして、ソニー内外で何度も相談を受けた「シーズとニーズのマッチング」について、9画面法を用いてのアイデア発想法をご紹介します。このトリーズの9画面法こそ、最強のフレームワークであることを実感していただければと思います。

なお、冒頭の知財推進活動の教え子たちですが、その後もTRIZの発明原理と9画面法を活かし続けてくれました。彼らはイメージセンサーにAIを搭載するという弊社で注目される分野を掛けあわせての知財活動にTRIZを活用し特許を量産。社内表彰も受けました。講師冥利に尽きる教え子たちです。

3C分析は「システム軸」+「時間軸」が肝

3C分析といえば、3つのC、Customer（顧客）、Competitor（競合）、Company（自社）の視点で考える手法です。

といっても3C分析は現実を分析して終わりではありません。「今後（未来の）自社の戦略を考える」という課題のために、視野を広くすることが目的。つまりただ「現在の

Company（自社）からのみ未来のCompanyを考える」よりも、Competitor（競合）とCustomer（顧客）レイヤーのことまで考えて、以下の3層構造で考えた方がよりよい「未来のCompany」を考えられる、という手法です。

実はこれ、第1章の外的要因／内的要因をあてはめると、状況を外的要因と内的要因に分け、「まず外的要因の未来を推測したうえで自社（内的要因）の未来をよく考える」というスキームになります。

これは、外的要因は関係者が多いため「極端な変化は起きにくい」ことが、また、自社

現在（事実）　　　　　　　　未来（推測）

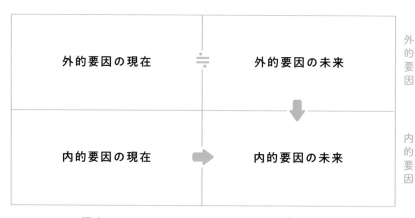

現在（事実）　　　　　　　　未来（推測）

に制御できる度合いは少なく「予想して備える」ことしかできないことを逆手にとって、よりよい戦略作りに役立てています。

実際、3C分析では、できればCustomer → Competitor → Companyの順に考えた方がよいことになっています。

その時に、3つのCとして自然に「内的要因」と「外的要因」を意識させるのが、3C分析の効能の多くを占めています。

さて第2部で、3C分析はシステム軸で整理しなおせば、以下のようにかけることをご紹介しました。

この両者をあわせると、ページ右下の6画面になります。さらに、3C分析の基本構造を、外的要因、内的要因の言葉でかきなおせば、上2段が外的要因、最下段が内的要因となります。

次に示す、SWOT分析でも、話の大枠は「状況を外的要因と内的要因に分け」、まず外的要因の未来を推測したうえで、自社（内的要因）の未来をよく考える、というスキームになります。

SWOT分析も「システム軸」と「時間軸」を用いて進む

企業における今後の戦略を考える際に行われるSWOT分析とは、

S：自社・自身の強み（Strength）
W：自社・自身の弱み（Weakness）
O：機会（Opportunity）
T：脅威（Threaten）

の4項目を用いて分析するアプローチの略です。SWOTは「外的要因／内的要因」「プラス要素／マイナス要素」の2軸では、

S：内的要因のプラス要素
W：内的要因のマイナス要素
O：外的要因のプラス要素
T：外的要因のマイナス要素

と説明されます。これをシステム軸、および現在→未来という時間軸で見ると、その有用性とカラクリが理解できます。

2章で触れた通り、外的要因は上位システム、内的要因は自システム内になります。ここに時間軸を「現在（事実）と未来（推測）」という軸を加えて表現したのが図Bとなります。

このとき、自システム（自社）における、未来の強み（S）を増大し、未来の弱み（W）を減少することによって、よりビジネスを有利にする戦略を導きたい、というのがSWOT分析の要諦です。

ここで、プラス要素とマイナス要素を「外的要因（上位システム）」と「内的要因（自システム）」に分けた強みが出てきます。というのも、外的要因、すなわち上位システムは、システムに参加している要素が多く、変化に対しての抵抗勢力も多く含みます。

そのため、未来においてドラスティックな

SWOTの4要素

S：Strength（強み）	W：Weakness（弱み）	外的要因
O：Opportunity（機会）	T：Threaten（脅威）	内的要因
プラス要素	マイナス要素	

変化は起きにくく、推測はしやすくなります。また、人口統計といった官庁資料や、民間の研究機関の資料など、参考になる共通の未来予測も多く存在します。

つまり機会（O）・脅威（T）というのは、比較的「現在」の事実から「未来」を推測することが可能です。

こうして推測された上位システムの未来（機会O／脅威T）に対し、意志（Will）を持って自システムの現在の強み（S）／弱み（W）をどう対応させていくかがSWOT分析の後半です。

SWOT分析の有用性の根幹に、自システムと上位システムという「システム軸」がある。それと、過去→未来の「時間軸」をかけ

あわせた視点が有用であることを感じてください。

なお、参考までにSWOT分析の後段で行われるTOWSマトリクスも同様の2軸で整理すると以下のような形になります。

SWOT分析をシステム軸と時間軸で捉えなおす

TOWSマトリクスをシステム軸と時間軸で表す

PEST分析は外的要因＝上位システムを考えるヒントになる

こまでのように外的要因＝上位システムを把握することはビジネスの戦略を考える際に重要なポイントです。しかし、この両者はともに抽象的な言葉であり、普段使いするまでの最初の一歩が踏み出しにくいものです。

そこで、マーケティングの第一人者、フィリップ・コトラー教授が考案した **PEST 分析**という方法をご紹介します。
PEST とは、
- **P：政治（Politics）**
- **E：経済（Economy）**
- **S：社会（Society）**
- **T：技術（Technology）**

この 4 項目について、思い浮かぶ項目を挙げた上で考える、という分析方法になります。一個人にとって政治も、経済も、社会も、技術も、自分が考えようとしている範囲の中では「あまり変えられない外的要因」になります。

具体的には、
- **Politics**：法規制・税制、裁判制度、政府関係団体の動向など
- **Economics**：景気、金利・為替、一般的な商慣習など
- **Society**：人口動態、世帯構成、教育水準や宗教など
- **Technology**：生産技術、技術の革新、インフラなど

を考えていくことになります。

確かに、いきなり「外的要因を考えてください」と言われるよりは、この PEST の 4 項目を考えてくださいといわれた方が作業しやすいもの。これも戦略コンサルティングのツールの 1 つです。

たとえば、19 世紀（後半）なら、
- **P**：帝国主義（植民地支配 OK、弱者の人権はないも同然）
- **E**：国家と組んだ政商の時代、植民地で生産したものを船で売りさばく、産業は「石炭＝黒いダイヤ」「鉄は国家なり」
- **S**：人口増大、兵役のため「産めよ殖やせよ」、炭鉱労働者も多い
- **T**：鉄の加工や輸出入、軍事は大艦巨砲主義がベース技術

な時代であり、現在は否定されていることも是として行われていました。

20 世紀（後半）は、
- **P**：自由主義経済 vs 共産主義、東西冷戦、法的に経済制裁発動
- **E**：株式会社と株式市場の時代、産業の主役は原油「油の一滴は血の一滴」
- **S**：製造業、会社勤め、専業主婦の登場、

「消費者」の時代

T：電力とエレクトロニクス、半導体、原
　　子力技術

といったところでしょう。

　さて、ではこの21世紀初頭の現在を、み
なさんはPESTとしてどのように捉えるで
しょうか？　考えてみて下さい。

　なお、著者も自身の9画面フォーマット
の上段の「上位システム」欄には長い間、
PESTの4文字を入れてありました。

　筆者としては一旦以下のように記しておき
ます。

P：米中冷戦、国家とグローバル企業の綱
　　引き

E：人口は減少、金余りと社会保障費で投
　　資奨励、金で金を買うのみ。産業では
　　「データはオイル」

S：人口減少、すべての先進国で少子高齢
　　化

T：インターネット、AI、IoT

アンゾフの成長マトリクスと9画面法

「**戦**略的経営の父」と知られるイゴール・アンゾフが考案した「アンゾフの（成長）マトリクス」というものがあります。戦略コンサルティング会社では必ず習うものです。

会社を成長させる際の戦略には、「既存製品／新規製品」「既存市場／新規市場」の2×2の4象限があり、それぞれ以下のように名前がついています。

A：市場浸透戦略 **（既存製品／既存市場）**
B：新製品開発戦略（新規製品／既存市場）
C：新市場開発戦略（既存製品／新規市場）
D：多角化戦略（新規製品／新規市場）

このうち、A→B、A→Cが中リスク中リターン、いきなりA→Dは当たれば大きいが成功率が低く避けるべき、というものです（A→Aが低リスクだが既に低リターン

という前提）。

成長マトリクスは会社単位の大きなものですが、多くの人が巻き込まれる「製品やサービス単位の売り上げ向上」という場面にしでも、その提供価値（What）と実現手段＝要

素技術（How）の視点で、既存要素（How1）／新規要素（How2）と 既存価値（What1）／新規価値（What2）の2軸で2×2にすれば、

A：継続的改善（既存要素（How1）／既存価値（What1））

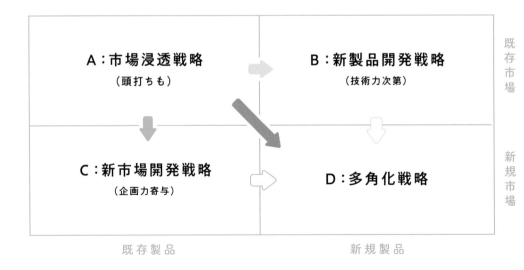

B：非連続な改善（新規要素（How2）／
　既存価値（What1））

C：新価値開拓（既存要素（How1）／新
　規価値（What2））

D：革新的挑戦（新規要素（How2）／新
　規価値（What2））

となります。

　日本の多くのメーカーは、How 志向が高
く、A→Bの経路になることが大半です。
このA→Bを「提供価値（What）／要素・
手段（How）」と、時間軸「Before／After」
で2×2のマトリクスにすると、右上の図
のようになります。

　しかしその方向はこれまでも競合同士で改
善を繰り返しており、ブレイクスルーを起こ
し尽くしています。

　そこで、A→Cのように「要素はあまり
変えずに、新しい価値を創造する」（そのう
えで多少の要素を変える）という視点を普段
から持つことが大事です。

　たとえば、富士フイルム。
　同じ写真フィルムの雄（グローバル1位）
であったコダックが倒産した一方で、見事に
脱皮を果たした企業として、ハーバードビジ
ネススクールでも、『ビジョナリーカンパ
ニー』や『両利きの経営』はじめ、数多くの

	Before	After
提供価値（What）	既存価値	既存価値
要素・手段（How）	既存要素	新規要素

	Before	After
提供価値（What）	既存価値 写真フィルム （光の感光）	新規価値 液晶保護フィルム （光の透過）
要素・手段（How）	既存要素 光学 薄膜 微粒子の拡散	既存要素 光学 薄膜 微粒子の拡散

ビジネス本でも取り上げられています。

もともと富士フイルムは、映画フィルムの国産化を目指して設立された会社であり、銀塩カメラが用いる写真用フィルムが主力製品でした。

しかし、デジタルカメラの登場で、写真用フィルムの需要が激減。しかし富士フイルムは自社の技術要素を使って様々な分野に進出していました。

そのうちの1つで、世界シェアNo.1なのが「**液晶保護フィルム**」です。

既存の光学技術や、薄膜技術、またその薄膜の中に、細かな微粒子を精度よく拡散させる技術要素を用いて「光の記録（感光）」という既存の価値から、「光の透過（の制御）」という新規価値を生み出しました。

さらに富士フイルムは挑戦を重ね、A→C→Dとして、多角化戦略も成功させました。有名なのが**化粧品事業**です。

ここでは、既存の技術要素をベースにしつつ、フィルムが同じコラーゲンであることに着目し、既に保持していた写真の色あせを防ぐ抗酸化技術、粒子を極限まで微小化するナノ技術、ナノ粒子を均一で安定した状態に保つ乳化技術など、様々な技術が美肌力を高めるスキンケアに活きているとのこと。

「技術」という言葉こそ同じですが、フィルムのときとは異なる要素を入れて、新しい事業を作り出しました。

このように、「提供価値（What）と要素（How）」の2段に分けて、Before／After、そして横3マスに時系列で並べることで、見えてくることがあります（下図）。

そして、実はこの図、9画面法の下6画面分になっているのです。

ここから「What（価値）」「How（要素）」

の凡例を抜き、アンゾフの成長マトリックスでの戦略名を「矢羽根型」で載せれば、コンサルティング会社が作成する図が完成します（次ページ）。この図、かなり「9画面法」が透けて見えませんか？

以下のように、各種コンサルティング手法が行っていることを9画面法は包容しています。9画面法を習得することで、困っている人の相談に乗りやすくなります。そして他社の課題を「整理→発想→伝達」し解決する積み重ねが創造性向上の王道です。

			提供価値（What）
既存価値 写真フィルム （光の感光）	新規価値 液晶保護フィルム （光の透過）	新規価値 化粧品（美容）	
既存要素 光学 薄膜 微粒子の拡散	既存要素 光学 薄膜 微粒子の拡散	新規要素 コラーゲン 抗酸化技術' 乳化技術 ナノ微粒子技術	要素・手段（How）
1950年代	1970年代〜	2000年代〜	

「矢羽根型」成長マトリックス

市場浸透戦略	新市場開拓戦略	多角化戦略
既存価値	新規価値	新規価値
写真フィルム （光の感光）	液晶保護フィルム （光の透過）	化粧品（美容）
既存要素	既存要素	新規要素
光学 薄膜 微粒子の拡散	光学 薄膜 微粒子の拡散	コラーゲン 抗酸化技術' 乳化技術 ナノ微粒子技術
1950年代	1970年代〜	2000年代〜

提供価値（what）

要素・手段（How）

ニーズ発見6画面

さて、「新しい技術より、新しい価値」という話をしましたが、このことは世のマネジャー層のかたも本当は分かっているようです。

しかし、「どうしたらそれが考えられるか?」の方法論が無く、困っているとよく相談を受けます。

「シーズから新しいニーズを考える」という創造性。何度も相談を受けているので、ワークショップのために発明したのが「ニーズ発見6画面」です。発想においては「量が質を呼ぶ」のは確か。ですからニーズを考えるブレストでは「しりとりで出た単語」など、ランダムな用語とひたすら組みあわせる、というのも特に技術よりもアイデア勝負の玩具市場のような場では有効です。

しかし、「蓄積されたシーズ技術」がある場合はこちらの方法も試してください。ある分野で高い技術を持つ会社が全く関係のない新製品で赤字になる姿を見るのは悲しいものです。「初心に帰る」ことは素晴らしく、常に心がけるべきことですが、「技術シーズまで初歩に戻って」しまうと特許で守っていない限り、後追いが多数発生してしまい利益につながりません。

なお、今回の特徴を発明6画面で示せば以下の通りです。

	従来（解決前）	新規（解決後）	
解決点	シーズとの関連がランダムで差別化要素減。参入障壁低く儲かりにくい	シーズの強みを活かしたニーズを発見しやすいので、儲かる商品に繋がりやすい	
方法	ランダム的ニーズ発見	ニーズ発見6画面	
発明の要素	とにかく付箋に書き出す　しりとりで出た単語と結合　類似の付箋同士集める	粒度をそろえた3段構成　過去の成功例と連結　シーズの持つ特性を意識	

Column 「発明の要素」一覧と『トリーズの発明原理40』

「非対称形」の他にも「発明の要素」として見つけやすいものを以下に並べておきます。

　発明品の Before ／ After では、基本的に「部分的にみると特徴が逆転」しています。

見つけやすい「発明の要素」のヒント

見た目が変わる系	単数⇔複数系
・直線的⇔曲面的 ・対称形⇔非対称形 ・無色透明⇔色つき	・直列⇔並列（つりあい） ・単一・不動⇔関節・可動 ・専用・純粋⇔汎用・混合
位置系	サポート付加系
・内側⇔外側 ・上向き⇔下向き ・平面的⇔立体的	・動力あり⇔なし ・仲介物あり⇔なし ・フィードバックあり⇔なし
重厚長大⇔軽薄短小系	スムーズ系
・濃い⇔薄い ・粗い⇔細かい ・固い⇔柔らかい	・障壁あり⇔なし ・周期あり⇔なし ・速い・短時間⇔遅い・長時間

そしてこれらの特徴は「分野を横断して」共通です。これらはいわば英語を学ぶ時の英単語のようなもの。分かる英単語が多いほど、より様々な英文を読んで楽しめるようになるのは自明です。同様に、「発明の共通要素」を覚えれば覚えるほど、「発明を観察する」ことが楽しくなります。

　さらに知りたい方は、前著『トリーズの発明原理40』をご参照ください。以降は前著をお買い上げいただいた方へのオマケの情報です。

　前著の181ページにて、「発明原理はTRIZの基礎用語である」という内容のことをお話しさせていただ

きました。発明原理を学ぶことでトリーズのベースにある「発明を抽象化する」という概念が分かる、ということです。

　まず、9画面法という考え方全体が、<#1 分割原理>の実践の1つです。そして、普通は1軸で3分割して考えるところを、2軸に増やしている所は <#17 他次元移行原理>です。

「ニーズとシーズマッチング6画面」での「シーズにおける技術要素の発見」にも発明原理が活躍しています。

・回る→ <#14 曲面原理>
・振動する→ <#18 機械的振動原理>
・ふくらむ→ <#37 熱膨張原理>
・折れ曲がる→ <#15 可変性原理>
という具合です。いくつもある機能要素の中でも、発明原理とつながりの強い機能要素は、連想をしやすいです。

「シーズとニーズを繋げる需要」を解決する

■ ニーズ発見6画面の かきかた

では、実際の思考を追いながら、ニーズ発見6画面をかいていきましょう。

縦方向の軸は、

上段：消費者視点。満たしているニーズ

中段：考察対象

下段：要素視点。シーズ

をとります。時間軸は「過去→現在」をとります。

左列は、既に「日常」になっている過去のイノベーションについて記述。右列が、自分たちが今、ニーズを考えたいシステムについて記述します。そして、右列中段から時計回りに❶〜❻の順に埋めていきます。

❶右列中段：今回、ニーズを考える対象を書き入れます

❷右列下段：❶の持っている機能の要素を書き入れます。（機能要素のヒントについては前ページのコラムにて）

❸左列下段：❷で書いた機能要素と共通のものを持つ身近なもの

❹左列中段：❸の要素を持っている日常品の本体

❺左列上段：❹で取り上げた過去のイノベーションが「満たしているニーズ」を記入します。

❻右列上段：❺（や他のマス）から連想して、新しいニーズを発想してみましょう。一見、荒唐無稽なようでも、❷❸の技術要素に共通点がありますから、全くのランダムよりは実現可能性は高いはずです

■ スマホの新機能を 考える

それでは実際にこの6画面を使ってみた例を考えていきましょう。

スマートフォン（スマホ）が持つ多くの機能の中から、要素を1つ取り出して、新機能を考えます。そこで右列中段の❶今回の対象に「スマホ」と書き入れます。

ここで、スマホの機能要素の1つを何か取り出します。例えば相談を受けた部署が「振動」に関しての技術シーズがあるのであればそれを「振動する」と 右列下段❷シーズ（要素）に書き入れます。

ここで、何か身の回りで「振動する」ものを見渡しましょう。特に、「今は日常になっているかつてのイノベーション」を持ってくるとよいです。今回はその1つとして運転中にガタガタと振動している洗濯機を左列下段❸連想したシーズとして書き入れました。

洗濯機のガタガタを起こしているシステムは洗濯機本体ですから、左列中段❹連想した

シーズから「発明の効果」ニーズ発見6画面

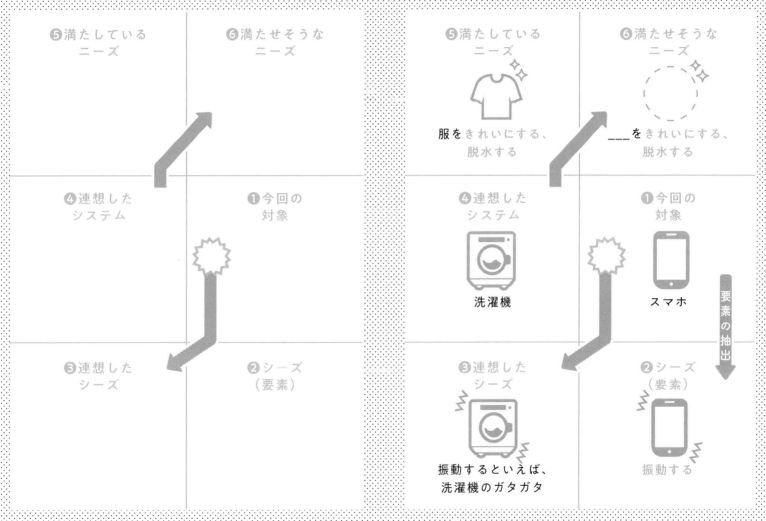

❺満たしている
　ニーズ

❻満たせそうな
　ニーズ

❹連想した
　システム

❶今回の
　対象

❸連想した
　シーズ

❷シーズ
　（要素）

日常になっている
過去のイノベーション

自分たちの
シーズ

❺満たしている
　ニーズ

服をきれいにする、
脱水する

❻満たせそうな
　ニーズ

＿＿＿をきれいにする、
脱水する

❹連想した
　システム

洗濯機

❶今回の
　対象

スマホ

要素の抽出

❸連想した
　シーズ

振動するといえば、
洗濯機のガタガタ

❷シーズ
　（要素）

振動する

日常になっている
過去のイノベーション

自分たちの
シーズ

システムとして、「洗濯機」を記入します。

ここまでが下準備。

ここで、❹連想したシステムとして入った「洗濯機」が（❷の振動することで）満たしているニーズを❺満たしているニーズに書きます。洗濯機が水をかき回し、振動させることで満たしているニーズと言えば「服をきれいにする」ということです。

そこで、それをヒントに❻満たせそうなニーズとして、「＿＿＿をきれいにする」と書きます。その上で6画面を見渡すと……。

❶〜❻から「スマホの画面を振動できれいにする」というアイデアが浮かばないでしょうか？

それまで主に「通知機能」としてだけ使われていた「振動」を「スマホをきれいにする」に使うのは一見荒唐無稽です。しかし、ポケットに入れた状態で微振動させれば、画面についた指の脂がきれいになりそうです。

慣れてきたらさらに連想を進めていくのもよいでしょう。洗濯機がガタガタとするのは脱水中です。そこで、❺満たしているニーズとして「服を脱水する」と入れてみます。そして、そのまま❻満たせそうなニーズとして「スマホを脱水する」と書いてみましょう。そう言われてから考えてみると、上手い振動をかけたり、隙間を外に出る方向に傾斜をつけたりすることで、振動を使って脱水ができそうです。

さて、揺れると言えばバスや電車の揺れ。揺られていると眠くなります。ということは「振動で睡眠を誘発するスマホ」は荒唐無稽ではありません。さらにバスは、西洋で「Bath, Bus, Bed」として「発想の起きやすい場所3B」に挙げられています（東洋でも馬上として類似の示唆）。ということは、「振動で発想を誘発するスマホ」だっておかしくはありません。

さらに、バスの振動から連想できるのはサスペンション。サスペンションもまた「バネ」という振動子によって「バイクを安定する」というニーズを満たしています。そこから「振動で安定するスマホ」というニーズの方向性が示唆されます。一見突飛な方向ですが、平面状に散らばった水滴や粉は「トントンと振動させる」ことで安定した位置に落ち着きます。決して無茶な方向ではありません。

このように、全くのランダムではなく、6画面を用いれば、「シーズに紐づいた日常品」を対比、経由して連想できます。単なるランダム性に比べ、発想の方向が連想しやすくなり、盛り上がる「ニーズ発見ブレスト」を実施できます。

シーズから「発明の効果」ニーズ発見6画面

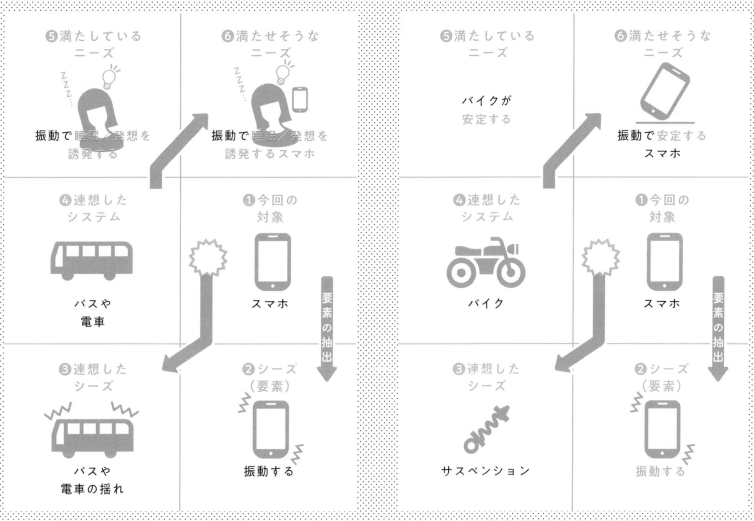

❺満たしている
ニーズ

振動で睡眠／発想を
誘発する

❻満たせそうな
ニーズ

振動で睡眠／発想を
誘発するスマホ

❹連想した
システム

バスや
電車

❶今回の
対象

スマホ

要素の抽出

❸連想した
シーズ

バスや
電車の揺れ

❷シーズ
（要素）

振動する

❺満たしている
ニーズ

バイクが
安定する

❻満たせそうな
ニーズ

振動で安定する
スマホ

❹連想した
システム

バイク

❶今回の
対象

スマホ

要素の抽出

❸連想した
シーズ

サスペンション

❷シーズ
（要素）

振動する

日常になっている
過去のイノベーション

自分たちの
シーズ

日常になっている
過去のイノベーション

自分たちの
シーズ

259

教える9画面
行動変容をデザインするための目的と仮説設定の9画面

ここまで9画面法で扱ってきたフレームワークは、基本的には過去や現在を基準にして、未来に向かって考えることがメインでした。

ここでは、ゴール（未来）から考える9画面をご紹介しましょう。それは、人に何かを「教える」ための9画面です。

「教えることは3倍学べる」

これは、私が父から何度も言われてきた言葉です。教えるという行為は、よく教えられる側に主体が置かれますが、学びや気づきなどのリターンが多いのは、実際は教える側のほうかもしれません。

教える側に学びが多い理由、それは大きく2つです。

1つは、何かを教える状況になるときは、大抵誰かから依頼を受けた場合だからです。依頼があった場合には、必然的にその目的を考える必要があり、自然と仮説を置く状況になります。

そして2つめは、講義が終わったタイミングで、当初においた仮説検証がすぐにできるからです。仮説を意識して教えれば教えるほど、自分のなかに知見がたまっていきます。

しかし、上記の仮説検証を行うためには、そのやり方、「教えかたのコツ」を知っておく必要があります。

それを知らないと、教える場は、教える側の一人よがりとなり、教えられる側には苦痛の時間となります。

教えるということの一番の目的は「教えを受けた人の行動変容」ですが、それもままならなくなってしまうのです。

そこでここでは、ワークショップを含む講義を例にして、教える際に必要なコツやポイントを9画面を使ってお伝えします。

■ 教えかたにはコツがある

自分には苦い思い出があります。もう10年以上前のこと、大学教員となった同級生から学生向け登壇依頼がありました。

はりきった私は、教えたい思いの勢いそのままに、90分の講義に教えたいことをパンパンに詰め込んで、怒涛のような講義を行いました。

学生からの質問はなし。同級生からは「よかったよ、ありがとう」という言葉をいただいたものの、翌年から依頼されることはあり

ませんでした。

別の同級生からも同様の登壇依頼がありましたが、そのときも同じような展開に……。

その後、同僚の紹介で「教えかた」を学ぶ機会があり、いかに受け手にとって苦痛な講義をしてしまっていたかを知りました。

本来、お互いに学べることが多く、有意義な時間である研修や講義の時間が、「現業の時間を奪う面倒ごと」になってしまうのは、お互いにとってもったいないことです。

私は幸運にも、教えかたを教わる機会がありましたが、多くの人にとって「教える機会」に対して「教えかたを学ぶ機会」が少なすぎるように感じます。

教えるために押さえておくべき2つのポイントは「全体設計」と「重要パートの設計」

いい講義というのは、講義を受けた相手に行動変容を起こします。

そして、教えられた側の行動変容を起こすために大切なポイントは2つです。

それは、**「全体設計」**と**「重要パートの設計」**です。重要なパートとは、講義の**オープニング・中間（ワークショップ）・エンディング**の3つを指します。

まずは全体設計の作りかたと、設計において大切となるポイントをお伝えします。

次に、それぞれのオープニング・中間（ワークショップ）・エンディングについて、どのように設計するかを考えます。

最後に、9画面を教える例を通して、仮説のおきかたや、さらなる理解を深めていただきます。

教えかたを学ぶことは、教え子の満足な顔を得られるうえに、自身の成長も感じられます。ぜひ、本節を参考にして、よい講義を行っていただければと思います。

就職活動で「自分の専門分野や経験を教える」ことができれば、自分がより「専門分野や経験を活かした仕事」に就くことができます。それが、さらに自身の専門を伸ばして社会に貢献することができます。

後輩や部下に関しても「業務を満足いく形で教える」ことができれば、その後のモチベーションや主体的な意欲につながり、組織全体のパフォーマンス向上につながるでしょう。

ぜひ「教える」例を学んでみてください。

まずは、1つめのコツである「全体設計」についてお話ししましょう。

「誰も、あなたの講義なんて受けたくない」

思い出してみましょう。学校で、すべての授業を「受けたい！」と思っていたでしょうか。残念ながら、私も、決して常に熱心な学生とは言えませんでした。

しかし、学生向けの登壇依頼をいただくようになり、先ほどご紹介したような苦い経験をしたことで、教える側の設計の大切さを知りました。

教えかたを学ぶ機会もあり、実践を重ねたおかげで、現在では総合評価で満点をいただける講義も可能になりました。

私が講義を作る際には、9画面とは関係ないものであっても、まず右ページにあるような「全体設計9画面」をかいてデザインします。

その際に重要なのは、**講義の後に聞いてくださったかたに行動変容が起きるような設計をする**ことです。

依頼主・受講生の環境を把握する

まず、依頼主の目的を知りたいところですが、依頼主自身が目的をつかめていない場合もあります。

そこで、依頼主や受講生の背景を、ヒアリングやWebなどから情報収集します。そうして聞いた内容をもとに、全体設計9画面の上段を埋めていきます。

依頼主が望む効果を右上マスに（❶）、その背景にある課題認識を左上マスに（❷）記入します。そこから、今回の講義で変えることを記入します（❸）。

行動変容の仮説をたてる

その目的を達するため、講義後の行動変容がなければ無意味です。

そこで、受講生の環境（❶〜❸）を鑑み、自分が講義できる内容（❹）と、それがどのような場面であれば具体的に使えそうかをセットで仮説を立てます（❺）。

あわせて、その場合に、講義後に行動に起こしてほしい内容（❻）を考え、これとセットで講義の具体的な要素（❼）を列挙していきます。

分かりやすいよう比較する

この中列と右列がそろったところで、受講生が「何の分野の話か？」、今回の講義で解決される、自分にとっての「不」は何か？を明確に意識してもらうよう、左列を埋めます。

❼に呼応する形で、左下の従来の要素を埋め（❽）、その状態が示す内容を「従来の手法」として記入します（❾）。

講義最後で右列一致＝仮説成功

さて、ここで全体設計としては9マス埋まっていますが、細部の設計（オープニング）のところで述べるように、受講生には、開始時に右列を空欄にしたものを「学びの9画面」として提示・配布します。そして講義の終了時に右列を各受講生に記入してもらいます。

その記入内容が想定通りであれば、立てた仮説は正解。そうでなければ、仮説が外れていたということが分かります。どちらにせよ、仮説なしで行った場合よりも、次回に向けて、より受講生の目的に叶う形で行えるよう、成長していくことができます。

全体設計9画面

❷ 今までに思い当たること	❸ 今日で変わること	❶ Why（使った効果）
☐ 徐々に延び飽きる ☐ 独自性が伝わらない ☐ 異業種・異分野との創発が起こらない	● 飽きずに20人の話を聞ける ● 独自性が伝わる ● 異分野の人と刺激を与えあえる	● 来場者に課のメンバーや得意なことが分かる ● 視野と創造性が伝わる ● 自分の経験を社会に活かせる
❾ 従来の手法	❹ 今日学ぶこと	❺ 具体的に使えそうな場面
☐ 各々が好きなように紹介する	**トリーズの9画面法 〜30秒自己紹介**	● 発表会／歓迎会 ● 異業種交流会
❽ 要素	❼ 要素	❻ 具体的に行う行動
☐ 実質時間制限なし ☐ 専門用語の説明なし ☐ 構造化なし	● 30秒120字制限 ● Why/What/How ● 達成→贈与→目標	● 今日の自己紹介のブラッシュアップ ● Why/Howを取り入れる ● 今までと異なる会合参加

背景（Why） 概要 要素（How） ← システム軸

過去（既知・事実） 　 現在（新規・変化） 　 未来（推測・提案）

時間軸

263

エンディング9画面

「終わりよければ全てよし」

同様に講義では、まず「エンディング」についてしっかりと固めておくことが大事です。このことが、満足度の引き上げにつながります。これからそのコツを9画面でお伝えしましょう。キーワードは「結婚式」です。

環境と「結」びつける

まずコツのその1、「結」。

その日の講義を「受講生の環境と結びつける」ことです。

繰り返しになりますが、講義やワークショップは「その後に受講生の行動を変容」してはじめて意味を成します。そのためには、今日学んだことが自分の環境（職場や家庭、受験や就職など）に役立つことを意識してもらう必要があります。

よく行われる方法としては、受講生と同じ状況での応用例、成功例を講師から紹介することです。

しかし願わくば、受講生自身に、今日習った内容と、自分の置かれている環境とを照らしあわせて、「どう活かしてもらうか？」を考えてもらうのが一番です。

私のように、9画面を教えることが講義そのままの場合には、講義で9画面をかいてもらっているので、その上位システム（環境）と自分を意識できます。そうでない場合には、皆さん自身が「あなたの環境はどうなっていますか？」を問いかけるのがよいでしょう。または次ページのように最初のアイスブレイクで「ロジカル3画面」をかいてもらって受講生自身に「自身の環境」を意識してもらうのが一手です。

終わりにしてスタート 「結婚」

そしてコツのその2、「結婚」。

その日の「講義が終わったことを祝う」とともに「次へのスタートである」ことを意識してもらうことです。

まず簡単にできるのは「拍手する」ことです。照れくさくてもとにかく「拍手」してみて下さい。雰囲気がぐっと良くなります。追加で「Congratulation!」風のお祝いスライドを用意すればよりよいです。著者は「赤飯のスライド」で祝意を示しています。そのときに、単なるお祝いではなく、結婚のように「一見ゴールではあるが、新たなスタートである」ということは言い添えましょう。

フォーマットを用意 「結婚式」

そしてコツのその3、「結婚式」。

結婚に際して行う2人の行事のなかで「結婚式」に関しては他に比べて定式化（フォーマット化）されているため、（コストを除けば）取り組みやすいものです。同様に、今日習ったことを次の行動に移しやすくするようなフォーマットを用意してあげましょう。

私の場合は、それが「学びの9画面」になっています。

なお最後に。上記とは独立したコツとして1つ。何よりも時間厳守を意識しましょう。先輩から「1分遅れるごとに、1割ずつ満足度が下がっていくと思え。5分遅れたら5割だ」という言葉は含蓄のあるものでした。「エンディングに入る時間」を設定。その時間になったら、思いきってエンディングに進みましょう。中身で終わらなかった分は、一度時間通りに終えてから希望者に話します。

エンディング９画面

受講後に活かす姿を描くことで、習ったことを行動に移す意欲がわく	講義が終わったことの緊張感を解くとともに、スタートであることを意識する	受講後に、行動に移そうとした時に、最初の一歩が分かっている
受講生の環境と結びつける 本日の内容が、受講後の環境でも活かせることを意識する	**結婚はゴールかつスタート** この講義が、ゴールであると共にスタートであることを意識させる	**結婚式のように定式化** 次の一歩と、そのメリットについて言葉にして明確化する
● 応用例の実話 ● ９画面の描画 ● 講義内容と、受講生の上位システム（環境）とを照らしあわせる	● 拍手する ● おめでたいスライド ● 講義内容と、受講生の過去、現在、未来を意識させる	● おりつめ ● 学びの９画面 ● ペアワークで一段抽象化する

メリット　学ぶこと　具体的手段 → システム軸

過去　現在　未来

時間軸

オープニング9画面

「はじめよければ終わりよし」という言葉もあります。

エンディングを成功させるためにも、オープニングもしっかり9画面で設計しています。

特に昨今は講義もオンライン化され、受講意欲をなくした受講生を再び振り向かせることは至難です。きちんとオープニングを設計しておきましょう。コツは、

・目的の共有
・プチ成功体験
・全体像の呈示

です。

目的の共有

オープニングで第一に大事なのが、目的の共有です。

最初に「講義を受ける理由」について受講生と合意ができていないと、その後の講義で苦労することになります。

そのときに有効なのが、「従来→新規→推測」×システム軸（メリット／学ぶこと／具体的手段）にとった9画面です。

まず、263ページの右列を空白にしたものを配布。そしてその左列から、思いあたることにチェックを入れてもらいます。

次に、「従来環境」が「新しい環境」に変化したことを共有します。

そのうえで、自身に「不足しているもの」が変化していることを認識してもらい、成功イメージを共有します。筆者なら、第3章のガチ9画面で予測したように「Deep Learning の普及で労働の基本が変わる」ことなどを共有します。「創造性や、その伝達力が大事になること」そしてそれが身についた時の良さを共有します。

細かいことですが、目的共有を重視するために、詳細な講師プロフィールは事前に配布し、当日の自己紹介は30秒で済ませるとよいです。

目的を共有したら、次はやる気です。

プチ成功体験

マーケティングでも相手に不足や不満、不安といった「不」を意識させることが有効です。

しかし、一度「不」を味わってもらったら、次は小さな成功体験を積んでもらうのがエネルギーになります。しかし私は以前、「最初に不便を意識させるワーク」を行ってもらい、「ほら、できないと不便でしょう？」としたり顔で講義をはじめていました。

思えば、受講生に対して「無駄にマウントをとっていた」ことになり申し訳ないことをしていました。そんな気分では講義に身が入るわけはありません。

現在は、ワンポイント自己紹介をしてもらったり、非対称には意味があることを発見してもらったりして成功体験を積んでもらっています。自身の講義の効果がすぐにわかるプチワークを入れて、講義と講師への期待を高めましょう。

全体像の呈示

講義と講師への期待を高めたところで、全体像を呈示します。

ここで、改めて従来手法との比較を行い、講義で学ぶ内容の優位性を説明します。

そして講義構成の全体像を示します。必要に応じて、その後の具体内容のキーワードを示すこともよいです。が、煩雑になる場合には講義の各パートで順々に明かしておけば十分です。そのためにも、学びの9画面を書いておくと有効です。

オープニング9画面

9画面法で、独自性と伝わりやすさを両立するテーマ紹介を作ろう！

互いの自己紹介と サンドイッチの 大切さ	さらなる構造化 独自性と 伝わりやすさの 両立の大切さ	実際に 話してみて、 効果の体感と 今後の ブラッシュアップ
学ぶこと①	学ぶこと②	学ぶこと③
● 説明の構造化 ● 3層構造で自己紹介	● 説明の構造化（3×3） ● 独自性の汎用化	● 分割＋構造化は 汎用性を増し伝達力をあげる
要素①	要素②	要素③
● ワンポイント自己紹介 ● Why／What／How	● 目標／達成／贈与＋Why／ What／How ●（応用）パラメータ化	● グループ内で実際に 30秒ずつピッチ ● 達成→贈与→目標 ●（応用）発明原理

メリット

システム軸

学ぶこと

具体的手段

過去　　　現在　　　未来

時間軸

ワークショップ９画面

講義とワークショップ、どちらの方が「自分もアウトプットさせてもらえる」と感じますか？　後者ですよね。一方で「よいワークショップ」とはなんでしょうか？　過去に100回、親子2000名以上にはワークショップをした中で気づいたのが「つかも」の３点。

・つくれる
・かたれる
・もちかえれる

です。この３点を意識することで、ぐっと自分のワークショップがよいものになるでしょう。

「つくれる」と楽しい

作るというのは楽しいものです。講義とワークショップの違いは「手を動かすか否か」といっても過言ではないでしょう。

一番よいのは、何かを物理的に作れることです。もともとそういうワークショップならばほぼ成功間違いなしでしょう。

そうでない場合にも、「今日学んだことを、活かすための"計画を作る"」という手があります。「エンディング」としても最適です。

そしてもう一つ、最初に「自己紹介を作る」という方法は常におススメです。隣の受講生が「相手の名前も素性も分からない」状態は授業に身が入らないものです。「講師と受講生」という関係性の時点でどうしても受動的なもの。能動的な場面を挟むことで受講生のモチベーションを保つことができます。

「かたれる」と考えが整理される

次に、受講生が「語る」パートを用意しましょう。

何かモノを作るワークショップでは作って終わりになりがちです。しかし、語ることを通じて、自分の中で発見が言語化されて、定着し、記憶に残りやすくなります。先ほどの「自己紹介」も、「計画」も語ることで、気づきがあり、ブラッシュアップされます。

まずは「２人組で各30秒ずつ語りあってもらう」プチワークはちょくちょく入れることが効果的です。ワークショップの最後には、４～６人で班になって互いに語りあってもらい、最後に各班から選ばれた代表者に１名ずつ語ってもらうとよいです。このとき、講師から言いたかったことが「受講生から語られた」なら効果倍増。あなたの講義設計は大正解。自信になります。

「語る」言葉を用意することで、その後の口コミにもなります。ぜひ「語る」パートの導入はご検討ください。

「もちかえれる」と効果が続く

そして、「持ち帰れる」というのも大事なポイントです。物理的に作ったものは、持ち帰ることで学びを想起することに繋がります。また、夏休みの親子向けワークショップですと、自動的に他の親子にも宣伝になり、集客につながります。惜しみなく配れるよう、そして帰ってから材料が手に入るよう、私のワークショップではなるべく100円ショップで買える材料をベースにしています。入手が難しいものだけ、配ることもあります。

なお、配布のときに、「持ち帰るための袋」にも気を配るとよいです。専門店を探すと、100枚1000円未満で柄付きでカラーのビニール袋が手に入ります。それだけでも子供は大喜びですからぜひお試しください。

先ほどの30秒自己紹介も、計画も、きちんと文章にして、持ち帰れるようパッケージ化してあげましょう。

右の９画面は、「ガウス加速器トリーズ」というワークショップを記述したものです。

トリーズの発明原理夏休みワークショップ「つかも９画面」

ガウス加速器（ガウス銃）をシンプルな材料から工作する。	ガウス加速器の不思議な挙動を体験し、その理由の一端を語れるようになる。	持ち帰ってまた実験できるし、友達にも自慢できる（次のお客様）	メリット
つくれる	**かたれる**	**もちかえれる**	学ぶこと
ガウス加速器が作れる 作って実験できる	ガウス加速器のポイントが「磁力の非対称性」であることが語れる	ガウス加速器を持ち帰れる 柄付き箸袋に金魚袋でお祭りのお土産感満載	
要素	**要素**	**要素**	具体的手段
● 作り方説明書 ● ストロー、磁石、鉄球５ ● ホチキス、セロテープ	● 発明原理#4非対称性原理 ● 身近な非対称の 　例（サイドミラー、缶、昆虫の羽）	● ストロー、磁石は百均 ● 鉄球はお手伝いで配布 ● 柄付き箸袋＆金魚袋	
過去（定説）	**現在**（主張）	**未来**（感想）	

システム軸

時間軸

ここまで、いい講義のためのポイントをそれぞれお伝えしてきました。

最後に、そうしたデザインを活かした実例として、9画面法の入門編として行っている『30秒自己紹介』ワークショップの概要をご紹介します。

オープニングとして、ロジカル3画面でのワンポイント自己紹介。メインは30秒自己紹介づくりのワークショップ。そして最後に、「学びの9画面」を埋めてもらっています。

環境と目的の共有

「馬を水辺に連れていくことはできても、水を飲ませることはできない」ということわざがあります。オープニングの目的はとにかく「学ぶ気になってもらう」ことです。そのために、「人生100年時代」のことなどで目線をあわせ、**講義目的の共有**を行います。

そのために、263ページの9画面を配布し、左列で「自分があてはまる」と思う□にチェックを入れてもらいます。ここで、2人組で話しあってもらうと効果的です。

また、中列を灰色の文字で印刷しておいて、なぞってもらうのも効果大です。

ロジカル3画面でプチ成功体験

続いて、ロジカル3画面（Why ／ What ／ How）を使って自分がハマっていることの紹介をします。その結果として、WhyとHowを意識することで自分の独自性が伝わりやすくなったプチ成功体験を積んでもらい、受講生の緊張をほぐす時間にしています。

「つかも」を満たす自己紹介作り

講義本体は「自己紹介9画面」です。講義のなかで説明しながら、自身の自己紹介を「作って」いただきます。そして「語って」もらいます。最初は2人組で、輪を広げていって、最後は全員の前で2人ずつ。そして、自身や過去に参加したメンバーの自己紹介を「持ち帰って」もらいます。アウトプットの比率が高く、「同じグループにすごい人がいた」という土産話にもなります。

さらに受講生のなかには「3段3列連携をさせた素晴らしい自己紹介」を成功させるメンバーおり、9画面のポテンシャルを体感できる時間にもなります。

最後に行動変容への一歩を踏み出す

自己紹介を語りあい、それぞれ互いに拍手で祝います。そして、エンディングとして「学びの9画面」の右列を各自に埋めてもらいます。人は、他人に課された目標よりも、自分で課した目標の方が守りやすいものです。

最後に9画面を記入することで、自身の環境への結びつき（＝行動する理由）と価値、具体的な方法が揃いますから、行動変容への一助となります。

「学びの9画面」が仮説検証の題材

講義が終わったら、講義の最後にかいてもらった「学びの9画面」の右列を眺めるようにしています。

そこには、自分が狙った通りの行動宣言が書いてあることもあれば、そうでないときもあります。講義の要素が十分に伝わっていないこともあれば、自分が思いもよらぬ使いかたを提案してくれていることもあります。**自身の講義の反省と新しい発見につながる**ため、楽しい時間でもあり、次の授業や9画面の新しい可能性の発見のために欠かせない時間でもあります。

まとめ

お疲れさまでした！
そして、おめでとうございます！

みなさんは、この『トリーズの9画面法』の紙上講義を無事に修了されました。

ここまでお読みいただき、本当にありがとうございます。

さて、「教える」というのは実は教壇に立つ場だけではありません。

再掲となりますが、就職活動で「高度な経験を教える」ことができるほど、自分がより「専門や経験を活かした仕事」に就くことができます。

同僚に関しても「業務を満足いく形で教える」ことができれば、その後の意欲向上、組織全体の業績向上になるでしょう。どちらも、社会貢献につながります。

ぜひ、教え方を学び、また、それを研鑽し続けていただければと思います。そしてその際には、9画面法で定型化しておくことで、再利用性や、振り返りに役立ちます。私は東京大学で登壇する準備のたびに何十枚もの9画面をかきます。その際に、いままでかいた

メモも9画面になっていることで、即座にその時に考えていたことを思い起こすことができています。

とはいえ、最後のまとめとして、「学びの9画面」は9画面法の説明が必要なので、そうでなくても利用できる簡便な「おりつめ」法をご紹介しておきます。

お：行ったこと
り：理解したこと
つ：次にすること
め：そのメリット

ぜひ皆さんも、目の前に上記の4行を書き、本節で、
「お：行ったことで一番印象に残ったこと」
「り：これは理解したと思ったこと」
「つ：次にすること」
「め：そのメリット」
についてそれぞれ書き出してみてください。

もし、「次にすること」に迷ったら、「この1ページから、エンディング「結婚式」の3要素を見つけてみる」ことからはじめてみてください！

その他にも、本書全体に、「9画面法でデザインして」工夫は詰め込まれています。本

書を読むたびに発見いただければと思います。

ここまでお読みいただいたみなさんが、「9画面法で教えたい」「9画面法を教えたい」と思ってくださっていると期待しています。

この後の3章は、「もっと9画面法を自由に使ったアラカルト例」です。

私もまた、9画面法、およびTRIZについてはまだまだ学ぶ途中の一学徒です。

これからもどうぞよろしくお願いいたします。

第3章

9画面アラカルト

　最終章となる第3部第3章は、これまでの「9画面を身につける」ための章とは異なり「9画面法のポテンシャル」を感じるための章です。いったん、前章まででこの本を閉じて実際に9画面をかいてみるか、「あとがき」に進んでいただいても構いません。

　上段はより広い視野で、下段は具体的な要素を。それを時系列で3つ並べる。それを基本にしつつも、あまりとらわれすぎずにかいてみましょう。そのヒントになるよう、私が過去にかいた様々な9画面を並べてみました。

　ちょっとしたメモとしてかいてみた9画面から、私が未来を予測するために渾身の力で考えを重ねてかいた9画面まで。

　9画面法を使うなかで、「皆さんがかきやすい各9マスのラベル」を思いつく一助になればと思います。

食事の話題9画面

2020年のコロナウイルスの感染拡大を機に、人とのコミュニケーション手段は一挙にオンラインが主になりました。オンラインになると、まずは最初に2分間ほど雑談することで生産性が上がるとのこと。

とはいえ、雑談のテーマが難しい。そんなときによいのが「**食事の話題**」です。

「過去→現在→未来」の時間軸を活かして、まずは以下を横3画面でかいてみましょう。
- 過去：子ども時代に食べて印象に残っている料理
- 現在：最近食べたなかで印象に残った料理
- 未来：将来食べてみたい料理

たとえば私なら、それぞれ
- 千枚漬け
- 蕎麦の太巻き
- 佛跳牆（ファッティウチョン）

となります。

雑談が目的なら、こうしてネタをメモしておくだけでも十分です。

しかし、料理名だけでは分かりにくい。「自分が印象に残っている料理」を相手にもう少し詳しく伝えたいと思ったなら、もう少し「メモを構造化」してみましょう。9画面法の出番です。

それぞれの料理について、「いつどこで誰と食べたか」を上段に「その料理を特徴できる食材」を下段に書きこんでください。「食事の話題9画面」の完成です。

私なら、次のようになります。
「子ども時代に食べたもので印象に残っているのが、聖護院かぶらを用いた漬けものである自家製の千枚漬。40年前に京都の生家で、両親、祖父母、曾祖母と一緒に食べたのが思い出されます。ふんだんに使った利尻昆布による旨みとぬめりがクセになり、いまでも大好きです」

「最近食べて印象に残っているのが、蕎麦の太巻きです。両方の両親と、妻子と長男の誕生会の際に、近所の蕎麦専門店で食べた蕎麦懐石の中の一品。ウナギを卵焼きで巻いたうまきを具にした太巻き。そのご飯部分が蕎麦になっている珍品でした」

「いつか食べたいのは佛跳牆（ファッティウチョン）。干しアワビやフカヒレはじめ、高級乾物を十種類以上詰めて煮だしたスープ。『あまりの美味しそうな香り修行僧ですらお寺の塀を跳び越えてやってくる』のが命名の由来という中華料理。子育てが終わったら、夫婦で中国の本場で食べてみたいと思っています」

食事の話題9画面

②いつどこで誰と？	⑤いつどこで誰と？	⑨いつどこで誰と？
●40年前 ●京都の生家 ●両親／祖父母／曾祖母	●最近（長男誕生会） ●近所の蕎麦専門店 ●妻／両祖父母／3児	●子育て終わったら ●中国 ●妻と？
①自家製千枚漬	④蕎麦（そば）の太巻き	⑦佛跳牆（ファッティウチョン）
③材料（要素）	⑥材料（要素）	⑧材料（要素）
●聖護院かぶら ●利尻昆布による 　旨みとぬめり	●そば ●うなぎ ●卵（うまき）	●干しアワビ ●フカヒレ など高級乾物

上位システム（環境・前提・背景）　システム（主題）　下位システム（具体的要素）

システム軸

子供時代　　　　　　　　最近　　　　　　　　将来

時間軸

学びの9画面

理科で習う「植生の変化」という項目があります。

単純に、
コケ→下草（一年草）→多年草→陽樹→陰樹
と文字だけで見ると、イメージがしにくい。
さらにここから、それぞれの時期の特徴を別々に覚えると記憶するのも大変です。

ですが、この9画面で描いたように、「それより大きな空間」と「局所的な空間」に分けます。
そして、その影響の度合いや、小さな萌芽を書いておくことでそれぞれの段階には連続性があることを感じられて記憶しやすくなります。

ここでは、森林・林業学習館に記載されている内容を参考に、3段で記述してみました（https://www.shinrin-ringyou.com/shinrin_seitai/seni.php）。

中段には着目している植生。
上段には、その環境として
● 土壌の様子
● 日光のあたり方
● 水分の保持
を記述しています。
下段には、この中で起きている局所的な変化について記述しています。

今回の例は、生物を例にしましたが、社会の歴史も同様に描くことができます。

なお、今回はフルサイズでかくと、3段×6列になります。9画面法は3段×3列が基本ですが、それを縦横方向に延長してもなんら問題はありません（実際にTRIZの手法のなかにも、巨大なマトリックスとして拡張する方法が知られています）。

重要なのは「区切って、並べ、対比する」ということです。
そして何より、思考ツールというものは「手段」です。「より良い思考の助けになる」という目的のためであれば、手段の正当性にとらわれることは得策ではありません。
みなさんも、9画面法に慣れたら、「守破離」の「破」のステージにどんどん進んでいってください。

	多年生植物の草原	陽樹中心の林	陰樹中心の林
	● 一年草による七 ● 日光→一年草に届かず ● 水分増える	● 多年草によるやや深い土 ● 日光は幼木にはあたらず ● 樹木には乾燥な時期も	● 樹木に十分な深い土 ● 陰樹の成木で、地表にはほとんど光が差さない ● 地面は乾燥しない
	多年草 （ススキ、チガヤ）	陽樹を中心とした森林 アカマツ、コナラ	陰樹：シイ、カシ、 　　　ブナ、スギ、 　　　ヒノキ
	● 地上部枯れても地下茎 ● 岩石の風化を促進 ● 樹木が成長できる土壌形成	● まず低木林から陽樹を 　中心とした林へ ● 陽樹の幼木育てず ● 陰樹の幼木の方が有利	● 交雑林を経て極相林へ ● 陽樹は縮退 ● 日本三大美林

～ 20 年後　　　　　20 ～ 200 年後　　　　　200 年後 ～

時　間　軸

書籍紹介9画面

書籍紹介のための9画面をご紹介しましょう。

ここでは『トリーズの発明原理40』を扱います。

この9画面法では、まず中列に「その書籍の特徴」を置き、左列に「比較対象」を置きます。

その後、右列に「その書籍を読んだ人の変化」を書きます。

その上で、左列から説明していきます。

発明的問題解決の理論、TRIZ(トリーズ)は、90年代には発明をすぐできる「魔法の杖」のように紹介されました。

また、2000年代には、膨大な項目から、自業務のヒントになる特許文献が検索できるITツールとしても提供されました。

そんなTRIZは強力ではあるが、習得が難しく、現実的ではないという感想が持たれていました。

従来出ていた書籍には、TRIZの全貌が凝縮されており、具体例が工業製品寄り。白黒で簡素な造りだったこともあります。

（中列）

そんななか、同著はメーカーで発明最多賞をとり、TRIZは発明原理だけで2年かけた高木氏。同書はAmazonの発明・特許カテゴリで首位を半年以上走り続けました。

ストレートに問題解決を目的にするのではなく、身近なものから「発明の要素」を見つけ、「課題解決を説明する共通言語」を皆で持つ、という方向性で書かれています。

具体的には、発明原理に絞ってあり、チョコレートやUSBといった身近な具体例を240個以上掲載。カラフルな図版で手に取りやすくなっています。

（右列）

最近、AIの向上によって、課題解決力や創造性にスポットが当たっています。同書を読んで、身近な物品から発明原理で発明の要素を見つけることが楽しくなりました。

たとえば、「溝を見たら発明を思え」であるとか、「非対称なままには理由がある」とか、「間に挟まれているものには意味がある」といったことに気づくことができるようになりました。

なお、同じ、TRIZ界の著者として…左列で挙げたTRIZの従来の書籍ですが、発明原理を通じて「TRIZの基本思想」が分かると、分かりやすく読めると思います。

私としては、そうした既刊本が背後を支えてくれるからこそ、安心して入門書の方に舵を切っております。

書籍紹介9画面（『トリーズの発明原理40』）

従来の前提／背景	著書の前提／背景	環境の変化／効果
90年代　発明をすぐできる「魔法の杖」として紹介（項目が膨大） 00年代　膨大な項目から検索できるITツールとして提供も高価	著者は、メーカーで発明最多賞 発明原理だけで2年かけた Amazon 発明・特許カテゴリ　1位	AIの向上によって 課題解決力、創造性にスポット
定説／自身の認識	**特徴、主張**	**自身の変化**
TRIZは強力ではあるが、習得は難しく、現実的ではない	ストレートに問題解決ではなく、身近なものから「発明の要素」を見つけ、課題解決を説明する「共通言語」を皆で持つ	身近な物品から、発明原理で「発明の要素」を見つける
要素	**要素**	**要素**
●TRIZの全貌を凝縮 ●具体例が工業製品寄り（エンジンバルブなど） ●白黒で簡素	●発明原理のみに絞る ●身近な具体例（チョコやUSB） ●カラフルな図版	●「溝を見たら発明と思え」（分割原理） ●「非対称なままには理由がある」（非対称性原理） ●「間に挟まれているものには意味がある」（仲介原理）

上位システム（環境・前提・背景）
システム（主張）
下位システム（具体的要素）

システム軸

過去　　　　　　現在　　　　　　未来

時間軸

ガチ9画面
知の固体→液体→気体

A Iの台頭が身近に感じられるにつれて、創造性を学ぶ需要が高まりつつあります。

● 左列：製造と流通の時代

産業革命が起きるまで、9割以上が農民でした。しかし、農機具や肥料の改良など、農業生産の効率化が進み、農業以外の産業が育ち始めます。

そこに、産業革命が起き、都市化、そして工場による工業生産が始まります。工業生産とは、**1つ作れた作品（正解）を製品として複製する**ことです。そして、労働とは、原料を調達し、工場で生産し、商品として販売する。「働く」といえばこれが、基本的な労働の姿でした。

このとき、ボトルネックになるのは主に工場の生産能力であり、そこで必要とされる能力は、流通網の一部を担ったり、生産技術を上げたり、生産管理ができることでした。

しかし、ボトルネックになっているものほど、効率化すれば利益につながりますから、効率化が進みます。

● 中列：営業とITの時代

工業生産の効率化とともに、IT革命で価値がデジタルコンテンツに移行し大量生産（複製）が容易になりました。

となると、移動範囲が拡大したことで生産よりも、むしろ「売る」ことが主役に。その結果「サラリーマン」といえば大抵、営業やマーケティングに関係する人が大半になりました。

ここで、新たにボトルネックになったのは世の中にある製品の「最適な組み合わせ」という正解に対し、とれる選択肢が多く「人間の判断力が足りない」という点だったのです。

そのため、正解に向けて「需要（ニーズ）と供給（シーズ）をマッチングする」という仕事が基本になりました。

プログラミングや製品パラメータのチューニングも広い意味では、「製品の能力を最も引き出す正解」を探し出す仕事です。その正解に向けて導くコンサルティングという職業も増えました。

このとき必要とされるスキルは、**コミュニケーション力、ITスキル**。また、判断を簡略化するための**ブランディング力**も重視されるようになりました。

現在、これらの3つを兼ね備えて頂点に立っているのが、GAFAです。

しかし歴史は繰り返す。ボトルネックになっているものほど、効率化すれば利益につながりますから、効率化が進みます。

AIにおいてDeep Learningの登場で、マッチングの効率化が進みはじめました。そこに計算力の指数関数的な拡大が加わりました。

その結果、「正解となるお手本（教師データ）」を多数示してあげるだけで、今まで人間が行ってきた判断を何十倍もの効率でできるようになりました。

ここにおいては、人間による「判断」よりも、Deep Learningに渡す教師データがボトルネックになってきています。

働くことは、

新しい「正解（と失敗）を創造すること」ことに価値が移りはじめました。

まず、センシングなどにより、いままでデータ化されていなかったものをデータ化できるようになりました。

次に、これまでトレードオフが存在し、課題解決としては妥協していた分野を切り開く、新しい課題解決の創造力の価値が高まっています。

加えて、最近ではWell-being（どう良く生きるか？）の選択肢を増やす取り組みも重視されはじめています。これは、従来と異なる新しい正解の探索需要を示しているともいえるでしょう。

そんなときに求められる能力は、**AIスキルとデータ化の能力**でしょう。データ化することで最も効率的に処理できます。

しかし、これらはあくまでスキル。このスキルを使って、労働の選択肢を創造していくには、その源泉ともいえる「創造性」が欠かせません。特に、いままでにないアイデアを創造することほど、価値が高くなるでしょう。

しかし、当然ながら、いままでにないアイデアであればあるほど、他者には伝わりにくいまま終わってしまいます。創造性とともに、それを伝えるための「伝達力」も求められていくことでしょう。

たとえば「ラベリング力」。未知のものにとりあえず名前をつけられる能力です。他にも、動画や文章を作る力、そして学びの場作りなどが伝達力と言えるでしょう。

そして、それらの一助に、この9画面法がなればよいな、と考えています。

ガチ9画面（知の個体→液体→気体）

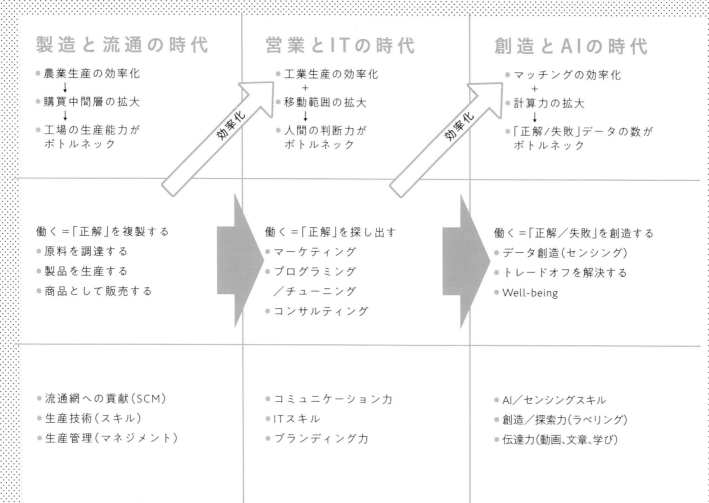

製造と流通の時代	営業とITの時代	創造とAIの時代	
● 農業生産の効率化 ↓ ● 購買中間層の拡大 ↓ ● 工場の生産能力が ボトルネック	● 工業生産の効率化 ＋ ● 移動範囲の拡大 ↓ ● 人間の判断力が ボトルネック	● マッチングの効率化 ＋ ● 計算力の拡大 ↓ ●「正解/失敗」データの数が ボトルネック	労働の背景
働く＝「正解」を複製する ● 原料を調達する ● 製品を生産する ● 商品として販売する	働く＝「正解」を探し出す ● マーケティング ● プログラミング ／チューニング ● コンサルティング	働く＝「正解／失敗」を創造する ● データ創造（センシング） ● トレードオフを解決する ● Well-being	労働の本質
● 流通網への貢献（SCM） ● 生産技術（スキル） ● 生産管理（マネジメント）	● コミュニケーション力 ● ITスキル ● ブランディング力	● AI／センシングスキル ● 創造／探索力（ラベリング） ● 伝達力（動画、文章、学び）	求められる能力

効率化　効率化

成長から「新価値創造力」の時代へ

❺ 20世紀の環境

- ツール＝単体で価値、単方向
- ツールの作り手に返る
  FeedBackは少数で玉石混淆
- 解決にかけられる工数少
- 営業力が差別化の決め手

❹ 21世紀の環境

- ITサービス＝クラウド型、双方向
- ユーザの声が多いので、数量順で
  優先順位をつけ解決すればよい
- 解決にかけられる工数も多い

❻ 環境の変化予測

- Deep Learningの発達
- オンライン化による
  データの蓄積
- ○aaSモデルの大成功

❷ 従来

ツールの成長＜個人の成長
個人の習熟がツールの不完全さを
を補う

❶ 主張（現状認識）

クラウドサービスの便利さが臨界
点を超えると
サービスの成長＞個人の成長

❸ 提案

成長から
「新価値創造力」
の時代へ

↑ の要素

- ○○の達人
- 知識人（○○専門家）
- ○○専門店
- 人脈の広い人

↑ の要素

Salesforce＝営業 aaS
- GAFAの本質は
  Google:知識 aaS
  Amazon:小売店 aaS
  Facebook:人脈 aaS

↑ の要素

- 更なる○aas(Maasなど)
- AIとデータプール
- 仮説構築力＋鳥居型人材

上位システム（環境・前提・背景）

システム（主張）

下位システム（具体的要素）

システム軸

過去　　　現在　　　未来

時間軸

実際の９画面

本書ではここまで、2軸と3×3構造に慣れていただくことを優先し、あまり絵は入れていませんでした。

しかし「創造と伝達の両立」において、簡単なポンチ絵は大いに威力を発揮します。

そして、もう一つの効果。慣れてくると9画面法を何十、何百枚とかくようになってきます。

ポンチ絵が1つ入っているだけでも、後から目当ての9画面が見つかりやすくなります。

テーマ：　9画面を学びませんか？

	過去	現在	未来
上位システム (Why・背景・顧客)	異なる分野についての知を効率よくとり入れる	変化が読めない世界で多様な予測を量産可能 🌐→🌐→🌐	多様なメンバーの知が共通の枠で蓄積される
対象システム (What・提供価値・動詞)	9画面が読める	9画面で考える/書く	9画面で伝えられる
下位システム (How・要素・根拠・動作)	・前提知識を共有 ・9マスの意味を知る ・主張の理路を読みとる	・前提変化の可視化 ・事実と推測の分離 ・着想と検証のスパイラル	・狭い視野の補完 ・思考の共通枠 ・互いの共創

本書では説明の簡便化のために、9画面の各画面に関し、1画面1画面完成させていくかのように説明しています。しかし、実際には、1画面に対して、だいたい3項目くらいずつ記入します。その際には①〜⑭のように書き入れる画面は行き来します。特に隣りあって対になって記入する際にはそれが顕著です（下段の③④と⑨⑩⑪や、上段の⑫〜⑭が好例）そして、1つ記入するたびに、思考が進み、影響を受けあうのがポイントです。

また、各画面で埋める際にも、上段は下から埋めていくことが多いです。徐々に思考が抽象化され、広い範囲まで視野が及ぶようになっていくのは気持ちいいものです。

テーマ：　実録！9画面法

慣れるとこの線もまたぐときに　事実→抽象化→具体化 している

	過去	現在	未来
上位システム (Why・背景・顧客)	⑬ ○×ゲームは読み合いの側面あるが、子供の遊びの域出ない ・古くからあるひまつぶし ・○×ゲームは答え（最善手）が存在	⑫ オセロは子供でもできるが、思考ゲームとしての側面がある ⑥ オセロは囲碁の時間短縮に（医師との）MRが発明した ⑤ 東大王の難読漢字枠ロ	⑭ ○×より、オセロとなぞらえることでより9画面法のイメージを伝えられる ⑦ 9画面法は、深く長い思考の時間短縮が可能 ・9画面法アラカルトのガチ9画面
対象システム (What・提供価値・動詞)	⑧ 9画面法は ○×ゲームの井 だけで始められる	② オセロ	① 9画面法は思考の枠ロ
下位システム (How・要素・根拠・動作)	⑨ 一手毎に他のマスは影響をうけない ・3×3のマスを4本線が共通	③ 一つ置くたびに状況がひっくり返る盤面が変わる 他の石も影響受ける ⑩ 8×8の64マス 最初に4つ置く	④ 一マス埋めるたびに思考が進む・影響をうけあう ⑪ 5×5、7×7や3×5、7×3もあり 一マス毎でなく、マスの中で3手も 最初に軸とラベルを置く

⑤上位だが、その中では難度小さめなので下めに書いている

↑上段は下からめていくことが多い、より広い世界へと思考伸ばすのが楽しい

←ポンチ絵とつけておくと、後で探しやすい

←この下段で事実挙げると、発見がおきるのが楽しい

参考文献9画面

本書を執筆するにあたっての参考文献を9画面法でざっと概要を示しながらご紹介します。Who ／ What ／ How の縦軸と、「過去→現在→未来」気味の軸で9画面をメモしました。

Who は想定している人

What はその方に提供する価値

How は具体的な書籍、Web サイト

です。

そして、How のなかの❶〜❸は以下の基準で掲載しています。

❶ 特に参考文献としておすすめだが、初めから読むにはややハードルが高い

❷ ❶の前に、参考文献として読みやすい

❸ 文献ではなくまずは、飛び込みやすいWeb サイト

まず、左列 Who「本書の内容を作るにあたって従来の方法に興味がある方」に向けて、参考になる既存の方法についての情報です。

筆頭は、照屋華子・岡田恵子著『ロジカル・シンキング』系の書籍です。「報連相9画面」には続編の『ロジカル・シンキング練習帳』が相性がよいです。30秒自己紹介については、吉野真由美著『できる人だけが知っている 成功する「話し方」7つの黄金律』（ソフトバンククリエイティブ）を参考にさせていただきました。2軸にすることの効用については、高橋晋平著『アイデアが枯れない頭のつくり方』は参考になります。

そして、9画面法同様に3×3マスを活用している本を3冊ご紹介します。

1つめは経営学博士の川上昌直氏が考案した、『そのビジネスから「儲け」を生み出す

9つの質問』で紹介される「9セルフレームワーク」です。「Who ／ What ／ How」のビジネスコンセプト軸と、「顧客価値／利益／プロセス」のビジネス要素軸の3×3で9セルです。

2つめは、BCG とマッキンゼーの双方に勤めた名和高司著『コンサルを超える 問題解決と価値創造の全技法』（ディスカヴァー・トゥエンティワン）です。この中でアンゾフのマトリクス2×2に対して、3×3にしてそのスキマを考える図が出てきます。

3つめは近藤哲朗著『ビジネスモデル2.0図鑑』（KADOKAWA）も3×3の枠に要素を配置して互いの関係性を記述しています（なお9画面法は1984年時点で TRIZ 考案者のアルトシューラー氏の論文に出ているそうです）。

最後に Why ／ What ／ How の効用につ

いては、サイモン・シネック氏の③TEDトーク『優れたリーダーはどうやって行動を促すか』に詳しいです。前述の高橋晋平氏もTED登壇されていますし、TEDトークはTRIZ以外の様々な方法の取得に有用です。

それとは別個に、企業9画面を書くには、企業のホームページ、特に「沿革」と「投資家向け（IR）資料」が役立ちます。

中列に移りましょう。「本書の内容を通じて、TRIZの手法をより知りたくなった方」向けに、TRIZに関しての情報に関しての参考文献です。

なんといっても外せないのが、前著でもあげた、中川徹監訳『体系的技術革新』（クレプス研究所）です。私の知る限り、本書の前に書かれた「9画面法」についての説明で一番詳しいのが同書です。

ただ、同書を初めから読みこなすのは難しいので、拙著『トリーズの発明原理40』を入門書としてお読みいただくか、TRIZの各サイトを参考にしつつ、そのなかで相性のあった語り口のTRIZ本を読んだうえで先に紹介した書籍にチャレンジいただくのがよいかと思います。

Web上にあるTRIZ情報としては、アイデアプラント・石井力重氏のスライド資料が大意をつかむにはよいでしょう。TRIZの歴史から詳しいのがTRIZ塾（http://www.trizstudy.com/）です。ロシアで使われている子供向けTRIZ入門書の訳もあります。

なお、TRIZが実際のビジネスにどう役立っているかについては、アイデア社（https://www.idea-triz.com/）や、アイディエーション・ジャパン社（https://ideation.jp/）に事例があります。

上記を網羅して、TRIZに関しての情報の総本山ともいえるのが、①を監訳した中川徹氏の「TRIZホームページ」（https://www.osaka-gu.ac.jp/php/nakagawa/TRIZ/TRIZintro.html）となります。海外でのTRIZ状況も掲載されています。

そして、最右列には、「本書の内容を通じて9画面法でさらなる知的共創を進めたい方」に向けて、普段からハイレベルな思考をしていると感じる著者の書籍を列挙しておきます。

• 小宮山宏著『新ビジョン2050　地球温暖化、少子高齢化は克服できる』
• 山口揚平著『1日3時間だけ働いておだ

やかに暮らすための思考法』
• 内田樹の研究室（http://blog.tatsuru.com）

『新ビジョン2050』は、第28代東京大学総長を務めた小宮山氏が、2050年の日本を、資源・エネルギー自給国になれるという「根拠のある楽観的ビジョン」を述べたもの。時間的に長く、そして技術的にも深いビジョンを9画面片手に読む同志の登場を待っております。

長尾達也著『小論文を学ぶ―知の構築のために』は、単なる試験対策本ではなく、「そもそも論じるとは何か？」ということにまで踏み込んで説明しています。p.59とp.93には3×3のマトリクスが記載されており、思考の深さが感じられます。

山口揚平氏の書籍は、p.22でも紹介したT&Sキャンパスが載っています。未来を想定して思考した内容を読めるのでおすすめです。

内田樹氏のブログは、視野も広いうえ、ブログのなかでも未来を予測し、「起きえなかった未来」について論じていることがしばしばあります。9画面法を思い浮かべて読むと、発見があると思います。

その他、「長い時の試練」を経た古典が手軽に読める青空文庫もおすすめです。私も寺田寅彦氏の著作をいくつも読みました。

本書の内容に関わる従来の方法に興味がある方	本書の内容を通じて、TRIZの手法をより知りたくなった方	本書の内容を通じて9画面法でさらなる知的共創を進めたい方	Who
参考にした既存の方法についての情報	TRIZに関しての情報	普段からハイレベルな思考をしている方の情報	What
①照屋華子・岡田恵子『ロジカル・シンキング』 ②吉野真由美『できる人だけが知っている 成功する「話し方」7つの黄金律』 ③TEDトーク 　ロバート・バイク『クリエイティブ・トレーニング・テクニック・ハンドブック［第3版］』	①中川徹監訳『体系的技術革新』 ②拙著『トリーズの発明原理40』 ③TRIZの各サイト	①小宮山宏『新ビジョン2050』 ②山口揚平『1日3時間だけ働いておだやかに暮らすための思考法 ③内田樹の研究室	How
過去	現在	未来	

あとがき

「その環境設定をすることが、
　会社のするべきことなのか私には分かりません」

後輩たちが、『有志活動の環境づくりに3000万円予算をつけてほしい』とグループ副社長に熱量をもってプレゼンをした翌朝に帰ってきたのは、わずか2行のNGメールでした。

そのメンバーのなかには、私の教え子がいました。

彼から、このプレゼンのあとに、「高木さん、9画面法を使って、きちんと考え直したいです。このプロジェクトを実現するために、メンターをお願いします」と申し出がありました。

もちろん快諾しました。そしていま一度、彼とその仲間に9画面法の使い方をレクチャーしました。

9画面を使ったアイデアのブラッシュアップを繰り返し、そして迎えた1ヶ月後のリベンジプレゼン。

その翌朝に届いたのは、同じく2行だけのメールでした。

「君たちの"志"はわかりました。
　会社の公な場にしたいですね」

そしてこの有志活動はプロジェクトとして動き出し、翌年「コミチカ」という形で晴れてオープンすることとなりました。

＊＊＊

上記の事実も決め手となり、本書の企画が通ってから4年。前著から6年半。ようやくトリーズの2作目をお届けできることとなりました。その間にかき溜めた9画面は、3000枚を超えました。

以下、前著出版後の経緯と、9画面法の変遷と活用、そして謝辞をつづらせていただきます。

おかげさまで、前著の『トリーズの発明原理40』は、発明・特許界のベストセラーとなりました。

ディスカヴァー・トゥエンティワン社のAmazonでの売上ランキングとしては、もっと長い間（2年くらい？）、ベスト5に入り続けていたと聞いています。

個人としても、友人からの「読んだ！」という言葉から、初対面の方から「同僚が持っていた！」、有名人から「娘が持ってた！」

など、望外のお言葉をいただき、大変ありがたいものでした。

しかし、なんといっても嬉しかったのが、「TRIZを教える場」を何度も持たせていただけるようになったことです。社内に始まり、国の研究所や他社。東京大学をはじめ、高校でも保育園でも。厚木市こども科学館、科学技術館から図書館まで。100回以上のワークショップ、のべ3000人以上の参加者にTRIZを伝えました。その際には、技術士会、東京大学工学部丁友会、ソニー社員はじめ、のべ200人以上のスタッフが共に汗を流してくれました。この場を借りて御礼申し上げます。

そのようななか、私の後輩が、著者が社内にいることを聞きつけて弟子入り。継続的な学びの場を持ちはじめたことが、この『トリーズの9画面法』を単著として誕生させる契機となりました。

トリーズの9画面法の生みの親は私だけでなく、この松崎さん、川嶋さん、奥池さん、米澤さん、朝原さん、渡辺さん、石河さんたちも一緒です。まず一番に名前を挙げて御礼申し上げます。

その後、エンジニアにとって役立つ9画面法だけでなく、業務やプライベートで、営業に役立つ9画面法も探索することができました。

まず、営業成功1つめは、日経ビジネスオンラインに連載する機会を得たことです。
その説得の際には、「矛盾定義」の考えかたを、9画面をかきながらお話ししました。
同じく発明家である父との連載『発明的お悩み相談室〜トリーズに聞いてみよう』は隔週で計24回。約1年連載させていただきました。

続いては、新規事業での研究と営業の両立です。
新規事業の中でもさらに新機能として作った「個人情報に配慮しつつ薬歴に応じた通知機能」。さらに利便性と未来社会への配慮も兼ね備えた仕組みであることを、9画面法を活かして説明にまわりました。
それとは別に、社内起業家として、社内を営業し、「研修した社内売り上げで、自分の工数を買う」ことをし、一時は50%までその比率を高めました。
このような機会をくれた、福士さん、森井さん、石島さんはじめ、当時の事業室の皆さん、製薬会社や省庁の皆さん。グループ会社

の皆さん、ありがとうございました。

私にTRIZを教えてくれ、社内に教える場も提供してくれた、永瀬さん、池田さん、西本さん、石原さん、安達さん。そしてTRIZ界の広さを教えてくれた三原さん、中川さん、前古さんはじめ、TRIZ協会の皆様。
TRIZを研修・講義として教える機会をくださった、東京大学の村上教授、石北教授、ソニーグループの人材開発部や基幹技術研修に関わる皆様。いつもありがとうございます。

前著から一緒に9画面法を楽しみ、9画面で企画会議を通してくれた初代編集者の堀部さん、そしてそれを引き継いでくれた牧野さんにも感謝いたします。牧野さんは「電子化不可能」と言われた前著も電子化してくれました。一緒に「これから出る本の読書会」をしてくれた伊東さんはじめ、この本に関わったすべての皆様もありがとうございます。
そして前著の初代編集担当であり、当時社長でもあった干場さんにはこの1年、様々な形で文章術を鍛えていただきました。本書でも様々な実践的なアドバイスをありがとうございました。

前著が好評だったおかげもあり、次回作に

ついての打診はいただいておりました。正直なところ、「トリーズの矛盾定義」か、「トリーズの進化トレンド」あたりのテーマを想定していましたが、まったく違う形での着地となりました。

本書は2度の大幅変更を経ての上梓となります（図も文もこの2〜3倍かいてます）。アラカルトでは載せきれなかった9画面法についても、どこかでご紹介できればと思います。
また、9画面法を中学受験に活かした延長線上で「トリーズで読書感想文」というワークショップを行いました。動画も作りましたので「トリーズ　読書感想文」で検索いただければと思います。文章の構造作りにも9画面法は使えます。

また、発明9画面やシーズ6画面で用いた通り、9画面法はブレスト同様「ポンチ絵」を添えることでさらに創造性と伝達性が高まります。積極的にお試しください（なお、表紙をめくると発見が……？）。

発明9画面は、9画面法とTRIZ発明原理や、TRIZ進化トレンドとの融合です。9画面法は、他のTRIZツールである「究極の理想解（IFR）」や「Smart Little People（SLP）」

とも相性がよいようです。9画面法による未来予測にもう一段スパイスを利かせたいときに、最右列や、さらに右の4列目として活躍させてみて下さい。

上記TRIZツールの詳細については参考文献の中列①『体系的技術革新』をご参照ください。

同書の分厚さ(B5判460ページ)が示す通り、TRIZの体系は非常に広大です。

「2年でTRIZを1割くらいずつ理解していけば、20年でモノにできるかな」と思っていたら次の一歩に6年かかってしまいました。これでは60年ペースになってしまいそうです(苦笑)。

何はともあれ、TRIZに関して、私も同じ「学ぶ途上の仲間」。ともに切磋琢磨しあえればと思います。本書から気づきがございましたらご共有ください。

最後になりましたが、家族・同僚はじめ皆様に感謝いたします。共働き3児もちの生活は、妻子・両親・義両親に常に支えられています。また、私が執筆に専念している間は、妹・義妹夫婦、甥・姪たちも協力してくれました。みんないつもありがとうございます。

ここには名前を挙げていませんが、私がこうした「大きく深い知的活動」に時間をさけるのは、普段の仕事で私が忘れてやり残してしまっていることを、黙って引き受けてくれている仲間たちがいてくれるからこそです。

私の近くで、多くの取りこぼしを拾ってくれている人から、私が存在を気づいていないところでひっそりと私のミスを埋めてくれている人まで、本当にありがとうございます。その代わりに、自分の発明で、皆さんの子孫の代まで、この国を、世界を、一段ずつ幸せなレベルに近づけることで恩返しさせていただくことにさせていただければと思います。

そして、ここまで読んでくださったあなたにも感謝いたします。

その一端としてTRIZの他ツールにも習い、本書で挙げた9画面法で各軸や各画面につけたラベルに関しては、著作権を放棄し、パブリックライセンスとします。

ぜひ、私のつけたラベルを土台にして、さらに皆が共創できる9画面法を作り上げていってください。

この「さっと4本線でできる9つの画面」。その創造と伝達の連鎖がよりよい社会につながっていくことを願ってやみません。

TRIZ アイデアクリエータ
東京大学非常勤講師
高木芳徳 ＆ マイティ 拝

問題解決・アイデア発想&伝達のための
[科学的] 思考支援ツール

トリーズの 9 画面法

発行日　2021 年 4 月 25 日　第 1 刷
　　　　2021 年 6 月 30 日　第 2 刷

Author	高木 芳徳
Book Designer	カバー：小口 翔平　奈良岡 菜摘（tobufune）　本文・イラスト：小林 祐司
Publication	株式会社ディスカヴァー・トゥエンティワン 〒102-0093　東京都千代田区平河町 2-16-1 平河町森タワー 11F TEL　03-3237-8321（代表）03-3237-8345（営業） FAX　03-3237-8323 https://d21.co.jp/
Publisher	谷口奈緒美
Editor	千葉正幸　堀部直人　牧野類
Store Sales Company	梅本翔太　飯田智樹　古矢薫　青木翔平　青木涼馬　小木曽礼丈 越智佳南子　小山怜那　川本寛子　佐竹祐哉　佐藤淳基 副島杏南　竹内大貴　津野主揮　直林実咲　中西花　野村美空 廣内悠理　井澤徳子　藤井かおり　藤井多穂子　町田加奈子
Online Sales Company	三輪真也　榊原僚　佐藤昌幸　磯部隆　伊東佑真　大崎双葉　川島理　高橋雛乃 滝口景太郎　宮田有利子　八木眸　小田孝文　高原未来子　石橋佐知子
Product Company	大山聡子　大竹朝子　岡本典子　小関勝則　千葉正幸　原典宏　藤田浩芳　榎本明日香 王廳　小田木もも　倉田華　佐々木玲奈　佐藤サラ圭　志摩麻衣　杉田彰子 辰巳佳衣　谷中卓　橋本莉奈　牧野類　三谷祐一　元木優子　安永姫菜　山中麻吏 渡辺基志　安達正　小石亜季　伊藤香　葛目美枝子　鈴木洋子　畑野衣見
Business Solution Company	蛯原昇　志摩晃司　早水真吾　安永智洋　野崎竜海　野中保奈美 野村美紀　羽地夕夏　林秀樹　三角真穂　南健一　松ノ下直輝　村尾純司
Ebook Company	松原史与志　中島俊平　越野志絵良　斎藤悠人　庄司知世 西川なつか　中澤泰宏　俵敬子
Corporate Design Group	大星多聞　堀部直人　村松伸哉　岡村浩明　井筒浩　井上竜之介　奥田千晶 田中亜紀　福永友紀　山田諭志　池田望　石光まゆ子　齋藤朋子　竹村あゆみ 福田章平　丸山香織　宮崎陽子　阿知波淳平　石川武蔵　岩城萌花　内堀瑞穂 大竹美和　小林雅治　関紗也乃　高田彩菜　巽菜香　田中真悠　田山礼真　玉井里奈 常角洋　永尾祐人　中島魁星　平池輝　星明里　松川実夏　水家彩花　森脇隆登
Proofreader	株式会社鷗来堂
DTP	株式会社 RUHIA　小林祐司　森田祥子　伊比優
Printing	共同印刷株式会社

・定価はカバーに表示してあります。本書の無断転載・複写は、著作権法上での例外を除き禁じられています。
　インターネット、モバイル等の電子メディアにおける無断転載ならびに第三者によるスキャンやデジタル化もこれに準じます。
・乱丁・落丁本はお取り替えいたしますので、小社「不良品交換係」まで着払いにてお送りください。
・本書へのご意見ご感想は下記からもご送信いただけます。

ISBN 978-4-7993-2732-6
©Yoshinori Takagi, 2021, Printed in Japan.

https://d21.co.jp/inquiry/